小学创新教育丛书

脑科学与创新人才培养

主 编 蒋志峰

河南大学出版社

图书在版编目(CIP)数据

脑科学与创新人才培养/蒋志峰主编. -开封:河南大学出版社,2000.7
（小学创新教育丛书/游铭钧,刘堂江主编）
ISBN 7-81041-524-7

Ⅰ.脑… Ⅱ.蒋… Ⅲ.①创造教育-教学研究-小学② 脑科学-研究 Ⅳ.G622.0

中国版本图书馆 CIP 数据核字(2000)第 35883 号

责任编辑:张玉梅
责任校对:张家平
装帧设计:刘广祥
───────
出版:河南大学出版社
  河南省开封市明伦街85号 (475001)
  0378—2865100
发行:河南省新华书店
印刷:河南省瑞光印务股份有限公司
开本:850×1168 1/32
版次:2000年7月第1版 印次:2000年7月第1次印刷
字数:213 千字 印张:8.625
印数:1-5 000 册 定价:13.50 元

小学创新教育丛书编委会

顾　　　　问：顾明远
主　　　　编：游铭钧　刘堂江
编 委 会 主 任：刘川生
编委会副主任：杨玉厚　周其恩
编　　　　委：（以姓氏笔划为序）
　　　　　　　王　海　史锡平　刘　兼
　　　　　　　刘　毅　刘川生　刘书振
　　　　　　　刘堂江　任晓锋　许桂花
　　　　　　　肖凤翔　杨玉厚　周　丽
　　　　　　　周其恩　陈　铮　张武升
　　　　　　　章　方　游铭钧　靳建禄
　　　　　　　鞠庆友

序　言

　　新中国成立50年以来,特别是改革开放20年来,我国教育工作取得了举世瞩目的成就,有力地推动了经济的发展和社会的进步。但面临世界上一些国家的快速发展,必须看到我们的教育工作还有一些不尽如人意的地方。我们还没有培养出一批具有世界影响力的大师级的专家和科技人才,没有多少原创性的、具有世界影响的科技理论和技术成果。这一点使不少同志引为憾事。之所以如此,主要还是因为"应试教育"严重地影响着我国教育界,束缚着人们的头脑。为了解决这个问题,我国教育部门多年来一直在宣传、推动、实施素质教育,素质教育的观念日渐深入人心,正在形成全社会的共识。在政策和决策层面上,推行素质教育不仅被写进中央文件,而且由中央作出了具体部署。去年6月,中共中央、国务院颁布了《关于深化教育改革,全面推进素质教育的决定》,并召开了以贯彻这一决定为主题的第三次全国教育工作会议。这是一个重大决策,是在全国全面推行素质教育的总动员。这是我国教育史上继本世纪初废止科举,兴办新学,50年代移植苏联教育模式之后的第三次巨变。我们有理由相信,随着素质教育的全面实施,中国教育必将被提升到一个新的境界。

　　素质教育的提出,一开始就带有鲜明的时代特色,回应着时代的强音。人类社会发展到今天,在跨入新世纪的时候,一种新的经济时代已经到来了,知识经济开始在一些国家逐渐地取代工业经济。知识经济的特点就是对知识的高度依赖。能否迎接知识经济的挑战,关键在于能否培养出大批具有知识创新能力和技术创新能力的人才。站在新世纪的门槛,不能不思考中国未来的发展问题。"创新是一个民族的灵魂,是一个国家兴旺发达的不竭动力。"江泽民总书记近年来在许多场合屡屡强调创新问题,可谓言之谆谆,高屋建瓴。当前,世界上的竞争集中在经济实力、军事实力和民族凝聚力上。可以说,这三种实力的竞争,无一不是建立在教育事业的改革和发展上的。如果我们的教育搞好了,民族素质提高了,人才培养出来了,我们的经济就会更快地发展,我们的事业就会无往而不胜。因此,全面推行素质教育,是党和国家的大计,民族的大计,有觉悟、有良知的教育工作者,都会诚诚恳恳地而不是口是心非地、扎扎实实地而不是敷衍塞责地把素质教育方方面面的事情做好,并且不断把它引向深入。

以思想政治教育为灵魂,以培养创新精神和实践能力为重点,是推行素质教育的根本要求。江泽民同志指出:"教育是知识创新、传播和应用的主要基地,也是培养创新精神和创新人才的摇篮。"李岚清副总理也指出:"要鼓励创新和重视实践,促进教育与经济社会的实际紧密结合,改变那种只重书本知识,忽视创新精神和实践能力培养的现象。"培养创新精神的能力,这是当前世界教育改革的热点和焦点。但是,不是任何一种教育都能完成这项任务的。国外有教育家说:"教育既有培养创造精神的力量,也有压仰创造精神的力量。"因此,我们必须全面贯彻党的教育方针,从教育体制、教学内容、教学方法、考试办法、评估原则等方面进行切实的改革。正像江泽民总书记指出的:"必须转变那种妨碍学生创新精神和创新能力发展的教育观念、教育模式,特别是由教师单向灌输知识,以考试分数作为衡量教育成果的惟一标准,以及过于划一呆板的教育教学制度。""在出人才的问题上,要鼓励和支持冒尖,鼓励和支持当领头雁,鼓励和支持一马当先。"素质教育的主渠道是课堂,主力军是教师。没有一支数量足够、高素质的教师队伍,素质教育的落实便无从谈起。诚如教育部长陈至立所言:"只有具有创新精神和创新意识的教师,才能对学生进行启发教育,培养学生的创新能力。"

为了提高教育工作者的认识水平和能力,培养教师的创新意识和创新精神,以完成培养学生的创新精神和实践能力的神圣任务,我们从1998年10月开始酝酿,筹划编写一套《小学创新教育丛书》。这套丛书不仅涵盖小学各科教学,而且还包括学校管理和脑科学与创新人才培养等。从写作角度不难看出,这是一部难度很大的丛书。创新丛书,首先自己要创新,决不能欺世盗名。它要求不仅讲理论,更要密切联系小学课程、教材和教学实际,强调可操作性,贵在一个"新"字,用实际内容帮助引导教师创新。因此,选择作者就是一个大的难题。我们曾经找过许多专家和教师,他们都说这是一个很好的题目,但拒绝接受任务,原因是自己真正的创新不多、实践不够,难以完成。经过几番寻觅协商,作者才确定下来,但在写作过程中,也面临着一连串的困难。在主编和作者的共同努力下,我们差不多用了两年的时间,克服了各种困难,这套包括七个分册的丛书,终于和读者见面了,这无论从哪个意义上说都是值得高兴、值得庆贺的事。

这里我们想特别强调一下,万万不可把"创新"说得高深莫测,好像"创新"只是科学家的事,诺贝尔奖获得者的事。其实,创新不仅是分层次的,而且体现在各种工作中;不仅科学工作需要创新,而且从政、经商、务工、种田无不需要创新。最近一些农民感叹:种啥啥多,卖啥啥落。这就是说种地也有个研究市场的问题,也有一个创新意识问题,那种"庄稼活不用学,人家咋着咱咋着"的教条再也不适用了。创造需要知识储备,创造需要厚积薄发。脑子空空,没有知识的人是不会有起码的创造力的。按照通常的理解,创造力是由敏锐的感觉能力、高超的逻辑思维能力、直觉思维能力和丰富的想像力所构成。由这几种能力构成的创造力又有高、低之分。美国行为科学家马斯洛说过:"人的创造力有两种,一种是特殊才能的创造力,一种是自我实现的创造力。"前者肯定为数不多,后者应当说,凡正常的人,都具备这种创造力。我们必须同时开发这两种创造力。中小学学生的创新能力培养当属于后者。一位教育界权威人士说得好,不要把创新说得那么玄。其实,把已有的知识作非常简单的运用,就是创新。对中小学生来说,其创造性,更多地是指学生在学习过程中所表现出来的探索精神,求异的思维方式,非常规的想像力以及在学习上创造性地运用知识去解决问题,也可以搞些小发明、小创造。许多中小学教师反映,这种概括比较符合实际,有利于中小学生创新精神的培养。

  培养创新精神、创新思维和创新能力是一个很复杂的过程。在教学中,我们应该做到五个统一:(1)教师的主导作用与学生的主体精神的统一;(2)培养学生逻辑思维与形象思维的统一;(3)发展学生智力因素与非智力因素的统一;(4)学生的全面提高与发展个性的统一;(5)培养学生的科学精神与人文精神的统一。同时在教学中要实行民主,创造良好的氛围,使学生有充分自信和自由,这是对学生实施创造教育不可缺少的条件。马克思说:"自由是创造的前提。"国际上一些知名的大学者也认为,创造要有"内在自由和外在自由"。联合国教科文组织也曾指出:教育本质上是一种解放。这都要求我们要给学生必要的充分的自由。如果教师一味强调服从、不赞成求异思维和发散思维,压制批判精神,不允许有怀疑品质,一切惟上、惟书、惟师,这怎么能培养学生的好奇心、想像力和创造性? 因此,在教学中,一定要创造宽松的环境,提倡宽容的精神,否则创新精神是培养不起来的。我们很赞成杨振宁先生的话,中美教育要互相取长补短。他指出:"中国式的教育,主要是遵守纪律、刻苦读书,这对群体进步有好处。美国是放任开放,讲究个性的教育,对学生的各种放肆行为,表示宽容和理解。美国的教育,对5%的优秀人才脱颖而出大有好处。中国教育的改革,要多给学生,特别是给少数聪明学生以自由度,管得过严过死,都是要扼杀创造性的。"

时代呼唤教育,教育需要创新。我们的教师任重道远。处在世纪之交,我们尤其感到责任重大。我们认为《小学创新教育丛书》大体反映了上面讲的一些思想和理念,如果这套丛书在小学教育工作中,能够在创新方面起到一点推动作用,我们会感到十分的欣慰。

这套丛书究竟在多大程度上体现了编委会的指导思想和工作意图,还有待于读者的检视。我们热切地期待着广大读者的批评指正。

小学创新教育丛书编委会
2000 年 5 月 10 日

导　言

　　脑科学研究在 90 年代取得了重大进展,这对脑资源开发,特别是教育改革起到了积极的促进作用。人的智力不是不变的,也不是均衡发展的。我们要创造良好的环境,努力开发儿童的大脑功能。创新能力作为人脑功能的一个极其重要的方面,需要从小培养。本书以创造能力及其培养为主题,将脑解剖学、认知神经心理学、创造性心理学和教育教学等学科对创造能力及其培养的相关研究分别进行阐述,以使小学教育工作者,特别是广大教师全面了解和把握创造能力及其培养问题。该书特别注意了联系教学实际,这对我们进一步认识和把握学生的身心发展规律和特点,提高培养创新能力的教育教学效果有着现实的意义。

　　本书通过对创造能力及其培养相关的多学科的探讨,以期能对广大教师的思想认识和教学改革能有所帮助,这是我们最大的心愿。

作者

2000 年 6 月

目 录

第一章 创新教育与能力培养 …………………（1）
第一节 创新教育与能力培养 …………………（3）
第二节 创新教育的实施 …………………（11）
  一 创新教育对教师素质和学校管理人员的素质要求 …………………（12）
  二 创造教育的实施途径 …………………（13）
  三 创造教育的实施内容 …………………（15）
  四 创造教育的教学方法 …………………（15）
第三节 素质教育与创造力培养 …………………（17）
  一 素质教育与创造力培养 …………………（17）
  二 创造力培养现状及问题 …………………（20）
  三 培养创造力的学校教育因素 …………………（23）
  四 培养学生创造力的社会因素 …………………（27）
第四节 知识经济对素质教育培养创造力的改革要求 …………………（28）
  一 对知识的要求 …………………（29）
  二 对创新意识和创新精神的培养 …………………（31）
  三 对人脑功能的开发 …………………（32）
第五节 培养创造能力的教育教学原则概述 …………………（39）
  一 课程改革 …………………（39）
  二 教学改革 …………………（40）
  三 脑科学研究 …………………（43）

第二章 创造力的解剖生理学机制 …………………（50）

第一节　儿童脑功能开发的解剖生理学基础 …………（52）
　　　　一　人类思维与智慧之泉——脑 …………………（52）
　　　　二　少儿的主要生理心理特点 ……………………（84）
　　第二节　大脑的不对称性 ……………………………（88）
　　　　一　对大脑不对称性（左、右大脑半球的
　　　　　　形态结构各异现象的客观存在）的研究 ……（89）
　　　　二　大脑左、右两半球的机能的不对称性 ………（94）
　　　　三　对大脑两半球不对称性（包括形态学、机能
　　　　　　学）相关问题的初步认识 ……………………（94）
　　第三节　边缘系统与记忆 ……………………………（97）
　　　　一　什么是边缘系统 ………………………………（97）
　　　　二　边缘系统的功能 ………………………………（98）
　　第四节　动手能力 ……………………………………（100）

第三章　思维的神经机制 …………………………………（104）
　　第一节　脑的功能结构与思维 ………………………（104）
　　　　一　脑的机能构筑 …………………………………（104）
　　　　二　大脑两半球的对立统一及其对思维活动
　　　　　　的意义 …………………………………………（109）
　　　　三　PASS 理论及其对研究思维过程神经机制
　　　　　　的意义 …………………………………………（113）
　　　　四　额叶在思维活动中的重要作用 ………………（115）
　　　　五　问题解决 ………………………………………（116）
　　　　六　问题解决的脑结构 ……………………………（123）
　　　　七　数学机能的神经机制 …………………………（125）
　　第二节　思维和创造能力的提高问题 ………………（127）

第四章　创造性心理特征与培养 …………………………（130）
　　第一节　创造性心理特征的涵义与构成 ……………（130）
　　　　一　创造性与创造性心理特征 ……………………（130）

二　创造性与学习、问题解决 …………………… (132)
　　三　创造性心理特征的构成 ………………………… (134)
　第二节　创造性心理特征的内容 ……………………… (144)
　　一　创造力的基本特征 …………………………… (144)
　　二　创造性思维能力的特征 ……………………… (145)
　　三　儿童创造性活动倾向和性格的一般特征 …… (150)
　　四　不同创造类型儿童的活动倾向和性格特征 … (153)
　　五　创造性思维方式 ……………………………… (156)
　第三节　小学生创造性心理特征的形成与培养 ……… (157)
　　一　小学生创造性心理特征的发展 ……………… (157)
　　二　影响小学生心理特征形成的主要因素 ……… (161)
　　三　创造性心理特征培养的基本原则 …………… (173)
　　四　培养小学生创造性的主要策略 ……………… (180)

第五章　创造性教育 ………………………………………… (200)
　第一节　教师在创造性教育中的作用 ………………… (201)
　第二节　创造性教育对教师的新要求 ………………… (205)
　　一　观念系统 ……………………………………… (206)
　　二　智能系统 ……………………………………… (209)
　第三节　构建师生双主体的创造性教育机制 ………… (226)
　　一　奠定双主体创造性教育基础 ………………… (227)
　　二　构建双主体的创造性教育机制 ……………… (231)
　　三　创设双主体的创造性教学氛围 ……………… (234)
　　四　开展双主体的创造性教育活动 ……………… (235)
　第四节　创造性教育科学研究的新思路 ……………… (239)
　　一　研究方法 ……………………………………… (240)
　　二　案例 …………………………………………… (246)

后记 ……………………………………………………………… (259)

第一章 创新教育与能力培养

随着本世纪社会和科学技术的飞速发展,培养和造就大批的创造型人才,已成为人们普遍关注并着力进行探索的重大问题。国际间的竞争和社会各个领域的激烈竞争,在相当程度上就是创造的竞争和人的创造能力的开发与培养的竞争。众所周知,教育是科技实力的基础。因此,创新能力的开发和培养成为现代教育的根本任务,它反映着个体完善发展的基础并体现了现代社会发展的迫切需要。

近几年,"知识经济"的提出和迅速兴起、发展的实践,更引起了世界各国的高度重视,并已开始引起整个人类社会的广泛而深入的变革。教育改革也面临着艰巨的任务,创新或创造已成为世界教育改革的焦点和核心。

首先,知识经济是以知识为基础的经济。知识经济是以知识为动力,教育就成了名副其实的发动机。据对29个国家的调查研究发现,经济增长的25%应归功于教育的作用,另据对24个国家(其中7个为经合组织国家)的调查研究也得出了类似的结论[1]。为此人们认为,知识经济是一种"教育的经济"或"学习的经济"。这使阶段性的学校教育拓展为终身教育体系中的一个部分,终身学习将是人们生存与发展的永恒主题。其次,知识经济的发展最终取决于人的素质。这要求劳动者有良好的科学文化素养、坚实

---

[1] 杨宏进、薛澜译:《以知识为基础的经济》,北京,机械工业出版社,1997。

的专业技术知识和勇于开拓的创新能力,即使是普通岗位上的劳动者也是如此。要实现这一目标,只有大力发展现代教育和充分发挥现代教育的功能才有可能。应当看到的是,知识经济对广大劳动者创新意识和创造能力的要求有着鲜明的时代特色,这是因为知识经济的一个突出的特点就是强调创新,强调对新的思维方式和创新意识及创造能力的充分依赖。知识经济使人们明确地认识到:"未来不是我们要去的地方,而是我们要创造的地方,通向未来之路不是找到的,而是走出来的。"[1]强调人的创造性,努力发展自己的创新能力,充分挖掘自己的创造潜力,已成为现代人未来发展的主要方向。这也使得现代教育要承担起以提高创新意识和创新能力为核心的民族素质的使命,这需要以教育自身的相应发展和改革为基本实现途径。而创新能力的培养又是不能孤立地进行的,它需要着眼于创造性人格的整体发展和人脑功能的有效开发。仅从创造性人格看,提高全民族的创新意识和创新能力这一任务就不是仅靠教育内部的改革和发展就能充分实现的。这是由于创新涉及制度创新、体制创新、管理创新、观念创新、知识创新、技术创新等人类的各种活动,创造性人格的发展需要社会文化环境的支持和配合。教育的根本目标是开发体现必要知识和创造力的人力资源,在教育的实施过程中,创新所涉及的制度、体制、管理、观念等等具体因素都在不同层面和不同程度上产生各种制约因素而影响着培养创造性人才的教育实施过程和教育质量。反过来看,面对知识经济的发展要求,没有相当的国民整体的科学文化素质为基础,就不可能很好地形成人才成长和发展的必要社会环境。在此情况下培养出来的少量人才难以发挥才能,就会导致人才外流。这个自本世纪后半叶以来越来越明显的人才外流现象长

---

[1] 国家教委国家教育发展研究中心、中国教科文组织全委会秘书处编:《未来教育面临的困惑和挑战》,25页,北京,人民教育出版社,1991。

期困扰着发展中国家。由此可见,面对知识经济的国民教育要担负起全面提高国民整体的科学文化素质、造就高素质劳动大军的重任,把争取社会环境的改善、教育自身更好地发展和培养创造性人才统一起来。这使人们强烈地感到教育责任的空前重大,教育自身需要不断深入的改革。1996年6月,德国赫尔佐克总统提出,创新首先要精神创新,这要从年轻人开始,从中小学开始。这一观点引起德国教育界的广泛讨论并取得了共识,创新意识首先要有与之相适应的个性,同时,学校还要传授现代化的知识并培养学生的实际能力。

在全面提高全体国民的科学文化素质的要求的基础上,经济、社会的强烈变革和迅猛发展对教育强烈提出了培养和提高人的创新意识和创造能力这一极为紧迫的要求,由此我国当前实施的素质教育又面临着进一步深化改革的任务,其核心问题在于如何有效培养和提高人的创新意识和创造能力。

培养创新能力的研究,是创造教育的理论与实践不能回避和忽视的。基于创造学基础上的创新教育的思想和改革实践对素质教育的深入发展有着重要的借鉴意义。

第一节 创新教育与能力培养

创造教育(creative education)发端于20世纪40年代的美国。它产生于现代创造学的诞生和发展,并作为现代创造学与教育学相结合的一个分支而受到人们的格外重视。

人们对创造力的重视和创造学的诞生是本世纪科学进步和经济、社会的迅猛发展的必然结果。近代科学技术的迅速发展,人类的创造能力得以显著发挥,到20世纪初期,自然科学和工程技术等领域的发明创造成果大量涌现,并形成了一个高潮;并且,多数自然科学学科的基础理论也日臻完善,许多生产和技术部门的改造革新大都完成。在这种情况下,以往的具有无意识和自发性特点的创造活动形式已较难见效了,形势迫切要求人们认真总结创造活动的规律,以进一步有效地开发人的创造能力。这一时期,有关的心理学研究成果也大量出现,如1926年沃勒斯提出了著名的创造过程四阶段说,1931年美国心理学家洛斯曼的《创造发明者心理学》一书等。这些研究都为创造学的诞生奠定了基础。

一般认为,1936年美国通用电气公司的"创造工程"课程,或1941年奥斯本的《思考的方法》一书的出版及提出的著名的"智力激励法"为创造学诞生的标志。这时及以后一个较长时期内人们都把创造学作为一种应用工程学科来看待,更强调创造技法的研究和运用。七八十年代以后,人们致力于探索创造活动的生理心理机制,特别是从细胞学、人体生理学、生物物理学、生物化学、营养学及脑科学等角度进行深入研究,创造学本身也在不断地丰富和发展。

关于创造学,温元凯等同志认为,它是一门研究人类创造活动的规律的科学。它通过对创造发明史上大量的发明、发现过程的实例剖析研究,力求探寻创造发明活动的规律,借此来有效地促进各种创造发明。通过创造学的研究,还将使人们原来认为十分神秘的,只有科学家、发明家、艺术家等所独有的创造性设想,最终成为每一个普通人也能够持有的设想。其研究对象包括创造主体(创造心理、创造个性、创造教育——创造型人才的培养)、创造环境(造就一个有利于创造的优化社会环境)和创造机制(创造技法、创造过程等)三大部分[①]。创造学的研究内容有四大部分,第一部分,创造理论,即创造学的内容、对象、任务、历史、趋势、原则、

---

① 温元凯等:《创造学原理》,8~9页,重庆出版社,1988。

方法及创造的社会环境,这构成创造学的本体内容;第二部分,创造心理,即研究创造者的灵感、直觉、情绪、想像、意志,尤其是创造性思维等心理要素,以培养造就一种良好的创造心理品质;第三部分,创造机制,即创造过程的特定规律、创造技法、创造分类等;第四部分,创造教育,即研究创造型人才的培养与开发,创造教育是创造学的重要组成部分①。

  一些创造学的研究者认为,我国现代教育史上著名的教育家陶行知先生,是我国创造教育的倡导者和积极实践者。早在20世纪20~40年代,陶行知先生就提出了发展创造教育的思想,并且还在其创办的育才学校推广创造教育。他的创造教育是其生活教育体系的一部分,但受当时科学和社会条件的限制,他的主张很难得到发展和推广。现代创造教育却并不是由陶行知先生那里发展而来的,而是依据创造学的研究,在教育活动中运用创造学的理论和方法的一种新教育,比陶行知先生倡导的"创造教育"更具科学性和理论性。由此也可以看出,这一基于创造学基础上的创造教育的研究和实践,更强调创造学的理论和方法在教育中的运用这一特征要求。需要注意的是,我国中小学的创造教育实践在发展过程中,在陶行知研究会的研究推动下,陶行知教育思想中的创造教育思想,得以较好地研究、宣传,并在很大程度上在许多中小学创造教育的实践中进行实验了,陶行知创造教育思想在客观上推动了创造教育的发展。

  在创造教育的发展过程中,人们对创造教育的理解尚没有一个统一的认识,并从不同角度对创造教育进行了不同的阐述。比如,从培养人才的角度看,创造教育是培养创造型、开拓型人才的教育;从开发人的能力的角度看,创造教育是开发人的创造力的教育;从解决问题的角度看,创造教育是培养能创造性地解决模糊领

---

① 温元凯等:《创造学原理》,12页,重庆出版社,1988。

域问题的能人好手的教育;从普通教育的基础教育特点来看,创造教育是对教育对象实施为创造发明打基础、作准备的教育;从创造学的角度看,创造教育是将发明、创造的理论和方法应用于教育实践从而培养学生创造能力的教育,等等。对此,国内的一些创造学学者是不满意的,都认为,这些定义都是从某一方面对创造教育的含义的阐述,尽管都有一定的道理,但也有各自的局限性,这种按某一个方面的内容给创造教育下定义的方法本身也是欠科学的。科学地为创造教育下定义,应该从创造教育所属学科所具有的性质、创造教育的任务和创造教育的目的三个方面来说明,才能为创造教育作出科学的总结。他们由此提出,所谓创造教育,就是依据创造学的研究和创造学揭示的有关创造学的理论和方法,运用于教育实践,开发学生的创造力、培养和造就大批创造型人才的新型教育。简单地说,创造教育就是依据创造规律来开发学生的创造力、培养大批创造型人才的教育。

作为现代创造学的一个分支的创造教育,其实施原则是将创造学对创造规律(理论和方法)的研究和探索贯穿于整个教学计划之中,即包括对各个学科的教学、对学生的学习和生活的指导以及学校的行政管理等方面都应有利于培养创造型的学生。相应的,创造教育的目标就是开发学生的创造力、培养创造型人才。

以上是我们基于以创造学基础的创造教育有关研究情况的概述。从中可以明确地看出,创造学以及作为其一个分支的创造教育,都把人的创造能力主要限定在以科技发明、创造为主要指向的范围内。这是由于,"创造学是研究人类创造发明过程及其发展规律的科学",[1]创造学研究的目的是"尽快开发一个人的创造力,提高其创造性,使得普通人也能进行创造活动并不断提高创造活

---

[1] 庄寿强、戎志毅:《普通创造学》,3页,中国矿业大学出版社,1997。

动的质量"，①并要求"以开发人们的创造力为宗旨，努力培养人们的创造性思维，大力推广各种创造发明的技法，以便让更多的人发挥自己的创造性才能，从而更早更快地进入创造活动之中"②等。而人们之所以将创造力的概念指向主要集中在科技发明、创造方面，是因为创造学的产生，其社会背景正是本世纪初叶经济、社会发展对科技方面创造发明的强烈要求。只有更快的创造速度和更高的创造效率才能满足社会发展的需要。创造学的研究是以探索人类创造发明的过程及其中的规律来看待创造能力的，尽管本世纪中期以后心理学研究取得了深入进展，人们对创造力的认识不断深入和丰富，但创造学把创造能力定位在科技发明、创造等方面的能力的特点却一直保持着。

应该说，创造学对创造力侧重于创造过程的研究虽在一定程度上反映出创造力的一些本质特征，但并不全面，尤其在指导创造教育时就有很大的不足。

当代心理学的研究表明，创造力是创造性人格特征的一个有机组成部分，创造力的培养首先要着眼于儿童创造性人格特征的整体发展。否则，脱离儿童创造性心理特征而单纯强调培养创造力，就容易将创造力培养的教育教学改革引向偏倚或使改革目标最终落空。坚持正确的原则，创造力就表现为一个由低到高的连续发展过程。美国心理学家泰勒，依据产品新颖独特性和价值大小的不同，将创造力从低到高划分为五个层次：

第一，表达式创造力。以自由和兴致为基础，常因情境而产生，随兴趣而感发，不考虑产品的价值大小，如儿童的涂鸦绘画。

第二，生产式创造力。主要发展各种技术以产生完善的产品，往往以模仿、应用现成的原理、原则去解决特殊与实际的问题，不太注重创新性，具有技术性、实用性、精致性、效率性、完善性等特

---

①② 庄寿强、戎志毅：《普通创造学》，4～5页，中国矿业大学出版社，1997。

点。

第三，发明式创造力。表现为用一种新眼光去看待旧的东西，常常通过取长补短而创造出更简便、经济、有效、实用的产品，诸如小说的创作、卡通片的制作以及一般的技术更新和发明成果均属于这个层次。

第四，革新式创造力。表现为对已有的理论、产品的创新和添加新内容、新意义，它要求具备各种必要的知识，特别是对进行创造的那个领域有充分的了解。

第五，高深的创造力。这一层次的创造力最为复杂、深奥，它要求必须具有处理千头万绪的复杂资料的能力，并能形成崭新的原理原则或有系统的新学说。它与革新式创造力不同的是，后者新颖但能为大众理解和接受，前者深不可测，只有少数该领域的专家方可了解，它标志着创造力的最高境界。

泰勒指出，在五个层次中，表达式创造力常见于儿童和青少年，它是其他各较高层次创造力的基础，各较高层次的创造力都是由此逐步发展而成的。

泰勒的研究也表明，创造力是一般人都具有的一种心理能力，而并非伟人们所独有。随着对创造力研究的深入，这已成为人们的共识。

另一方面，对创造力的研究还表明，创造力具有多元性，可以表现在人类的各种实践活动之中，而并非只有科技活动和艺术活动两方面的创造力。

80年代初，美国哈佛大学心理学家加德纳在其著作《智力的结构》中指出，社会中大多数人（包括有学问的人）对个人智能的评价，似乎只按"机灵"或"笨拙"这一尺度即可，他认为这是错误的、狭隘的，并会导致严重的破坏性社会后果。他提出了新的多元智力观，并区分了七种形式：

第一，逻辑—数学智力。这是解答复杂数理问题、进行逻辑推理的能力,是从事科学研究所必需的。许多在科学活动中取得高成就的人,都是这方面智力突出的人。

第二,语言智力。这是许多活动中都需要的智力。具有较高度语言智力的人,擅长于学习语言文字方面的业务,并能准确地表现内心的思想和情感。这些人在写作、辞令等方面可能取得高成就。

第三,空间智力。指从三维空间观察环境,在头脑中构成立体形象,并使之转化、变形的智力。画家、雕刻家、塑造艺术家、建筑师、机械师等人的空间智力均较发达。

第四,身体—动觉智力。具有这种智力的人善于控制身体的姿势和动作。出色的运动员、舞蹈家、武术师,其身体—动觉智力均优于一般人。外科医生、从事精细手工操作的人员,都需要有精细、准确的身体—动觉智力。

第五,音乐智力。指感知、复制和创作音调与旋律的智力,加德纳认为这种智力多系天赋成分。

第六,洞察人性、善解人意的智力。指善于理解别人和会揣摩他人心意的智力。加德纳认为,这方面智力发达的人,适合于当教师、政治家、推销员等。

第七,自我内省的智力。这是一种善于了解自己的内心感受和行为动机并能加以评价和表达的智力,也就是一种自我认识、自我评价的能力。认识自己和认识别人的能力合起来,又可称为人格智力。

他指出,智力不仅有科技、学术和艺术性等方面,而且有社会性智力。传统智力观不讲社会智力,而更多关注其中的语言和逻辑数学智力,通常的所谓智力测验主要测量这两方面内容。但事实上,另外五种智力也同等重要。他主张从多方面发现和培养人的智力,是有利于促使人的智力向多方面发展和促使各种人才的涌现的。为了说明多元智力观,加德纳归纳了大量有关大脑两侧半球功能优势的生理学证据,列举了许多大脑不同部位受伤病人的资料,坚持七种智力都独立地存在于大脑中,有其各自的神经组织。

加德纳理论给创造力研究以启示和借鉴,由于智力与创造力之间有着非常密切的关系,既然存在多种形式的智力,那么也可能存在多种形式的创造力。生活中就可以找到上述七个方面的创造力的实例。

由此看来,在创造教育中将创造力的培养仅仅局限在科学发现、发明和艺术创造活动的范畴,会导致创造力的内涵过于狭窄,也致使创造教育的育人效果局限性较大,并且,从加德纳的观点看,这仍尚未突破传统教育观和智力观的范围,相应的创造观也局限于传统教育的创造力培养的学术性和表演性等方面的突出才能上。

对于创造力的多元性的看法,国内外很多学者都有大致相同的意见。1987年在美国盐湖城召开了以"提高儿童创造潜力的认识"为主题的第七届世界天才儿童大会。与会学者认为天才儿童不应仅仅理解为单纯知识成就上的获得,而应看做是儿童多方面的充分发展。天才儿童的多样性或多重性已经表明,天才不仅表现在认识、艺术、体育诸领域中,也表现在政治、商务、管理、组织等诸方面;不仅表现为学术上的成就、表演性等方面的突出才能,也可以在非学术、非表演性方面的创造中体现出来。一般地说,天才儿童是指那些在某个方面或某些方面有巨大潜能或突出表现的儿童,富有创造力已被公认为是天才儿童应具有的一个重要特征。在某种意义上,天才实际上就是某个或某些方面的创造力高度发展的结果。因此天才儿童概念的拓展可以说反映了创造力的多元性观点。① 本书后面介绍的创造力的心理学分析更具体地表明了

---

① 董奇:《儿童创造力发展心理》,23页,杭州,浙江教育出版社,1993。

人们对创造力的认识。

由此分析可以看出,基于创造学基础的创造教育对创造力的认识有较大的局限,并且,也没有系统地遵循创造力的形成规律来实施教学改革。这是我们应该加以重视的问题。须知,对创造力认识的不同,将直接影响教育教学改革的实施和效果。值得高兴的是,在中小学的创造教育发展过程中,很多学校已经注意到了这个问题,并着手进行创造素质的较为全面的培养,这在客观上有力地促进了素质教育的深化。

第二节　创新教育的实施

创造学认为,创造教育是创造学与教育学相结合的一个分支,是创造学与教育学相互交叉结合的产物,因而具有交叉学科性质[1]。但是,创造教育实施的系统的思想、原则等,无论是从理论研究层面还是从实践层面来看,都尚处于探索阶段。即使一些研究专家对许多问题的认识也有不少不一致之处,而且,很多已取得共识的思想在指导创造教育的实践中取得的效果也不尽如人意。尽管如此,创造教育研究中的许多认识是很有价值的。创造学和创造教育的研究都认为,创造的主体是人而不是物。在创造教育的实施过程中,人是指教师和学生。其中,教师对实施创造教育占有主导地位,要培养创造性的学生,教师必须具备一定的创造能力。学生在教师的培养、教育引导下,能动地接受教育,发展自己的创造力。这种以培养学生创造力为最终目的的教育和教学的师生互动关系,对教师有十分严格的要求,如教师对学生的积极的鼓

---

[1] 庄寿强、戎志毅:《普通创造学》,216页,中国矿业大学出版社,1997。

励、平等和宽容的态度,教师不再是自我权威的维护者和教材的代言人,而是儿童创造能力的激发者、培养者和欣赏者等等。其中,师生关系的性质和处理效果又主要是由教师来决定的,这与教师的教育教学思想观念和教师的素质的提高等都有直接的关系。而教师的观念和教学的行为表现又受制于学校管理和教育体制以及有关的社会制度、文化环境等,这些方面都需要按照社会发展的要求,遵照创造教育的规律,不断地进行整合协调。① 可以看出,尽管创造学认为创造教育是将创造学的研究和所揭示出的有关创造的理论和方法运用于教育实践,开发学生的创造力,培养大批创造型人才的教育,但由于在教育的实施过程中首先需要是为实现培养创造型人才的目标而进行的系统的教育教学改革,而不是单方面的、某一环节的调整和改革,因此,创造教育实质上是一种教育改革的研究和设想。这对我们研究以培养学生创新精神和实践能力为核心的素质教育的深入进行有着重要的意义。

一 创新教育对教师素质和学校管理人员的素质要求

教师素质中强调创造性的教学素质,表现为两个方面:

(1)教学能力要适应创造教育要求。如要掌握创造学的基础知识,了解科学的方法论,熟悉思考问题的方法,在本专业知识精通的基础上对相关、相近领域的科学知识也应当熟悉,从而能够指导学生进行创造性活动等。在教学方法中要能体现正确的有利于充分发挥学生的积极性和主动性的师生关系以及能培养学生创造性的教学法,这要求创造教育的教学方法要体现教师对具体的教学材料可以不讲或少讲,主要讲授观点、方法和概念,提倡使用启发式和讨论式教学,使教师的主导作用体现为对学生学习活动的组织、指导、管理、鼓励和调节等方面,以充分发挥学生在学习中的

---

① 温元凯等:《创造学原理》,276~290页,重庆出版社,1988。

主动性和积极性。其中,教学方法中提倡建立"问题情景",即按一定的具体目标,引起学生广泛而积极的思维活动,在学生的积极思考和解决问题的过程中,提高和培养学生的创造意识和创造能力。在对学生的评价要求上,强调以创造意识和创造能力为重要标准,特别是对一些富有创造性但在一些方面不符合老师心目中所谓的"好学生"标准的学生不当做有问题的学生看待,等等。

(2)教育思想和教学观念要转变。在育人目标中,要由培养知识型、应试型的学生改变为培养具有丰富知识的创新型人才,即从不重视学生创造力的培养到以创造型人才为目标;在师生关系的处理上,要由教育教学实践中过分强调教师的主导地位和主导作用而忽视学生在教学中的主体地位和能动作用转变为师生关系的协调,并发挥二者的能动性。这需要教学方法的保证等等。

对学校管理人员的素质要求中要强调创造性的要求。

要培养学生的创造性,教师必须具有创造性,而学校管理人员就必须能够使教师发挥其创造性,并创造相应条件给予支持和保障。在学校管理人员中,校长最为关键。校长抓好学校管理,使管理工作有利于促进和鼓励教师的创造性教学,并且管理要求中更多注重目标,而对具体目标的实现过程和方式方法不应过多限制,使教师能够发挥自己的主动性和创造性,但校长应善于发现学校管理和教师教学中的主要问题,及时给予圆满解决,并为教师的创造性教学实践和研究提供必要的物质条件。校长的创造性素质可以带出一个高素质的学校领导集体,通过民主管理,带动全体教师积极地高效率地进行工作。

二 创造教育的实施途径

从创造教育的理论研究看,实施创造教育主要有三条途径,即课堂教学、课外活动和社会活动。

（一）课堂教学

课堂教学是学校教学的基本形式,这也是实施创造教育的主要阵地。实施创造教育,要认真研究现行教学中的教学原则并按创造型人才培养的规律和特点进行发展、补充和改进,以制定创造教育的教学原则。用于指导创造教育的课堂教学实践。

现行教学中有很多很好的教学原则必须要坚持,如启发式原则、理论联系实际原则等等。另外,一些人还在实践和相关研究中总结并提出了一些从培养创造型人才的规律中得出的教学原则。如:

探索性原则,即不断创设问题情境使教学活动富有探索性,形成发现情境,使学生表现出高度的学习积极性和主动性,提高思维的活跃程度,培养和提高创造性;

个性化原则,即尊重学生的独立和独创,以发展个性为宗旨,在学生已有的个性发展水平上进行积极的多方面的引导,发展学生的特长,鼓励学生的独创,尊重学生的不同兴趣和爱好;

综合性原则,即联系多门学科知识和社会生产生活实际进行教学和综合性分析思考,如此等等。

（二）课外活动

通过课外活动,可以把课堂上学到的东西运用于实践,可以发展学生健康的兴趣爱好,可以锻炼学生独立思考能力和动手实践能力。许多小发明、小创造方面的创造成果正是在课外活动的实践中取得的。

（三）社会活动

实施创造教育不仅是学校的事,也是全社会的事。这需要社会提供良好的创造环境和氛围,支持鼓励创造型人才的培养,学校在实施创造教育中经常让学生走出校门,参与社会生活和实践。

三 创造教育的实施内容

创造教育的具体内容原则上应根据创造型人才的素质结构和时代要求来规定,但由于创造教育在现实教育教学实践中的困难较多在于制度方面的因素,客观上使创新教育的实施范围不够宽,而更多表现为与小发明、小创造相关的内容方面。

(1) 思维教育。主要是对学生进行各种思维方法的训练,培养和提高学生的创造性思维及思维能力。

(2) 发明教育。主要是教授和训练学生认识掌握人类创造发明的技能和技巧,把创造发明的武器交给学生。在科技小发明、小制作的活动中,学生要积极参与并在创造实践中提高创造能力。

(3) 发现教育。发现与发明是既有区别又有联系的两个概念。发现是指找到或领悟了自然现象和自然规律,而发明则是指采用已发现的自然规律,创造出新产品或新工艺的新构思。从二者联系上看,发明离不开发现,可以说有所发现才能有所发明;从二者区别看,发现不是创造出来的,而是找到了客观存在的事实;发明却是创造出来的,发明的东西在以前是不存在的。发现教育的目的是培养学生积极的探索、求知精神,使学生树立发现和创造的志向,形成创新意识,鼓励学生发现和再发现。

四 创造教育的教学方法

关于创造教育的教学方法,一直都处于理论设计和实践探索阶段,其中,一些方法是从创造学中移植过来的,一些方法是对现行方法的加工改造等等。

(一) 情境教学法

这类似于李吉林同志的语文情境教学法,该方法原则上适用于各科教学。在教学中,创设与教学内容有关的情境,使学生进入其中,使学生在与教学内容一致的丰富的心理环境和物质条件环境中,能"设身处地"地考虑问题,解决问题。

(二)系统思考教学法

系统思考具有创造的功能,创造学中的检核表法、综摄法、特征列举法、缺点列举法、希望点列举法等都是利用系统思考的原理进行发明创造的方法。系统思考教学法就是要把这样一些方法移植到教学过程中来,培养学生养成系统思考的习惯,从个别知识的综合中来把握新知识。

(三)实验探究教学法

创造意识和创造能力的培养要求,强调要将一些有价值的教学内容的教学过程看做科学研究的"模拟"。实验探究教学法,就是要把教学和试验、科研在一些具体教学内容的教学过程中结合起来,不仅大学教育,即使在中小学教育教学中也应注意此方法的运用。事实上,研究可以有两种,一种是发现性、突破性的;一种是验证性、学习性的。对中小学而言,可以运用此教学方法,通过精心组织的验证性研究活动来学习相关的教学内容,在此过程中还有获得发现性成果的可能性和兴趣的培养、方法的掌握与技能的提高等作用。

由上可见,从创造学研究所揭示的规律用于创造教育的理论探索有着巨大的价值,但客观地看,创造教育的理论追求与其教育实践还存在着较大的差距,这突出地表现为,单纯以创造学的理论应用于教育教学中,尚无力产生强大的改革推动力——系统地引起教育的外部环境的配合和保障以及教育内部的基于价值判断基础上的配套改革。创造教育在现有教育思想、方法和现实中受社会多方面因素共同起作用而形成的应试教育的影响,特别是在以升学为价值导向的相关社会环境氛围的作用下,在很大程度上因无力有效实现相关教育教学改革而不能实现创造教育的很多培养目标,而主要表现为以小创造、小发明为主要形式的科技创造活动或劳技课中的一部分活动,当然,这也与创造学和创造教育中对创造力的界定范围狭窄有一定关系。如有专家认为,创造力对人的个性品质要求方面有独立性、自信、主动性强、富于冒险精神和不肯雷同等特点,因此教育重要的不是训练某种创造技巧,而是尊重每一个学生,尽量提供让他自己作决定的机会,鼓励他超越书本和前人,营造一个促进个性发展的环境。因此,可以说,创造教育只有限地实现培养学生创新意识和提高创造能力的育人要求,创造教育的实施效果与理论追求相比还有较大差距。其中的得失对素质教育的推行和教育的深化改革有一定的借鉴意义。

第三节 素质教育与创造力培养

多年来,教育改革一直沿着由应试教育向素质教育转变的方向来进行,素质教育尚未完全实现。在当前知识经济的时代,教育又面临着提高全民族创新意识和创造能力的改革和发展任务。在这种情况下,很多专家对教育改革有不同的认识,主要可归纳为两种意见。一种意见是,教育改革要沿着应试教育——素质教育——创造教育的方向深入进行,创造教育是素质教育发展的更高阶段;另一种意见是创造教育属素质教育范畴,创造教育是实现由应试教育向素质教育转变的一个重要促进因素,也是教育改革深入发展的突破口。我认为后者的意见是基本可取的,其理由要从以下两方面来看。

一 素质教育与创造力培养

从应试教育向素质教育的转变要求看,实施素质教育并不完全是因为应试教育的弊端而进行的纠偏,不是对应试教育的简单否定,也不仅仅是教育系统内部的自我调整和改良,而是以经济社会发展的内在要求为依据,在对应试教育的扬弃中继承并在教育的发展中重建素质教育体系。这是基于改革开放以后我国经济、社会发展的内在要求所决定的。

江苏教育学院彭坤明同志对从20世纪80年代到21世纪初的我国经济社会领域的发展目标及其对教育的要求作了分析,概括如下:

第一个发展目标是,从本世纪末到21世纪初,我国要实现由小康向现代化的大跨越。这一时期,发展经济是中心工作,通过发展经济来实现经济、社会的协调发展,推动整个社会的全面进步,提高社会的文明程度。从经济自身的发展看,经济增长方式将从资源依赖、数量扩张走向科技依赖、质量和内涵发展,并且,科技、管理、体制等方面的发展与进步又进一步促使经济开始科学化、信息化。这一发展态势对人才提出了三方面要求:第一,要求人才素质并实现人才素质的综合化;第二,要求人才的个性化并有创新意识和创造能力;第三,要求人才的多样化。经济的变革及其对人才的呼唤必然体现为对教育的要求,在这种情况下,由应试教育向素质教育的方向的改革势在必行。

第二个发展目标是,实现21世纪我国经济社会的可持续发展。这是1994年我国政府在颁布的《中国21世纪议程》中向全世界作出的郑重承诺。可持续发展战略不是仅靠经济行为就能实现的,它必须建立在全民族素质提高的基础上,这又必须通过教育的发展与改革才能实现。而可持续发展要求人应该具备相应的意识、能力和素质,而这正是应试教育及其育人质量的重大缺陷,由应试教育向素质教育的转变的要求非常迫切。

第三个发展目标是,社会主义市场经济体制的建立、发展和完善。

我国在发展市场经济中的一个潜在危机在于国民素质不高,文化环境不够理想。这表现为商业道德、信用低下,以次充好、坑蒙拐骗、欠债不还等很多问题的严重存在。如不从根本上重视和解决这些问题,我们这个文明古国就很难实现更好的经济发展并可能在国际经济社会被划入不受信任的国家的行列。而越是发达的市场经济,对人的素质要求越高,当然,这需要一个良好的文化环境来支撑,而文化环境的落脚点是要提高全民族的价值道德伦理水准和文化科技水准,要求整个社会具有良好的商业道德、商业信誉、商业伦理,并依靠这种文化的发展来支撑下一步经济的发展。这就要求把教育作为整个文化建设的奠基工程,这也是素质教育的一个极其重要的课题。所以,素质教育不仅是教育内部的一种调整,更是市场经济对教育的一种迫切呼唤。

第四个发展目标是,适应知识经济时代的发展要求,提出了以创新为核心的思想、观念进行教育深化改革,全面整体地推行和实施。知识经济比以往任何时候都更为强烈和迫切地提出了对创新的要求,这就决定了对人素质中创新意识和创造能力的培养有着十分重要的意义。社会各方面的深化改革,正在为素质教育的深入进行提供良好的环境和大力的配合;另一方面社会发展和创新环境的改善的质量和水平又是建立在全民族整体的科学文化素质基础上的。只有全民族整体的科学文化素质的提高,才能实现制约和影响创新意识和创造能力培养的社会环境的根本改善,才能实现教育内部与教育外部环境的协调和配合,共同发挥培养和提高人的创新意识和创造能力的素质的作用。可见,素质教育的改革和发展任重而道远。

从上述我国经济、社会的迅速发展目标及其对教育的内在要求看,可以认为,素质教育从其提出和实施的开始就包含着对人的素质的创新意识和创造能力的要求,客观地看,在由应试教育向素质教育转变的起初还没有现在这样所要求的突出重要性和迫切性,知识经济的发展要求把人的素质中的创新意识和创造能力在原有基础上进一步提到了一个前所未有的高度。从创造教育看,尽管最初基于创造学基础的对创造力的认识较为狭窄的创造教育存在着不足,但在中小学的实施过程中通过对心理学、教育学的借鉴,创造教育已不断发展并正在科学地探索。从概念的内涵和外延的比较来看,创造教育并没有超出素质教育的范畴,创造教育可以看做是素质教育的有机构成部分,而不能取代素质教育的概念。

二 创造力培养现状及问题

培养受教育者的创新意识和创造能力,对素质教育的深化改革提出了紧迫的要求。这可以从两个角度来看,其一是由于经济、社会的面向知识经济的发展需要而对素质教育深化改革要求的紧迫性;其二,多年来的由应试教育向素质教育的转变还存在很多阻力和实施中的困难,特别是在培养创新意识和创造能力方面,还存在着很多问题。改革目标与教育现实及育人效果这二者之间存在着较大的差距,也反映了素质教育深化改革的紧迫性和艰巨性。前者在上文中已有所介绍,这里主要对后者进行分析。

素质教育的育人目标和素质要求中,原本就包括了对学生的创新意识和创造能力的有关要求,但在改革过程中,相应的质量要求并没有得以切实地实现,这从我国青少年创造性的现状调查结果中可以看得十分清楚。

1998年,教育部科技司、团中央学校部和中国(科协)科普研究所共同组织并进行了首次全国范围的"青少年创造能力培养"的社会调查。调查结果①反映出多方面的问题。

(一)青少年创造力的总体情况

从调查结果看,可归纳为以下三点:

第一,绝大多数青少年对创造实践活动的价值认识是积极和

---

① 有关情况见《科普研究》1999年第2期《全国青少年创造能力培养系列社会调查和对策研究报告》,马抗美、翟立原撰稿。

肯定的,但实际参与程度较低。占被调查者的 67.9% 的人认为"搞小发明有助于培养自己观察、分析、解决问题的能力,促进自我素质的提高";占 7.9% 的人持"别人参加,我也参加"的态度;占 9.4% 的人则认为"参加没有意义";而实际参加过这一类活动的人仅占全部被调查对象的 33%。其中,有 64.2% 的人是因为"本人很有兴趣而参加的"。这种认知与行为的差异,还反映在教育部、团中央、国家体育总局、全国妇联和中国科协等系统举办的十种有助于发展创造力的竞赛活动中,被调查者"参加"的比率远远低于"知道"的比率。

　　第二,具有初步创造人格和创造力特征的青少年比率较低。调查结果表明,"具有初步创造人格特征的青少年,仅占被调查者的 4.7%","具有初步创造力特征的被调查者,只占 14.9%"。

　　第三,多数被调查者的创造性思维受到过于严谨、思维定式、从众心理及尊崇权威等因素的严重影响。调查结果表明,78.1% 的被调查者"解决每一个具体问题讲究严格的步骤";65.5% 的被调查者"常为自己无意中说话伤人而闷闷不乐";56.2% 的被调查者"不愿提那种显得无知的问题";"对于老师或课本上的说法,我时常表示怀疑"的被调查者为数极少;"当某位学生在课堂上对老师的讲解提出异议时",48.1% 的被调查者认为"大多数同学会予以沉默",更有 16.5% 的被调查者认为"大多数同学会予以非议"。

　　此外,"对被调查者的年龄分析显示,不同的年龄段对创造性的几个方面显出相反的趋势。这反映出随年龄的增长,青少年的观察、想像能力日渐削弱,而思维定式和对权威的服从却日益增强"。

　　以上调查结果与我们在学习、生活、工作中的感受比较一致,可以看出,在由应试教育向素质教育的转变过程中,创造力的培养问题不容乐观,而相应的改革要求非常强烈和紧迫,改革任务也非常艰巨。

心理学研究表明,人的创造力发展受两方面因素的制约,其一是家庭、学校、社会等环境因素;其二是儿童自身的心理因素,如动机、人格、心理健康、认知风格等。这两方面的因素中,前者又对后者有着极大的影响。调查也大量涉及了这方面的问题,调查结果可以帮助我们进一步认识存在着的问题及其症结所在。

(二)培养创造力的家庭环境因素

家庭是社会的细胞。随着社会的发展,家庭的经济、政治等功能已逐步为社会所取代,但家庭的教育功能则不断得到强化,内容也日益丰富。有关家庭特征、家庭教育方式、家长期望等不同方面对儿童创造力影响的实验研究共同表明,家庭是影响儿童创造力发展的一个重要因素。

有关研究表明,家庭教育方式主要有三种,即压制型、溺爱型和民主型。压制型和溺爱型不能调动孩子学习的积极性,使孩子养成依赖、服从的习惯,创造力水平低。只有民主型的家庭教育,才有可能激发孩子的创造动机。在家庭中创造一种和善、温暖和民主的气氛是十分重要的。

调查显示,59.8%的父母面对孩子的提问能"耐心解答,如果不知道答案,指点我去请教书本或他人"。在调查中设定的孩子"拆装闹钟"的具体情境中,38.4%的家长对孩子的行为表示赞许,其中一部分还陪同一起做。这反映改革开放以后新一代"独生子女"的家长们,已经开始放弃"压制型"教育方式,而转为启发、帮助的"民主型"教育方式。在调查中设定的孩子"拆装闹钟"的具体情境中,仍有高达40%的被调查者的家长会对孩子"训斥"或"警告",这说明压制型教育方式还有较严重的代表倾向;调查中还发现,面对孩子的提问,还有48%的被调查者的家长会以"不耐烦"、"不屑于回答"或是"敷衍"的方式对待,这可能与家长对家庭教育的认识和重视程度有关系,也可能与家长的文化程度有关。

对家长的文化程度的调查显示,39.1%的被调查者父亲的文化程度在初中以下;61.9%的被调查者母亲的文化程度在初中以下;还有一定数量的被调查者的家长是文盲。家长的文化程度令人担忧。

　　对家长文化程度的分析显示,家长文化程度越高,就越倾向于"民主型"教育方式。调查结果表明,家长文化程度的高低与其对子女的教育方式有直接关系,家长文化程度越低,其教育方式就越不利于孩子创造力的发展。鉴于我国国民整体受教育程度相对较低,家庭教育方式对青少年创造力发展的影响实不容乐观。另外,一些文化程度较高,平时采用"民主型"教育方式的家长,一旦孩子在学业上达不到预期目标,家长因失望往往会导致偏离"民主型"教育方式,转为"压制型"教育方式,这与家长对子女期望值过高有关,这对青少年创造能力的培养是不利的。

　　在创造力培养的家庭因素中,应重视对家长进行正确的发展创造力的教育。这是由于,我国的家长历来高度重视孩子的教育,但很多家长在家庭教育中缺乏发展创造力的意识,其教育观念、教育方式、教育投入的方向均有待改进。调查发现,家长对孩子教育方面的精力与物质投入方向出现了偏差,一方面,家长不仅亲自督促、辅导孩子学习,还不惜重金为孩子请家教、买健脑补品、让其参加各种学习班等等,这些做法在发展创造力方面并没有多大意义,有的甚至还起负作用;另一方面,青少年发展创造力的一些基本物质条件(书籍、工具等)却没有得到满足。在是否支持孩子参加学术(学科)竞赛的问题上,大部分家长仍然以能否提高(至少不影响)学习成绩为前提,而没有从发展孩子创造力的高度来认识这个问题。这个问题需要社会的支持,需要宣传、舆论的引导,当然,更需要升学考试等教育制度的不断改革。

三　培养创造力的学校教育因素

　　在儿童创造力的发展过程中,学校较之家庭来说,具有更为重要的意义。在学校教育中,教育观念、教育方式、教学内容、教师素质等方面对学生创造力的发展都具有重要影响。

有专家认为,教育教学的培养创造力的实施过程中存在的诸多问题,首先受教育体制和用人分配制度的极大影响。它们在相当程度上影响着基础教育能否成为提高民族素质打基础的教育,也影响着创造力的培养。

教育体制方面主要是现实中的升学与考试制度的问题,虽然近几年来一些地区已取消小学升初中的考试,并实行就近入学,但初中升高中以及升大学的考试又在终端意义上影响着基础教育改革的效果。从另一方面看,尽管国情决定着中考在一段时期内尚不能取消、高等教育因无法实行"宽进严出"也不能取消高考,也就是说,升学考试在相当长的时期内不可能取消,但这并不能从根本上影响素质教育的实施和创造力的培养,在这种情况下,问题主要在于考试的内容和考查目的目标的确定方面,对学生的综合素质和创造力的关注严重不够,升学考试内容和考查目的等方面形成的对教育教学的导向作用仍须给予认真研究,并进行有利于素质教育的实施和创造力培养的改革。例如,由前文所述可知,创造力的多元性的特点,决定了考试及评价方式应改变单一的应试考核制,强调方式的多样性,并强调结果性评价与过程性评价的结合等等。

用人分配制度也影响着由应试教育向素质教育的转变。长期以来,中专、中技毕业生由国家分配,职业中学毕业生也可以择优录用,而普通高中毕业生则基本没有可分配、可择优录用的门路,只有到"广阔天地"或部队"革命熔炉"中去锻炼成才。不合理的用人制度没有把普高与中专、中技、职高毕业生一视同仁。但多年来东南沿海等经济发达地区企业招工都要求普高毕业生,因为普高毕业生基础扎实、潜力大、培训有基础、易转轨。这表明高中毕业生相对具有更高的较全面的素质基础。而用人分配制度又进一步刺激了普通高中"提高升学率"的应试倾向。

调查也表明,现在尚未得到根本改观的应试教育体制的消极影响是全方位的,它直接影响了学校教育的内容,教师教什么、怎样教,学生学什么、怎样学,完全以能够应试升学为标准,而不在于提高学生包括创造力在内的能力素质。它还极大地影响了教师、学生、家长乃至全社会的教育观念、教育方式等。

在目前的教育体制下,学校教育中存在着多方面与创造力培养和素质教育要求不相适应的问题。

第一,考试、升学对教育教学仍有显著的导向作用。调查显示,有85.6%的被调查者认为,高考、升学是学校排在最重要位置的事。这种教育观念对素质教育和创造力的培养产生了现实的压力,即搞素质教育和培养学生创造力,必须兼顾升学率或以升学率的提高为前提;反之,如果实施素质教育和培养学生创造力的同时升学率下降了,则学校就会遇到来自各方面的压力。

据中国教育报1999年8月6日报道,作为中央教科所"素质教育实验基地"的某中学,1996年9月新学期开学,学校决定从减轻学生过重的课业负担入手全面实施素质教育,大胆地砍掉了晚自习。1997年上半年学校又大胆砍掉了超过国家规定课时量的课时,严格按教育部规定的课时量上课。1997年下半年又砍掉了过多的教辅材料。为培养学生能力,学校开办了射击、篮球、足球、声乐、器乐、管乐、腰鼓、美术、写作、播音、文学社等各种兴趣小组,学生们可以随心所欲地到各种兴趣小组活动。同时,学校设有创作小组,鼓励学生小发明小创造,培养学生的动手能力和创造性思维。而正是这"三板斧"使刚刚起步的素质教育陷入了两难境地,学校面临着多方面的压力。压力来自四个方面,一是来自上级主管部门评价的压力,他们衡量一所学校教育质量的高低,仍然坚持着升入重点高中的学生有多少这把尺子;二是来自家长的压力,家长惟一的目的是期望自己的孩子能考入重点高中,然后再升入大学。别的学校都在加班加点加课时,而你却减少学习时间,搞什么素质教育,那不是拿我们的孩子搞"试验"?三是来自择校政策的压力,本来义务教育阶段应该"划片招生,就近入学",但一些地方又允许个别学校跨学区招生。这样使得薄弱学校的优秀生越来越少,底子越来越薄,而重点学校却"名利双收",从而给大面积实施素质教育设置了障碍;四是高中招生标准的压力。你初中在搞素质教育,搞能力培养,搞如何做人的培养,但高中招生的标准只有一个——分数。你说你的素质教育如何好,为什么你的卷面分数没人家的高?这一棒足可以将你打懵。由此也可以看出,升学与考试制度中的弊端,是影响素质教育和创造力培养的一个重要因素,升学与考试制度需要进行有效的改革。

第二,教育教学中还存在传统教育观念作用下的多种表现和效果,不利于培养学生的创造力。调查显示,"在老师眼里,好学生应该乖,听老师的话"和"老师只喜欢成绩好的学生"分别得到79.7%和84.5%的被调查者的认同;并且59.1%的被调查者都认同"大部分学生对教师都有一定的畏惧感";此外,还有17.3%的被调查者认为,当学生在课堂上对教师的讲解提出异议时,老师最有可能的反应是:"训斥"、"不予理睬"或"敷衍"。

在教学内容方面也存在影响学生能力素质发展的负面因素。调查显示,37.7%的被调查者认同"为了应付考试,老师在课堂上经常是让学生大量演练习题,同时介绍各种问题方法"。这也显示出教学内容受教育体制中应试、升学方面的影响。由此看来教学内容的彻底改变,一方面须依赖于教育体制的革新,另一方面,还要打破以教材为中心,并兼顾学生的反映、感受和学习兴趣的需要,注意理论联系实际,学有所用。

在实践活动方面,56.7%的被调查者不认同"学校开展了丰富多彩的课外活动""符合小学或中学的情况"。

在教育改革中,一方面我们必须大力进行课程改革,而另一方面,课程改革对素质教育的促进效果,也还有赖于教师素质、教育观念、教学方式等诸多方面的系统配合,而这些方面的改革,又比较集中地指向了对升学、考试的教育体制改革的要求。这是一个系统工作,需要综合实施。

四 培养学生创造力的社会因素

人自出生开始就置身于一种既定的社会文化环境之中,这种社会文化环境构成了儿童心理发展的重要背景。儿童创造力的发展也离不开这个大背景,它必然会受到社会文化条件的重要影响。在一个具体的社会中,影响学生创造力发展的社会因素主要有文化和社会教育两方面。这里主要分析社会教育因素。

相对于家庭教育、学校教育而言,社会教育是培养学生创造力的教育形式的补充。我国社会教育机构有多种形式,如少年宫、少儿活动站、青少年之家、科技馆、博物馆等,另外,大众传媒、出版业也发挥着越来越大的影响。各种社会教育形式对儿童创造力发展所起的积极促进作用是非常明显的。但调查显示,社会教育机构在学生创造力培养中发挥的作用却明显不足。

调查认为,"多年来创造力培养问题在大众传媒中没有自己一席之地;近两年来,虽然'素质教育'开始提及,但创造能力作为能力素质的本质与核心仍没有受到足够关注,相反,有些媒体对考试状元的宣传实际上在不断加强应试升学的心理"。"在文艺作品和节目中,目前真正有助于青少年创造力发展的节目或作品少之又少。相反,各种知识竞赛却大行其道,但这种竞赛除了占用人脑记忆空间外,对创造力发展却没有多大益处。"

在出版业方面,调查认为,由于青少年无意中接受的信息及有意识的自我教育也对其创造力的发展有重要影响,书籍对青少年起着潜移默化的作用。但调查显示,46.7%的被调查者表示"家里和学校不能提供所需的书籍"。调查认为,"这种情况固然有教育投入不足的原因,也与青少年读物和科普读物的萧条有重要关系。部分家庭虽然愿在孩子教育方面投入大量财力,但却很难在市场上购到合适的书籍"。

另外,社会教育机构在其经营收费方面也普遍不利于学生的参与。有的国家的博物馆、美术馆、科技馆等社会教育机构一般都有学生免费日,而我国的相应机构不仅普遍没有对学生的免费日制度,而且不少社会教育机构的门票高昂,这使很多家庭和学生望而却步,即使去参观,也浅尝辄止,参观的次数很有限。这也使得社会教育设施不能充分发挥作用。

由上可见,现在的教育教学中还存在很多与创造力培养要求不相适应的问题,而这些问题也正是在由应试教育向素质教育转变中所遇到的难题和困境的症结所在。在迎接知识经济挑战的今天,创新已成为全社会的共同要求,教育已面临着提高民族创新意识和创造能力的紧迫要求,社会各方面已对教育培养创造力的改革形成了强大的推动合力。在此情况下,素质教育中对人的创新意识和创造能力的重视也达到了一个前所未有的高度。这样,创新意识和创造能力培养的要求及对教育教学现状中制约创新意识和创造能力培养的诸多问题的改革就成为教育改革的一个强有力的突破口,这将有力地促进由应试教育向素质教育的转变,并促进素质教育的进一步深化和完善。

第四节 知识经济对素质教育培养创造力的改革要求

关于这个问题,从现有的大家对知识经济的认识和理解看,可从以下三个方面进行分析。

一　对知识的要求

（1）从知识经济的"知识"的概念看，已远超出直接与产品生产相关的技术知识，超出一般范畴内的知识内容，而是扩展到知识整体，一个与当代高科技相适应的社会知识系统。这个系统与一个社会运行体系构成有机的互动关系，并最终成为这个社会运动、发展的动力源。当前，我国的情况在于在大力推动科技进步的同时，要解决如何把社会科学的作用与知识经济联系在一起。如果依然单纯把科技知识当做知识经济的主要内容，那我们的知识经济只能说是"技术经济"，还没有上升到知识经济中的"知识"的高度。整个社会运行系统决策的科学化、生产者素质的专业化、社会活动的信息化是更重要的知识经济的标志。并且，知识经济时代对人才所具有的知识的评价，主要看该人才的知识结构与实际经验的结构，要求具有多学科知识的结合并具有多种经验结合，而这些知识与经验又能融合于知识经济的市场需求。这个要求实际上也反映了对人的创造力的要求，因为知识结构的合理性程度直接影响着人的创造力。这要求教育改革一定不能忽视知识的教育，特别强调在知识教育中要注重合理的知识结构，而且应学有所用，提高学生的学习兴趣，培养广泛的兴趣和对新知识的敏锐性了解吸收能力，强化基础，提高质量。特别是在中小学阶段，应认真落实素质教育的要求，坚持所有学科不分主次，提高教学质量，全面发展。与此同时，还应特别强调加强实践教育，使学生接触社会、了解社会，广泛了解和吸取新知识，加强动手实践活动，理论联系实际，提高实践能力。

（2）知识产权法律制度是利用法律手段保护和推动科技发展和进步的法律制度。具备知识产权的保护意识和了解、掌握相关的法律知识已成为知识经济时代对人的一种素质要求，这也与人的创新意识的培养有密切关系，对鼓励青少年学生培养创新意识和进行发明创造有重要意义。

（3）知识经济时代知识更新速度很快,而且知识浩瀚,一个人不可能也没有必要去掌握所有的知识。并且从实际来看,每一个人最需要的只是他生活和工作中用得着、遇得见和感兴趣的那一部分知识。即使这样很少的一部分知识,其更新的周期也越来越短。因此,面对知识经济发展的要求,获取知识的能力、运用知识的能力和创造新知识的能力已是国民素质的核心,教育的中心任务已不仅是培养学识广博的人才,而是具备科学的思维,能够科学地生活和科学地工作,掌握不断摄取自己随时需要的知识的方法的劳动者。教育教学内容的重点将从学"知识"转向学会"学习"、学会思考,转向科学的思想和科学的方法的教育。也就是说,教育改革中常说的"教什么"的问题应适应知识经济时代的要求,当然,相应地还存在"怎么教"的问题。

这一点,我们可以从知识经济的起源地——美国来看其教育教学改革的要求。

美国科学促进会在80年代中期推行的《2061计划》中的有益经验,集中反映在1996年美国国家研究理事会公布的美国国家科学教育标准中。该标准针对美国从K—4到K—12年级(相当我国的小学4年级到高中3年级)的科学教育制订了"科学教育标准"、"科学教师职业发展标准"、"科学教育内容标准"、"科学教育体系标准"、"科学教育大纲标准"和"科学教育的评估标准"等六种标准。该标准以极高的权威性,得到全国的科技界和教育界甚至各级政府的认同,在全国有很大的指导意义。该标准提出了"让每个孩子都成为科学家",其实际意思是"让每个孩子都具备科学的思维能力"的科学教育方针。该标准在教育内容上按照"要教得好就要教得少"的原则,安排了八个方面:"统一概念和过程"、"作为探询的科学"、"物质科学"、"生命科学"、"地球和空间科学"、"科学和技术"、"个人和社会眼中的科学"以及"科学的历史和本质"。它从总体上体现了教育内容侧重于观念、思想和方法。在教育的方法上该标准在推行中特别强调在学习的过程中贯彻让学生参与科学探询的全部过程,一边动手一边动脑。该标准反映了美国面对知识经济的到来,在科学教育的改革方面的思路和方法。该标准体现的许多原则对素质教育的进一步深化与教育的改革,有一定的参考价值。

二 对创新意识和创新精神的培养

知识经济需要的是有创新意识和创造能力的人才。与农业经济和工业经济相比,知识经济把创新提到了一个前所未有的高度,这是人类物质生产能力高度发展的必然趋势。特别是,知识经济对人的创新精神的要求,与以往有着本质的区别,它不是一般的发明创造,而是体现在社会生产生活活动的所有方面,即在一个产品的价值中无形的知识的含量超过60%。这是以往利用一个发明专利、增加一些高技术设备、雇佣几个策划高手根本达不到的。这对人的素质提出了很高的要求,对民族的素质提出了很高的要求。因为只有高素质的民族才是一个能够创新发展的民族,而高素质的人和高素质的民族是需要内在的社会运行制度来保障的。实施素质教育培养创新意识和创新能力所涉及的问题是全方位的,既要求教育内部的改革和发展,又需要观念、文化、管理和制度等育人的"环境"和"土壤"的改革和创新。这需要全社会的高度重视和共同努力,而教育在社会的共同努力中又承担着学校内部的文化环境和观念的改造任务。

(一)培养学生的主体意识

主体意识是个人占有自我、支配自我的思想和行为表现,获得一定独立性、自主性的欲望和需要。培养学生的主体意识,提高学生的自主性、积极性、创造性等方面的品质与素质,是素质教育的核心。在素质教育的实践中,一些有效的经验已大量涌现出来。

如创设民主的教学氛围,培养学生主体意识;积极调动和培养学生的主动参与精神;承认每一个学生的自身价值,发挥各自的个性和特长;注意学生的差别性,实施分层教学与个别指导等等。但仅此还不够,应对这些经验做认真的研究,并使之规范化和制度化。

(二)培养学生的科学方法和科学精神

科学方法是在前人大量的科学实践的基础上,经认识上的飞跃而抽象总结出来的。掌握科学方法是在学习知识的过程中实现的,也是在运用知识的过程中表现出来并得以检验的,科学方法能够有力地促进人的认识能力的发展。从这个意义上看,掌握科学方法是培养创造能力的重要途径之一。

科学精神是知识经济时代对人的一种基本素质要求,其培养方法和途径是根植于科学知识和科学方法的学习和运用的实践过程中的。一个人只有在学习科学知识和科学方法的过程中才能逐渐领悟科学精神,并逐渐内化到自己的精神世界中,表现为求实、创新、独立、自主、进取、严谨以及诚、勤、勇、谦、和等精神特点和人格特征,这种内化到个人精神世界中的科学精神不仅有助于促进他在德、智、体、美等方面的迅速发展,并且这本身也代表了他的德、智、体、美发展的一个新水平。

对科学知识的学习和运用还应包括对过去和现在存在着的种种伪科学思想和行为的鉴别、分析和批判,相应地,由此可以进一步坚定对科学精神的培养的认同感。

三 对人脑功能的开发

教育是一种培养人的活动,因此,任何有关人的研究都对教育产生了相应的影响,这是教育改革与发展的一个强有力的动因。下面主要谈当代教育改革与现代生物学特别是与脑科学的研究的关系。

面对自然科学的重大进展,马克思曾认为,自然科学将包括关于人的科学。现代科学的发展验证了马克思的观点。数学、物理学等学科日益与生物学相结合,使生物学提高到一个新的发展水平,人类对生命世界的认识提高到又一个崭新的阶段。二战后,遗传工程、生物化学等一系列分支学科促进了生物学的飞速发展。生物学日益明显地表现出与物理科学相统一、自然科学与社会科学相统一的特征和发展趋势。生物学在了解人的大脑——心理功能方面所取得的重大进展,极大地促使了教育思想的重大转变。人脑结构的极其复杂和精密使教育家大开眼界,从而在本质上把教育从一种以背记、强制、惩罚、反应为主的教育转变为发展、启发、鼓励和理解为主的引导型教育,从注重物的教育转变为注重人的教育,使几千年来的教育发生了根本的转变。蒙台梭利综合生物学、生理学和心理学的理论,根据自己对儿童的观察和研究,提出了热爱和尊重儿童,使儿童的个性在自由和自发的活动中得到发展的思想。她阐述了儿童生理和心理的发展进程,揭示了儿童的身体活动与心理活动、生理发展与心理发展的关系。她的理论和教育方法在一定程度上涉及了脑发育关键期的问题,涉及基础脑功能训练的问题,并以感官训练作为幼儿高级的智力活动和智力发展的基础等等。皮亚杰指出,认知结构发展的必要条件是成熟,它包括机体的成熟,尤指神经系统的成熟。在他看来,儿童认知发展表现为一种内部结构的变化,儿童通过这一内部结构与外部环境相互作用,从而认识客观世界。皮亚杰在脑研究和心理学大发展的时代背景中,遵循人类脑功能进化与智力发展的规律,提出智力发展的四个基本阶段,并以活动的思想来制定教学教育方案,倡导发现学习的方法,把思想看成是一种主体对客体作用过程中的思维操作,是生物自我调节系统的建构,即遗传性图式这种凝结着千万年人类在生理、文化、思维等方面多重文化积淀成的认知模式。因此,他特别强调学习中的主体性、主动参与的精神,为60年代世界性教育改革奠定了条件。

脑研究的深入进行以及对心理学的生理基础的研究,使得生理心理学和神经心理学得以形成。生理心理学偏重于神经的反射过程,脑的电过程和生化过程的研究,说明产生心理意识的神经活动过程。但生理心理学的研究尚不能说明心理过程的主观反作用,不能说明理性认识、情感、意志等心理过程。神经心理学着重于神经系统机能结构的研究,即研究神经系统,特别是中枢神经系统解剖组织的心理机能。鲁利亚提出了著名的脑的三级机能联合区学说,并认为人的心理活动是这三个联合区的协同活动,这为智力的整体观奠定了基础。其理论中各机能联合区有其确实的生理和解剖基础,已为许多学者的大量的研究事实所证明。

80年代美国心理学家加登纳提出了七种智力中心的多元智力结构理论。他归纳了大量有关大脑两侧半球功能优势的生理学证据,列举了许多大脑不同部位受伤病人的资料,坚持认为七种智力都独立地存在于大脑中,有其各自的神经组织。当然,各种智力并非在每个人身上分立并存、平均发展的,相反,它们在每个人身上的独特地位和搭配情况、发展水平都有个别差异性。

90年代在"认知革命"的大背景下,加拿大科学家戴斯等人在鲁利亚的脑的机能联合区理论的基础上提出了一种新的智力结构理论——PASS模型。它不仅是理论模型,而且有其神经生理基础,并有一整套的操作化任务类型和标准化的测验量表。它超越了传统的智力测验,尽管PASS模型还只涉及智力的心理操作层面,尚不涉及动机、情感、个性等影响智力活动的方面,但在一定意义上,标志着智力研究的基本范型的转变,或正在转变之中。这为智能活动的研究开创了新的局面。目前,基于PASS理论而发展出来的脑机能测评量表,已在美国、加拿大、法国和芬兰等国家的不少学校中使用。该测评量表的信度和效度已经验定,且通过在世界多个国家数千人的实验而制定出各个年龄段的常模。它以非知识性和非智商性的测评特点,直接反映人的基本认知机能状况。

它对于教育教学中有效地实施因材施教和因人施教,推动素质教育的进一步科学化的深入进行,具有重要意义。

1999年我们在与戴斯的交谈中也感到戴斯对 PASS 模型对教育的作用寄予的愿望。

这些研究都是在脑研究的基础上取得的,已在很大程度上给教育带来了极大的震撼和改革的支持,对教育思想的发展和进步以很大的促进。生物学研究所揭示的主体发展与环境的相互作用关系,已开始深入说明人的心理意识产生和发展变化的规律,这也极大地促进了现代教育更深层次的改革。许多教育家将目光投注到生物工程、遗传工程、智力工程及教育工程这类领域。我国学者徐章英提出要以生理学、脑科学、心理学和思维科学为基础,创立智力开发的工程——智力工程。钱学森先生对此给了充分的肯定,并进一步提出:"教育科学中最难的问题,也是最核心的问题是教育科学的基础理论,即人的知识和应用知识的智力是怎样获得的,有什么规律。解决了这个核心问题,教育科学的其他学问和教育工作的其他部门都有了基础,有了依据。没有这个基础理论,其他也都难说清。研究智力工程应该先集中研究教育科学的基础理论"。

20世纪后期,脑研究的深入开展和许多重大研究成果的问世,带动了新一轮教育改革的发展趋势,即遵循人的生理心理发展规律,使教育更加合理并取得更好的育人效果。人的生物学研究的发展将促使社会科学的进一步现代化,自然科学向社会科学渗透的趋势将逐渐消除二者之间的鸿沟。因此,E.威尔逊1983年曾经预言,下个世纪后,与生物学有关的社会科学,特别是与大脑研究相关的社会科学将取代物理学和生物学而成为整个科学的中心。从教育的演进和发展来看,人的生物学研究每前进一步,教育的发展就进一步,教育就能在更高水平上把握人的发展,更好地促进人的潜能的发挥。在这个发展过程中,科学界的脑研究不断地深化着对人脑奥秘的探索。特别是,自本世纪60年代后期开始,在人类认识脑的历程中出现了"神经科学"的概念。神经科学的目标是认识脑、保护脑和创造脑,其重点在脑,因而有人也把神经科学称为脑科学。近二三十年来,脑科学以其爆炸性的发展和自身的重大意义及发展前景,引起了科学界和政府、社会的极大重视。

诺贝尔奖获得者Crick指出:"对于人类来说,没有任何一种科学研究比研究人脑更为重要。"诺贝尔医学生理学奖获得者Eccles预言:"在30年内,世界上大多数最伟大的科学家将都是在研究脑。"下面的数字可以生动地显示脑科学的发展情况:美国神经科学学会在1970年成立时只有几百名会员,但到了1997年,会员数已剧增至29000人。

1989年,美国国会通过了"脑的十年"的提案,并由当时的布什总统正式签署了该法案,它把本世纪最后十年命名为"脑的十年",呼吁美国公众、各种组织、神经科学研究社团和各级政府积极促进脑科学的研究。

国际脑研究组织(IBRO)在90年代初表示对"脑的十年"计划的支持,并希望各成员机构都能力促本国政府以各种方式对脑科学研究给予支持,使"脑的十年"成为全球性的行动。由此,在政府和社会大力支持下的脑研究计划纷纷出台并实施。

1991年,欧共体成立了"欧洲脑的十年"委员会并制定了相应的计划。1996年,在长期酝酿基础上,日本推出了为期20年的"脑科学时代计划"。这些计划都受到了政府和社会的高度重视,以日本的"脑科学时代计划"为例,计划每年投资1000亿日元,20年的总投资预计将达2万亿日元。

脑科学的发展计划也在越来越全面地介入社会发展的更多领域:美国的"脑的十年"计划的重点在于保护脑,防治脑疾病;欧洲"脑的十年"计划则兼顾保护脑和认识脑;日本的"脑科学时代计划"则强调认识脑、保护脑和创造脑三者并重,其创造脑的目标是设计和开发仿脑型计算机和信息处理系统。

由于教育的培养对象是人,而人的发展又是伴随个体生物成熟过程的人的社会化和个性发展的过程,人的生物性是教育的基本条件,教育必须以人的生物性为基础,离开人的生理发展的具体条件,教育就很难获得预期效果,甚至是有害的。这样,教育要更科学地符合人的各个年龄阶段的身心发展规律,就成为教育深化发展和完善的途径之一。脑研究的进展正是符合了教育发展的这一客观需要。脑科学的深入发展,将带来教育的进一步科学化发展。

在当今的社会发展阶段,教育已非常普及,即使不上大学也能通过别的方式获得相应的知识,因而从知识的量的角度看,学校教育对人脑功能所造成的差异,已远不及以前由教育垄断所造成的不同阶级阶层的人之间的差异那么大。在教育深入发展的今天,教育的要求已远远超过扫盲的识字要求,学会学习已是对当今学生必备技能的要求,相应地,教育是否合理已成为制约人的潜能发展的更主要因素,而这又与培养人的创造能力关系密切。

知识经济以创新为其核心、特点和需要。这个需要以现实的强大推动力,有效推动了创新精神和创造能力的教育培养要求。没有知识经济的创新的需要,创造教育即使能出现,也必然会延缓或被阻断,适应需要的创新教育的深化研究,为创新提供了基本的支持和保障。

我们的教育现实是,创造力在教育中的反映并不明显,创造力的差异在学校中可由对知识的掌握来弥补,这在相当程度上掩盖了这种差异的真实程度。当学生走出校园,进入竞争激烈的社会,创造力的差异引起的人生差异很快显现出来,而且人们都将较高的创造力作为评价社会中的人的共识,这与我们学校育人观念本身也存在相当的差异。因此,在知识经济的要求下,素质教育的深人发展就面临着进一步有效提高人的创新意识和创造能力的发展任务。创造力作为人类的最高级智能是与人类自身的活动分不开的,能力与活动是相伴而生的,没有相应的活动,就没有相应的能力,相应的能力也表现在相应的活动之中,创造力只有在创造性活动中才能培养、表现和检验。因此,培养学生的创新意识和创造能力的素质教育的深化,必然是要通过适合人的创造性心理特征发展要求的创造性的教育活动来进行,这是素质教育中培养学生创新精神和创造能力的一个基本途径和原则。但是,客观地看,任何教育行为都表现为某种活动,这些活动从创造力培养角度看,又有无效与有效之分、低效和高效之分、常规和创造之分。我们研究的是与创造力培养密不可分的创造性教育活动,通过一定的创造性教育活动来培养学生相应的创造能力,这是开发人的创造能力的脑功能的基本途径。这还需从脑科学研究上进一步深入。

中科院上海生理研究所所长、中国科学院院士杨雄里同志认为:近年来,我国大力推进素质教育,从整体来看,其基础理论的准备不充分,出现了许多亟待解决的问题,例如,孩子的创造性与大脑的发育有什么关系?怎样借鉴脑科学的研究成果来更好地培养孩子的创造性?等等。现在的问题是,搞脑科学研究的人不太熟悉教育的现状,搞教育的人又对近20年脑科学的进展了解不多,这种教育科学与脑科学的脱节给素质教育的推进和深化带来了困难,影响着二者的协调发展。我们花了很大力气进行了教育方法的改革,但是多年以后,发现这一方法并不符合脑科学的规律。

杨雄里同志的看法指出了深化素质教育和创造力培养的脑功能开发研究的要求。从素质和素质教育的概念内涵看,涉及到时代特点要求下的人从出生开始的生理、心理特点特别是以脑的发育和功能发展规律为核心的人的身心发展规律等多方面的知识,而这些知识超越了以往教育学、心理学研究领域的内容。素质教育的实施迫切需要脑科学研究的参与和支持,深入进行创造力的培养也不例外。在以往教育学、心理学研究的基础上,进一步以脑科学为依据,大力实施脑功能开发研究,已成为当前素质教育进一步深入发展和完善的重要要求。教育领域多年来积极进行的"开发右脑"之类的教育教学探索,尽管在科学性上一些脑研究学者表示了不同意见,但这也正表现出教育领域在深化素质教育探索中对脑科学的自觉意识及热情。脑科学研究与素质教育相结合,正在形成一股强劲的发展趋势,显示出教育的改革和发展正在进入一个新的更为科学的历史阶段。培养学生的创新意识和创造能力是素质教育的核心内容,通过脑功能开发来深化素质教育,是现代化教育的必由之路。

第五节 培养创造能力的教育教学原则概述

在教育教学中培养学生的创造能力,必须正确认识并遵循心理学研究得出的创造力的形成规律,注重儿童创造性人格的整体发展;必须正确认识脑科学研究得出的创造力的产生的人脑功能的整合要求,特别是兴趣、情感、爱好等主动的快乐的内在脑功能的协同配合,使儿童将他们的感情、情绪和智慧整合并投入学习的过程;还必须按照时代的要求,充分借鉴已有教育教学理论与实践的利弊得失,进行综合分析。学生的创造能力不是教师"教"出来的,而是在科学的教育教学过程及家庭、社会的配合下共同培养出来的。

一 课程改革

课程改革研究的一个认识是,传统课程过于强调机械地灌输抽象的知识,而这些知识,多为脱离了现实生活的抽象的一般性知识，并作为学科从理论上加以组织和体系化了的，在教育教学中把它生吞活剥地强加给儿童。我国的课程目前在实施的过程中，在升学考试的强有力的导向下实质上表现为以学科为中心，中小学教学的起点仍然是教师和知识中心。但是，对儿童来说，真正的学习只有在传授的知识同儿童的实际需求与兴趣、能力相应并关联时才会发生。虽然学科课程的知识体系也顾及儿童的成熟和能力发展，力求遵循由简到繁、从易到难或者从具体到抽象的原则进行编排，可以说它也顾及了儿童的一些实际，但是它所考虑的儿童不是具体的儿童，而是一般地抽象地考虑的"儿童"。这样，学科的体系是千篇一律地看待儿童，其划一地强加给儿童的事实并没有丝毫改变。这使课程压制了学生的个性并在一定程度上严重地扼杀了人的创造力的培养和发挥。在课程改革中，课程目标的制订正在表现出开放性的动态的改革趋势，其中很重要的一个特点就是强调在教学中儿童认知与情意的统一，强调师生密切合作的动态过程。这涉及到教育教学思想观念、师生关系、教学方法等一系列改革问题，这要求以学生发展为中心并充分使学生的学习与其兴趣和实际需求相结合，大力培养、调动学生的学习的内在动机，将创造性培养全面体现在教育教学活动中。这就要在教育教学中，改变传统的正规的课堂环境，使学生更有效地学习；学习的结果是多样化的和因人而异的，因而不必拘泥于最初设定的目标，相应地，评价方式也要多样化，这也有助于儿童创造力的多元化发展。

二 教学改革

教材改革方面，在脑研究和心理学、思维学研究的推动下，课程改革已出现一种新的研究思路，认为传统学科知识体系与儿童的认知特点和最佳认知发展过程存在着很大不同，教材一般是按学科发展的历史顺序为主线展开的，在学科知识教学中发展儿童的思维能力。国内外已都有学者正在研究与实验按儿童思维发展特点和思维能力培养的需要,重新构建教材知识体系,这样,儿童的学习和运用知识的方法和思维能力得以更好的培养,更有利于儿童个性的发展,以学生发展为中心的要求得以更好的实现。在这个过程中,将学生学习的内在动机培养并运用于教学过程中,实现学生主动的发展。

创造性教学需要高度关注在知识教学中使学生建立更加合理的知识结构,而不单纯是知识的量的积累。从国内外的相关研究中可以看到,其中的内在规律就是要使教学符合人的自然的认识规律。

(1)教师要帮助学生从不同侧面揭示出一个概念所包含的多种普遍性质,使之能成为具体概念。如"正方形"概念的抽象含义为,它具有两组对边分别平行,四个角都是直角,四条边都相等,对角线垂直且平分等许多属性。当正方形处于与其他各种几何图形相比较的关系之中的时候,"有一个角是直角、四条边都相等的平行四边形"就成为典型标志,这是正方形的事物所共有的、也是仅有的典型标志。当正方形与长方形相比时,"四条边都相等"的特点就成为正方形区别于长方形的典型标志。当正方形与菱形相比时,"四个角都是直角"就成为正方形区别于菱形的典型标志,如此等等。人们对任何一类事物的普遍性质的发现和确认,都是就某种特定的关系和某类事物的某种专门属性作为前提的。当相比较的事物发生了更换,即改变了考察事物普遍属性的关系时,处于原有关系的普遍性质就会发生相应的变化,一个或一些在原来关系的普遍性质就会发生相应的变化,一个或一些在原来关系中本不是普遍性质的属性就可能成为新关系中的普遍性。另一个或一些在原来关系中的表现为普遍性质的属性可能在这一个新关系中变得不再具有普遍性质的特征。因此,教师为帮助学生实现一个概念从抽象水平向具体水平的上升,就可以通过变换考察对象与其相联系的事物的关系,引导学生从不同侧面揭示出一个概念所包含的众多普遍性质,从而增强学生的立体思维意识。

(2)教师要帮助学生从不同表现形态理解一个概念的普遍性质,使之成为具体概念。普遍性是概念的第一特性。因此,人在形成、学习、掌握和使用一个概念时,几乎都是从认识概念的普遍性入手,而下定义又是揭示一个概念普遍性的最常用的方法。我们如果只知道某个概念的意义和它所反映了何种普遍性质,这就会对概念的理解仍然保持在抽象概念的水平上。要从具体概念水平上理解一个概念,就必须进一步了解到概念中反映出的普遍性,是采取不同形态表现出来的。如"三角形"的概念,首先,需要指出:"三角形就是把不在一条直线上的三点,两两用线段连结起来的图形。"这是三角形的普遍性。在教学中,必须把这种普遍性通过具体形态的三角形表现出来,要使学生认识到,三角形有多种具体表现形式,如锐角三角形、直角三角形、钝角三角形。而每一种表现形式的三角形,又都可以进一步变化出更多样的具体表现形式。在三角形概念的逐层展现中,学生对三角形这个概念就逐步具体化了。以此为基础,学生将来在学习三角形面积、三角形内角的性质等知识时,就能考虑到各种各样的情况,从多方面去理解知识。

(3)教师要帮助学生从不同层次上去揭示一个概念所包含的普遍性质,并使之成为具体概念。一个概念处在抽象水平时,人们一般是不去思考这个概念中所反映的客观对象的普遍性质是否还有层次上的区别。这时,人们往往习惯于把概念中所反映出来的这些普遍性质并列地罗列在一起。由于不去区分出不同的层次,这就妨碍了人们更深刻地理解这个概念。这不利于创造性思维的培养,很多死读书的例子都存在此类问题。其解决途径只有将此抽象水平的概念转化为具体水平的概念,在不同具体概念中去分析、认识概念的不同层次,并且,高层次上的性质与低层次上的性质不能混淆且又须统一,这样,学生才能对概念所反映的事物的普遍性有多层次的理解,才能活学活用,举一反三。

(4)教师要帮助学生揭示出一个概念与其他许多概念之间的相互联系来达到具体概念。如"生产"与"消费",这两个概念是有差别的,但更应注意二者间的联系,即生产出的产品是为了消费,生产要转化为消费;消费也不仅是消费,消费将刺激生产,所以消费会转化为生产。不仅如此,生产还直接就是消费,生产过程本身就消耗一定的原材料,消费一定的体力和脑力。消费也直接是生产,消费一定生活资料的过程,就是生产从事生产的劳动力的过程。当人从"生产"与"消费"等其他概念的联系中去理解"生产"概念时,人们对"生产"概念就有了更深刻的理解。这时"生产"概念就成为具体的概念。

(5)教师要帮助学生,在认识概念的多样性的同时,还要认识到多样性的统一性。如我们在分科教学中对水的认识,不同学科是不同的,有物理角度的、化学角度的、地理角度的、社会角度的。如水与人类的关系,这需要在认识了水的多种特点的基础上,还需把水的各种特性归纳在一起,依其内在的联系形成一个较为完整的综合性认识。

三 脑科学研究

脑科学的研究尽管尚未揭示人的创造力的全部脑机制,但目前的研究也取得了一定的进展:

(一)有效地大力开发学生的相关脑功能

国内外对创造能力方面的研究大多集中在对发明家科学家的性格特点和思维方式的探讨上,著述较多,揭示了创造发明的思维活动所遵循的一些规律,如发散性、逆向性等等。行为观察和调研统计是这方面研究采用的主要手段。

关于创造力的脑机制则是一项难度很大的研究课题,国内外在这方面的研究尚十分欠缺。在这个领域里目前比较前沿的内容主要来自人类学和认知神经心理学的研究。前者发现游戏在创造能力方面的重要作用；后者则揭示创造活动涉及到人脑的诸多部位，视空间、想像、意念操作等是创造能力必需的基本心理素质。

人类学和认知神经心理学的研究揭示，人的创造机能与幼年时进行的游戏活动有着十分密切的联系。人类的创造机能是一种非常复杂的心理过程，想像和意念操作等等在其中起着十分重要的作用，而这些机能正是在游戏过程中发展起来的。创造活动涉及到大脑的许多部位和多种机能，这些大脑部位和机能植根于人的早期从事的各种各样的游戏活动，并与人的早期的脑的组织发育及功能发展的历程相衔接。这里说的早期，是指幼年和小学低、中年级，这应是一个连续的发展过程，且程度不同的游戏化教学，应是教育教学改革中应认真加以考虑的一个原则性问题。

脑科学研究在充分肯定心理学对创造力的研究的基础上，又进一步突出强调了开发人脑的视—空间机能和结构性机能，以更为有效地培养学生的创造力。这正是我们这个课题组正在研究的一个课题。90年代在认知革命的大背景下，加拿大神经心理学家戴斯(J. P. Das)等人在鲁利亚的脑的机能联合区理论的基础上提出的一种新的智力结构理论——PASS模型。它进一步指出创造能力必须的基本心理素质中还应包括视—空间机能、结构性机能以及意念操作等方面的内涵。

视—空间机能是人脑对三维的立体的事物的把握和操作技能。结构性能是人脑对客体的结构系统的一种认识方式的机能，二者是紧密联系的，是脑对客体把握的两个最基本方面，是人的创造能力的基本前提之一。它们都是人脑的高级机能。这是因为人脑通过感官进而在思维中实现对客体的反映，而客体是立体的。这要求人要在脑的组织发育和功能发展的早期来大力加强视空间机能和结构性机能，以有效地发展人的想像力和创造力。而这两个紧密联系的机能的发展不完善，会直接影响儿童的想像力和创造力及其在未来的发展。

神经心理学研究表明:人脑的信息加工系统有同时性操作和继时性操作两种方式。同时性操作是指脑的若干个单元组织同时对信息进行加工,从输入的各个片段信息之间的联系中产生出一个整合的信息,是人脑对客观事物空间关系的反映。继时性操作是指先后依次对几个信息单元进行加工,是人脑对客观事物时间依存性的反映。只有同时性操作与继时性操作协同配合,才能全面把握对客体的认知。视空间机能和结构性机能是人脑的同时性操作机能,而现实中在相当程度上却严重不足。

现代社会文明程度的迅速提高及其相应的生活和学习方式,在很大程度上对人的创造能力的上述脑机制的充分形成和发展产生了不利的影响,例如看电视和看书等接收信息及学习方式已经成为人们的相关行为的主流。这使儿童花大量时间进行脑的二维平面作业,而不能有效实现脑的视空间机能和结构性机能,这对人的想像力和创造力的发展很不利。

另一方面,现在幼儿教育和小学教育中常用的一些与上述脑机制相关的游戏和操作,还存在着对脑的上述机能训练的针对性不强和效果不够显著及与儿童脑组织发育及功能发展的历程有较大差距的问题。这也影响着创造能力的培养效果。要有针对性地加强绘画和手工操作等课程内容,来提高儿童的视—空间机能和结构性机能,以及组织、计划等创造活动所必需的基本心理素质。这至少要求对所谓的"副科"放在与"主科"一致的重要地位加以重视。

(二)综合发展人脑功能

小学生的脑发育特点是个体的脑的神经元分化还在特化与成熟发育的过程中,其相互联系、相互制约的脑的各层次结构与功能,在脑的整合层次的功能上表现出脑的功能特化尚未最终完成。中科院心理所尹文刚教授认为:"大脑两半球功能的特化和协同是脑演化的趋势,人脑功能的特化在缓慢地演进,在特化的同时,半球功能的协同也在发展,只有高度的特化才能高度地协同,特化与协同辩证统一在人脑功能的发展中。"小学生的年龄特点下的脑的形象、直观的思维活动特点尚十分突出,抽象思维能力也在迅速地提高;同时,由于额叶和边缘系统等部位的神经功能尚不完善,小学生情绪外露、纯真幼稚,情绪控制能力不强。这要求教育教学在适应小学生脑发育和功能发展特点时,要注重艺术教育,并在各门学科教学中,注重使用形象、直观的方式,在充满兴趣和快乐氛围的教学活动中,在不断发展儿童形象思维能力的方式和过程中,使抽象思维能力得到更好的发展。这有利于发展学生的创造力。

人脑的创造功能是建立在皮质联合区占皮质80%的脑生理特点及相应脑功能基础上的,创造能力是脑的综合功能活动的结果,它要求将动手与动脑、情绪与认知、有意注意与无意注意、形象思维与抽象思维、科学与艺术等多方面因素在教育教学中统筹安排、综合实施,这是脑的最佳认知活动方式的要求,也是发展儿童创造力的脑功能的要求。

(三)内隐性学习与外显性学习相结合,培养和提高学生的创造力

脑科学的认识是,内隐记忆指人们先前的经验对记忆测验作业的无意识影响,这种情况下大脑处于自动加工状态。例如当你随便看一些字词,没有想要记住它们,过一段时间之后,拿给你看一些汉字的偏旁、部首或一些缺笔的字词,请你任意把它们缺的笔补上,这时发现,你不自觉地填写出刚才见过的字词的几率高于其他字词。这种实验范式称为补笔测验,它表明无意识偶然记进的字词不自觉地、无意识地参与补笔的测验中来。认知心理学家让正常被试先后做两个记忆实验,比较其测验成绩。先做一个通过再认反映出的外显记忆成绩,即让被试先看一些字词,事后把这些

字词与其他没拿给他看过的字词混在一起,逐一呈现给被试,要求他们回答哪些是刚才学过的。另一种就是补笔测验。结果发现,两类记忆测验成绩并不一致,这种现象称为随机独立性。[1]

外显记忆是进入意识系统的比较具体的可以清楚地描述的记忆类型。我们在学习时认真去进行有目的的记忆即属外显记忆。

对于内隐记忆和外显记忆而言,又存在系统说和加工说两种理论。系统说以实验性分离为依据,认为脑内存在着结构和功能不同的多个记忆系统,如 Tulving 提出把记忆分为内隐记忆、知觉表征系统(PRS)、语义记忆、初级记忆及情节记忆系统[2]。由于内隐记忆和外显记忆所中介的记忆系统不同,因而它们可以产生分离。加工说则认为不存在不同的记忆系统,内隐和外显记忆任务之间的分离仅仅反映了加工过程的不同,内隐记忆更多地依赖于知觉加工过程,而精细编码等概念加工过程更多地支持外显记忆。由此,Tulving 认为,系统说和加工说在知觉和概念启动效应的研究中都有各自的证据,因此,两种理论的相互融合可能会为内隐记忆的深入研究增添新的活力,并提出了记忆组织和 SPI(Serial-Parallel-independent)模型,对这两种理论的融合做了很好的尝试。

尽管近 30 年来对内隐记忆的研究进展很大,但对其脑机制的研究相对较少,许多问题尚需进一步研究。[3] 但对于教育领域而言,对内隐记忆与外显记忆的脑科学研究的意义很大。粗略地说,外显记忆就是我们学习中常见的主动的、有意识的、有目的的、需付出一定努力的那种记忆类型,如人们接受工作任务或学生复习

---

[1] 韩太真、吴馥梅:《学习与记忆的神经物学》,77 页,北京医科大学中国协和医科大学联合出版社,1998。

[2] Tulving E. Organization of memory. In Gazzaniga M. (Eds.), The cognitive neurosciences, Cambridge: MIT press, 1994, 839~847。

[3] 杨炯炯、翁旭初、管林初、匡培梓:《启动效应脑机制的研究进展》,见《生理科学进展》,1999 年第 30 卷第 3 期,251 页。

功课时的记忆和学习,这种情况下的学习就是外显性学习。内隐记忆就是在无意识状态下,并没有想去记忆什么,在不知不觉中轻松实现的脑的自动加工的记忆类型(上文已举例说明),这种情况下的学习就是内隐性学习。内隐性学习主要通过改进完成某些作业任务的操作行为,而不用实验对象描述出所学内容来获得成功。它所涉及的是一些不去利用该个体的总体知识内容的记忆系统。可以看出,在教学中单纯的外显性学习尽管学习速度较快,仅经过一次或几次练习尝试便可成功。它常常需要将同时受到的多种刺激联系起来,并且使大脑有可能记住关于在某一特定时间地点发生的某一单独事件的信息,因而这种学习提供了一种对原来事件的熟悉感。但学习中单一形式的外显性学习是刻板的、僵硬的、机械的,创造性不高而又是必须的;而单纯的内隐性学习所实现的记忆也有缺乏系统联系、零碎等不足之处,且学习速度较慢,要经过反复多次尝试才能成功,但内隐性学习常常需要将一连串的刺激联系起来,并使大脑有可能记住事件之间有预兆关系的信息。这对很多不明确、不确定的特征区别上,由于内隐性学习使学生思维无外加的束缚因素和脑的自动加工,人的创造力就可能发挥出来。因此,最符合人脑的信息加工方式的学习方式应是外显性学习与内隐性学习相结合的,这可以有效地减轻学生负担并克服注入式的教学方法的弊端,使学生轻松、愉快地学习,并发展其想像力和创造力。如走入社会与大自然的参观、访问、考察等活动;将语文《雷雨》一课以让学生来表演的方式进行的教学方式;如将教学内容设计并布置成相应的教学环境,在环境中进行的充满兴趣和直观的教学;再如常说的"玩中学"或者形象、直观且充满趣味的多媒体教学等等。

注入式教学及教师、课堂、书本三中心的教育教学弊端,不能有效促进学生创造力的发展。而注重外显性学习与内隐性学习相结合,有助于在教学中发展学生的创造力。这是由于创造性思维包括人脑的内隐性自动加工与外显性有意识加工两种加工方式,并要求两种加工方式的结合。在结合过程中,常会出现不受意识控制的自发性思维过程,会使人对问题的理解或问题的解决豁然开朗,即实现"顿悟"。而这种不受意识控制的自发思维过程也叫内隐思维,它在人种之间和个体之间差异较小,且与智力水平 IQ 无关。例如,如果我们将牛顿躺在苹果树下,看到苹果落地而引发万有引力的创造性灵感和发现看做是一个真实的事例,那么他的这个创造性思维就是由脑的外显性有意识加工(他一直在研究和思考相关问题)与脑的内隐性自动加工相结合而实现的。

内隐性学习与外显性学习相结合应当成为我们在深化素质教育的进程中所进行的基础教育教学改革研究中需要明确提出并坚持的一条原则。这也是我们打破应试教育和注入式教学及"教师、课堂、书本"三中心的教育弊端的一个具有可操作性的突破口。

第二章　创造力的解剖生理学机制

当前,人类正处于信息的社会、电脑的时代,时时处处充满着竞争,其根本与实质是人才的竞争,是人的创造力的竞争。在《中共中央关于教育体制改革的决定》(1985年)中明确地指出:"教师的任务不仅仅是传授知识,更主要的是培养学生的能力,尤其是创造能力。"1995年,江泽民同志在全国科技大会开幕式讲话中指出:"创新是一个民族进步的灵魂,是国家兴旺发达的不竭动力。""一个没有创新能力的民族,难以屹立于世界先进民族之林。"上述正说明我国政府和国家领导人对人才以及人才创造力的培养是非常重视的。

培养和开发学生的创造力应像一条红线,贯穿于教育、教学全过程。教师应该认识到传统教育带来的弊端是偏重抽象的说教,忽视学生这个主体的灵感、创造思维与创造力的培养。如今每位教师的"时代感"、"责任感"、"师德良知"都应迫使我们在教育教学过程中树立起"创造力意识"(指培养学生的指导思想),才能改变师生们的用脑习惯,开发学生智能,挖掘人体潜能,提高青少年的智慧和创造力,以适应高科技时代发展和培养跨世纪人才的需要。创造力既然如此重要,何谓创造力呢?

创造力的含义:在英语中,创造力是"creativity",如用"创造"的形容词,"创造力"是"creativepower"。

尽管创造力有关专家的说法不一,但大多数学者认为:"创造力是一种能力(或称心理能力)或多种能力的总和,是人的知识、技能、智力、智慧及个性、品格的统一和综合。"或者说是人们进行创造性活动的心智能力与个性素质的总和。它是一种最高级的能力,是独特地解决问题的能力。不难看出,创造力是由创造主体的知识、经验、智能因素和非智能因素等构成的,通过灵感(大脑所产生的跳跃、迸发式的思维活动)并受环境影响的提供首创性产物的正向合力系统而实现的。

享誉全世界的伟大物理学家——爱因斯坦的科研成果的出现就是一个佐证。1905年6月,瑞士伯尔尼联邦专利局年仅26岁的三级技术员,发表了题为《论动体的电动力学》的论文,提出了狭义相对论,推翻了牛顿的绝对时空观,引发了经典物理学向现代物理学转变的巨大革命。这位默默无闻的年轻人,就是日后人所共知的大科学家爱因斯坦。就在这一年的3月间,他还论证了光电效应的基本定律,为量子力学的创立和光的波粒两重性本质的揭示奠定了基础。4月和5月,他又证明了热的分子运动论,提出了测定分子大小的新方法。9月他再提出狭义相对论的质能关系式 $E=mc^2$,为原子能的释放和应用提供了理论依据。11年之后,1916年,已是德国威廉皇帝物理研究所所长兼柏林大学教授的爱因斯坦,还发表了总结性论文《广义相对论的基础》,是科学发展道路上的一座新丰碑,"被公认为人类历史上最有创造才智的人"。爱因斯坦含辛茹苦的丰硕科研成果于1921年获得诺贝尔物理学大奖。爱因斯坦的巨大成就展示了智能因素和非智能因素(包括环境因素)的重要性。有这个前提与基础,加之他的灵感迸发,就会出现伟大的创造力,在一段时间里可以说是一发而不可收的势态。

上述也说明1999年6月13日中共中央国务院作出的"深化教育改革全面推进素质教育"的决定是有科学预见性的,是英明的重大决策。

现在的发展则进一步表明,当今的时代是人才和智慧竞争的时代,但归根结底是脑智力的竞争。谁能掌握用科学的手段培养和开发青少年的创造力,谁就必定掌握未来世界的主动权。

第一节 儿童脑功能开发的解剖生理学基础

一 人类思维与智慧之泉——脑

人类被称为"万物之灵",婴幼儿能对父母的关爱作出欢快的反应,青少年的思维敏捷等等生理心理活动源本和物质基础,都是由脑(特别是最高司令部——大脑皮层或称皮质)的派生、萌发并发出指令来完成的一系列反射活动。研究证实:智慧与思维以人脑为物质基础,褶褶生辉的人体潜能源泉也是人脑。

近代脑科学工作者的潜心研究,从宏观到微观,从亚细胞到分子水平,从(D.N.A)到(m.RNA)都取得可喜的成果。20世纪90年代,国外通过脑的科研实验过程发现,脑是人体最神秘的区域,它依赖于特化的神经系统,不愧为万物之上,就是说人不单纯是自然的人,而且进化为社会的人。比如电脑虽然可以在几秒之内进行十几亿数字的计算,但它仍逊色于人脑,人脑能进行复杂的思维、推理、判断、预知未来和创造发明等心理活动。而电脑只能按一定的程序在特定的范围内做出反应。

尽管人脑如此的神奇与奥秘,随着科学的进展,未知的内涵会逐渐被揭示出来,最终人类将会认识自己的一切,其中包括人体生命活动的枢纽——脑。对于那些人脑的"不可知论"、"神造论"、"上帝造人论"等伪科学的歪理邪说都应给以彻底的批判。从人体解剖学诞生之日(14世纪中叶)就与有神论者展开了殊死的搏斗,他们曾经将人体解剖(剖尸的人)早期的研究者进行焚烧,有的甚至被钉在绞刑架或十字架之上。所以学习人脑知识的过程,就应使学生在了解人脑的形态、结构基础的同时,树立"无神论"和"辩证唯物主义思想和世界观"。

(一)从宏观角度展现人脑(大体上是肉眼能观察到的外部形态和内部构造)

现代人(智人),当精卵结合成受精卵以后的15~27天,开始生成人脑的雏形。

1.小儿年龄阶段的划分

临床一般将小儿时期划分为6个阶段:胎儿期:从受孕到分娩共9个多月,称胎儿期。新生儿期:从出生到1个月,称为新生儿期。从胎内转到胎外生活,不断接受外界新环境的各种刺激。婴儿期或乳儿期:从满月到1周岁为婴儿期或乳儿期。此期突出的特点是脑部发育很迅速。幼儿期:从1周岁到3周岁是幼儿期。其神经系统发育的特点:幼儿同成年人或较大儿童接触渐多,大脑皮质功能逐步增强,第二信号系统也迅速发育。学龄前期:从3周岁到7周岁称为学龄前期。这时期生长较前缓慢,但与外界环境的接触日益增多,利用语言与简单文字进行学习的机会也逐渐加多。学龄儿童期:7周岁以后是学龄儿童期,其中7至12周岁一般是小学儿童期。12至17周岁一般是中学儿童期。这个时期的特点是:大脑皮质功能更加发达,尤其是第二信号系统发展迅速,因而能在学校及社会中适应各种错综复杂的关系。中学儿童期是智能和体格发育旺盛的时期,也是性发育逐渐成熟的时期。这时期学生情绪不稳定,多变易,家庭、学校教育和社会环境对小儿性格的形成影响很大。(参照图1)

从神经发育角度看来,人类胎儿的整个中枢神经系统由胚胎时期的神经管(前面提到的受精卵发育后18~25天左右的胚胎阶段)发育而成。首先发育的是分节系统,相当晚的是前脑泡。前脑泡再进一步发育就成了大脑两半球。

胎儿3~4个月时(见图2),大脑在外观上即有脑沟形成,6~

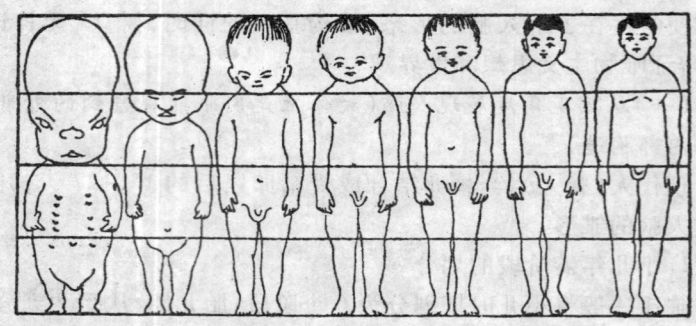

　　　　2月胎儿　5月胎儿　新生儿　1岁　6岁　12岁　25岁
　　　　　图1　胎儿时期至成人时期身躯的比较

7个月时,大脑上的沟回已很明显,但是还很简单。皮质细胞的分化在胎儿期即已开始,在胎儿末期及新生儿初期,细胞分化达最高潮。大脑皮层的组织学分层在胎儿末期也已基本完成。

新生儿在生后初期,尽管脑发育还不完善,但脑重已有350克,相当于体重的1/8~1/9。新生儿到6个月时,脑在外表同成人近似,脊髓、丘脑、纹状体的结构是较为完善的,脑重约600克。1岁时脑重达900克。8岁时脑重相当于成人脑重的90%以上。

脑电波描记的脑电图在一定程度上可以代表少儿的神经系统发育情况。正常新生儿的脑电图呈不规则形、左右不对称的低幅慢波(124次/秒);3个月后逐渐有较规律的律动波出现,以1~3次/秒的δ波占优势;10个月后以4~7次/秒的θ波占优势,并且渐次有α波(8~10次/秒)出现,以后随着年龄的增长,α波的出现更为明显,并且出现β波(15~30次/秒);到8~14岁时,脑电图已与成人时期相似。

小儿生后数小时,即可引起腱反射,腱反射较成人者强,有扩散和泛化现象。小儿一出生即带有某些先天性反射活动,如食物性反射(吸吮、吞咽)、防御性反射(对疼痛、强光、寒冷的反应),两

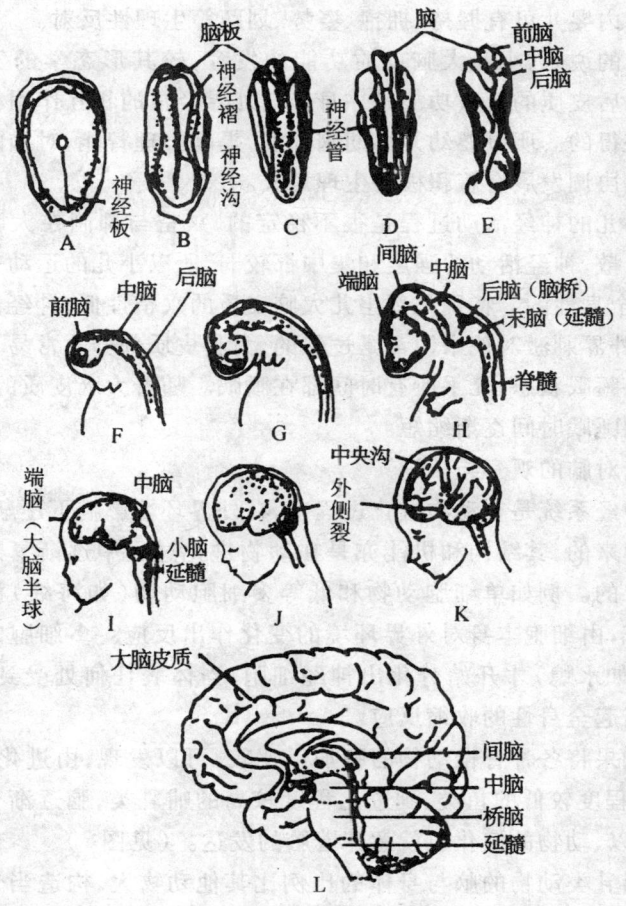

图2 脑的发育

神经沟开始于外胚层的一条神经板(A),然后下陷形成神经沟(B),神经沟两边合拢形成神经管(C—D),神经管前端发育成为脑(E),最初形成前、中、后三个脑泡(F),以后前脑泡分化为端脑和间脑(G—H),端脑形成大脑半球(I),大脑半球皮质的发育盖住了间脑和中脑(J—K)。人胚:F.3星期;G.4星期;H.7星期;I.11星期;J.6月;K.新生儿;L.成人

个月以内婴儿可有握持、拥抱、姿势、划跶等生理性反射。

总的说来,小儿大脑皮质功能的发育,较其形态学的发育为慢。以后皮质的复杂功能是靠身体与外界经常的相互作用相互影响而获得的。所以婴幼儿早期脑开发,提高心理智能,对脑的形态与功能协调发展有着积极的生理意义。

小儿的神经活动过程是很不稳定的,兴奋与抑制在大脑皮质很易扩散,神经活动的强度和集中都较弱,所以小儿的运动是不规律的、全身性的。特别是新生儿大脑皮质的兴奋性低,神经活动过程弱,外界刺激对他来说都是过强的,大脑皮质部分非常易于疲劳而进入睡眠状态,几乎所有时间都在睡眠。随着大脑皮质的发育,小儿的睡眠时间逐渐缩短。

2. 对脑的观察与认识

神经系统是在动物进化过程中,在外界环境影响下逐渐演变、发展起来的,其结构和机能亦是在动物进化过程中逐渐复杂和完善起来的。例如单细胞动物和低等多细胞动物(如海绵)没有神经系统,由细胞本身对外界环境的变化作出反应。多细胞的腔肠动物(如水螅)才开始分化出神经细胞,当体表任何处受到刺激,就会引起全身性的收缩反应。

如果将各种脊椎动物的脑加以比较,可以发现,由进化(或称演化)程度较低的鱼类,到进化程度较高的哺乳类,脑逐渐变得复杂,所以,动物的演化也就意味着脑的发达。(见图3)

哺乳类动物的脑与身体的比例比其他动物大,构造当然也复杂得多。从哺乳类动物脑的绝对重量看,鲸达7000克,海豚3000克,象也达5200克。就相对重量(脑与身体的比例)的比值来看,鲸鱼脑重与体重之比是$\frac{1}{8000}$;大象为$\frac{1}{750\sim1500}$;人脑的比值竟达$\frac{1}{40\sim47}$。与其他动物对比之下,人脑有其特殊性,其实人脑不单纯

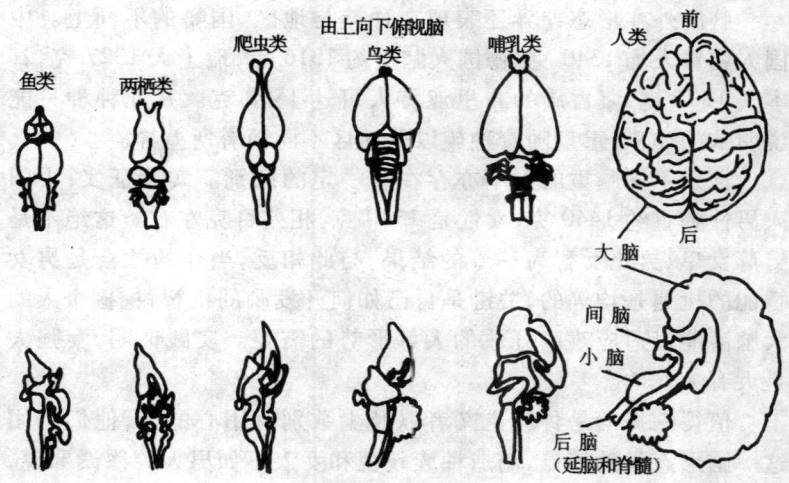

图 3 沿前后中央线分开的剖面图

是相对重量和体积比其他动物为大,它的奥秘还在于其结构更为奇特与复杂。虽然人脑中调节内脏的部分与其他动物并没有什么差别,但大脑皮质却特别发达,因此,人类能够进行不同于其他动物的行为和心理活动。正是因为人的大脑皮质在结构和机能上发生了质的飞跃,从而可以具有抽象思维的能力,甚至爆发出创造力,这样不仅能适应自然界,而且还能改造自然界。

3. 人脑的属性特征

人脑存在着许多差异,首先表现为个体与种族的差异性。比如脑重方面,大体上是 1.5 公斤左右。实际上每个人的脑重(也包括脑量——容积)有显著差异的。需要说明的是,头(指脑)的大小绝不是聪颖与弱智的依据,只能表现为人脑特征的其中一个属性。典型案例:屠格涅夫(文学家)脑重 2013 克,法郎士的脑重仅有 1017 克,但他们都是智力杰出的人,而先天愚者的脑重竟可达 2200 克左右。

脑的外在形态差异还表现在种族与地区、国籍的不同上。中国人脑重人均1340克,德国人脑重约1316克,瑞士人1327克,日本人1325克,蒙古族的布里亚特人可达1508克。凡此种种只能说明脑的体积、重量随着种族以及地区不同而有所差异。

性别不同脑重的大小亦存在着一定的区别。实验证实:中国人男性脑重约1440克,女性是1340克,相差百克左右。这绝不是男尊女卑、男比女智高一筹的结果,与此相反,当今的社会是男女智能的机遇是均等的,关键是自己如何开发脑的机智,挖掘个人的大脑潜能以适应改革开放的大好形势的需要。实践证明,女强人是大有人在的。

值得一提的是种族主义者以及少数别有用心的人,他们利用这一脑形态学的特点,制造种族歧视和女人不如男人等谬误邪说,以达到他们不可告人的阴谋伎俩。

4. 脑的内构与组合

人类智慧之源的脑位于头颅里,脑颅像一个密封的骨质匣子。(见图4)

由8块骨合围而成。说明脑是神经的中枢部位而保护起来了,它是形态和功能极其复杂的新奇世界。脑是由六个部分有机地组合而成(见图5),即大脑、间脑、小脑、中脑、脑桥和延髓。通常把中脑、脑桥和延髓一起合称为脑干。(见图6)

5. 脑的分工

大脑

为神经系统的最高级部位,其活动为高级神经活动。人体的生命活动以及高级心理思维活动等等都是受大脑所支配。(图7)就是说,人体的一切活动都是直接或间接在大脑皮层支配下进行的。因而大脑是神经系统主宰部位。

间脑

位于大脑半球之间,主要有丘脑和丘脑下部。其中丘脑是皮

第二章 创造力的解剖生理学机制

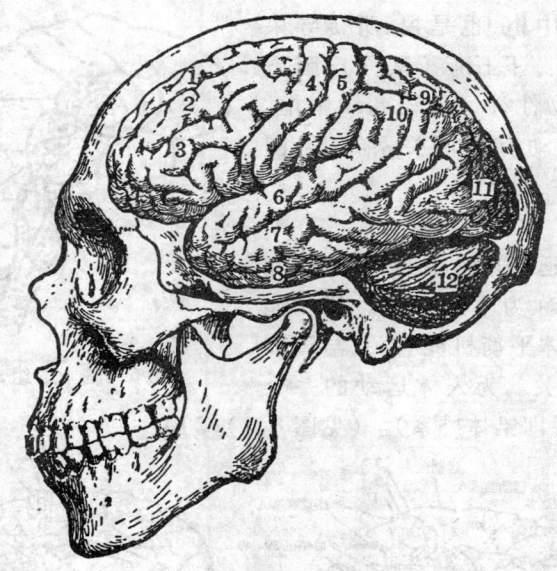

图 4 脑在颅腔中的情况
1.额上回;2.额中回;3.额下回;4.中央前回;5.中央后回;6.颞上回;
7.颞中回;8.颞下回;9.顶上叶;10.顶下叶;11.枕回;12.小脑

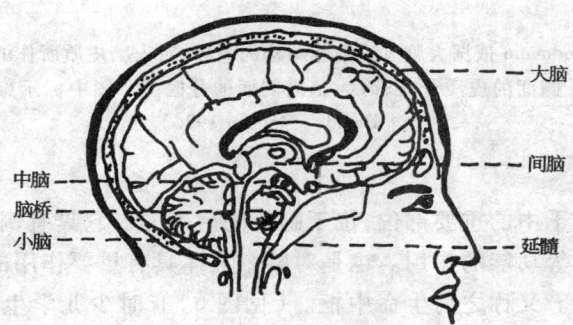

图 5 脑的组成(脑的正中矢状切面)

质下感觉中枢,也是视、听传导束的中继站。下丘脑(又称丘脑下部)是植物性神经的较高级中枢,与内脏活动有密切关系。(见图6)

小脑

位于延髓与脑桥的背侧,两侧膨隆部分称为小脑半球。其功能与调节机体平衡机能有关;与调节肌张力有关。为人体运动的一个组成部分(即锥体外系)。(见图8(1)(2))

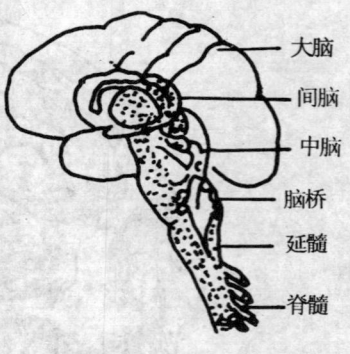

图6 脑干的组成

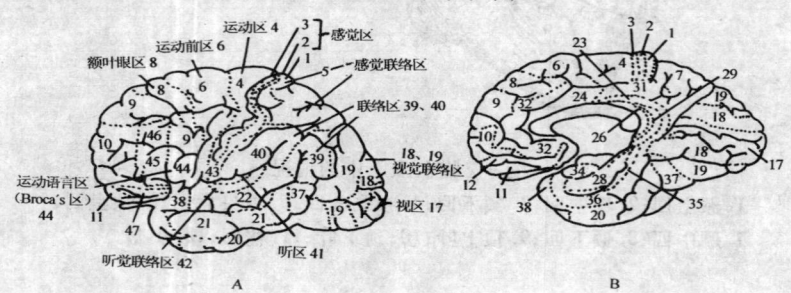

图7 Brodmann 依据大脑皮质细胞结构的差异,对人脑皮质所作的分区图
A.大脑外侧面的皮质分区;B.大脑内侧面的分区图。图中标示部分机能定位　　　　　　　　　(自 David, Jensen 1976)

延髓

是脑干中的重要部位,位于脑桥的后下方。它具有调节呼吸、血液循环等功能的作用。也是对整个人体具有重要作用的皮质下中枢之一。又称之为生命中枢。(见图6)有时少儿学生在玩耍、追打等活动中意外造成外伤事故(延髓部分受损),危及生命。

脑桥

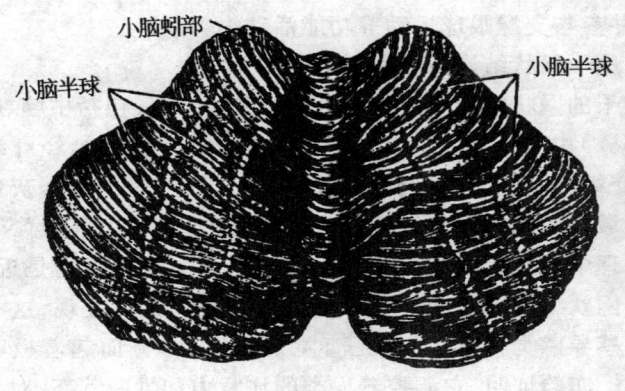

图 8(1) 小脑上面

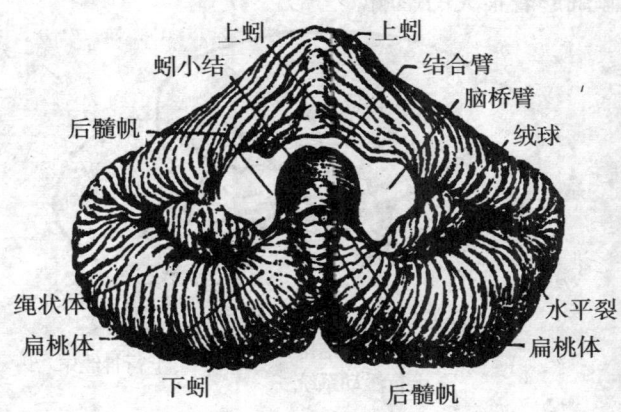

图 8(2) 小脑下面

位于中脑下方和小脑前方,内部由纵行与横行走行的纤维及纤维间的神经核(神经元聚集的地方)所组成的。其功能主要是与面部表情、舌的腺体分泌、眼球运动和传导面部感觉等等有关。

中脑

介于间脑与桥脑之间,内部内侧处有一个细管,称为中脑水管,可以分别通往第 3、第 4 脑室(内有脑脊液)。它与光、声反射有关,并参与支配眼球运动等功能活动。

6. 脑干网状结构的生理心理学意义

脑干的网状结构指的是(见图9)在脑干的(包括中脑、脑桥和延髓部分)中央部有一个广泛区域。在此区域内,神经纤维纵横穿行,交织成网状,并有大量的神经核团散在其中,这个灰白质交织的区域称为脑干网状结构。有其特殊的生理心理学意义,引起实验心理学工作者的广泛关注。自50年代之后,特别是近些年,对脑干网状结构的心理功能研究进展很快。人们发现,这一结构在上行感导感觉信息(基本是直觉认知信息)方面起着极其重要的作用。实验证明,它调控着人类的注意力和觉醒状态,对人的注意力和睡眠起着很大的影响。

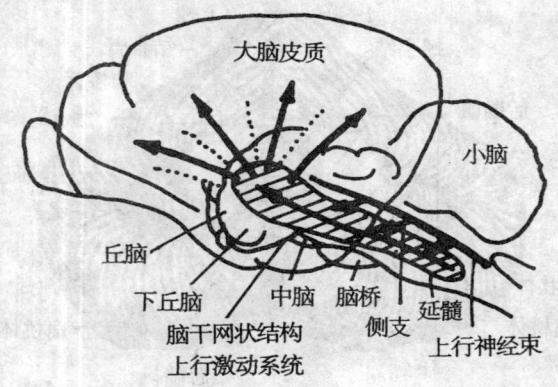

图9 网状结构上行激活系统示意图

解剖学证实,有一些使导束上行至脑干后,即终止在网状结构内(例如脊髓网状束)。此外,除了嗅觉,一切感觉的向中传导束上行至脑干水平时都会发出纤维分支与网状结构形成突触联系,在网状结构内经过多次神经元的更换,到达丘脑再更换神经元投射到大脑两半球的广泛区域。(有人把这一信息传递的上行系统称为非特异性投射系统)这一系统信息传递的特点是,所需的时间较特异性投射系统长,在大脑皮质上的投射区域也比较弥散。在正常情况下,脑干网状结构的活动对于维持人和动物的清醒(大脑皮质的兴奋状态)头脑具有重要意义。对动物进行实验,刺激其脑干网状结构能使睡眠动物转为清醒。这一切被认为是网状激活系统,它对人的大脑皮质活动具有一种激活作用的结果。临床也证明,当人的脑干上行激活系统受损时,可导致患者长期的昏睡。所以脑干网状上行激活系统能否正常运转,对于教师课堂教学效果的评估(师生双向的主导与主体作用发挥)将起到重要和决定性的作用。

7. 撩开大脑的"面纱"

人类区别于高等动物的根本是有一个极特殊分化的大脑。而与所有动物区别的显著特征之一就是人有真正的语言和文字,随之而来的就是人有极其复杂的思维活动——创造力。所以人类的大脑是思维和意识的物质基础,是长期进化过程中在社会性劳动和语言等因素的互相作用下发展起来的。从解剖学角度分析,大脑几乎包埋了全部其他结构(如间脑、中脑、脑桥等)。为了人类的进化与自身智慧的提高,大脑的表面相当扩展,在个体发育过程中其表面形成了高度卷曲,总面积达 1/4 平方米(有人甚至可达 $2200 cm^2$)之巨,并进一步形成许多的沟、裂(深的沟称为裂)、回。沟与沟之间的凸起部分称回。解剖学提供的依据是 3~4 个月胎儿有脑沟形成,6~7 个月大脑沟、回明显。胚胎期后形成的神经管,演变成前脑、中脑和菱脑。在神经系统发育中,前脑逐渐再演发成顶脑(即大脑皮质、嗅脑、纹状体)、间脑(丘脑、丘脑下部等);菱脑演发成后脑(小脑、脑桥)和末脑(延髓)。

大脑分为两个(左、右)半球,形状酷似核桃仁。(见图 10、11)

每个半球表面覆盖着一层灰质,称为大脑皮质(或称为大脑皮层),由大量神经细胞聚集而成。由于在制作切片染色时呈现

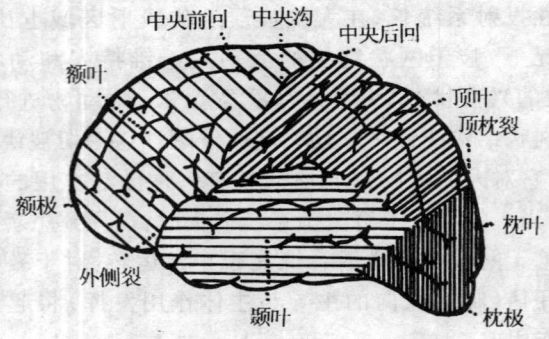

图 10　大脑半球外侧面的分叶（左半球）

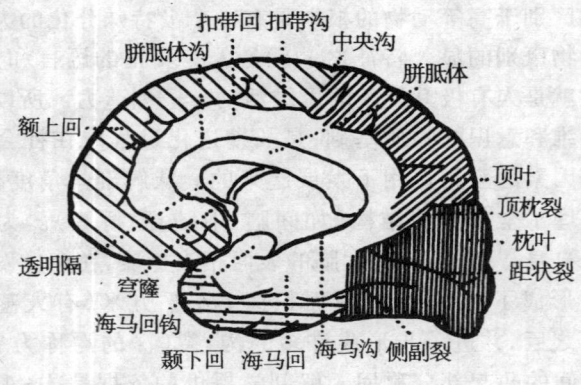

图 11　大脑半球内侧面的分叶（右半球）

灰色而得名，常被称为大脑灰质部分。大脑两半球的中间是个纵深的沟，称半球间裂。纵沟的底是连接两个半球之桥梁，解剖学家把它放大后看到的是宽厚的纤维束板，称为胼胝体。（见图11）从大脑的外形看，每个半球分为外侧面（或背外侧面）、内侧面和底面。背外侧面突出，内侧面平坦。大脑半球有额极、枕极及颞极。额极代表大脑半球之前，枕极代表其后。（见图10、图11）。

由于生理心理学的研究与发展，从形态学的宏观上大脑应该分解为三条主要的沟裂,并由这些沟裂将每侧大脑半球分为五个叶。

三条主要的沟裂:

中央沟:起自半球上缘向前下斜行于半球背外侧面。大脑外侧裂:在半球背外侧面,由前下走向后上方。顶枕裂:在半球内侧面的后部,由前下走向后上,并转至半球背外侧面。

五个叶:

额叶:在大脑外侧裂以上和中央沟以前。

顶叶:在中央沟与顶枕裂之间。

颞叶:在大脑外侧裂以下的部分。

岛叶(脑岛):在大脑外侧裂的深面藏有脑岛。

大脑皮质机能定位:

勃路德曼(Brodmann)将皮层划为52个区,每个区经由生理学家测试和临床观察证实,它们都有一定的功能,有人把大脑局部的特化功能定位,称之为大脑的机能中枢或叫"机能定位"。(见图12(1)(2))

大脑皮质的一定部位,主要管一种机能,与人的生理心理活动息息相关。(见图13)这里说明的只是一些主要机能区。

运动区:在中央前回和中央旁小叶前部,管对侧半身的随意运动。其下部有第二感觉区,与内脏感觉有关。

感觉区:在中央后回和中央旁小叶后部,管对侧半身的感觉。味觉投射区在中央后回头面部感觉投射区的下侧。

上述躯体的运动与感觉机能中枢直接关系人的个体发育、身心的成长以及生命的价值等。

听觉:在颞横回(在大脑外侧裂之内)。

视觉区:在枕叶内侧面的距状裂周围,接受对侧半边视野传入的光刺激,并使物体在大脑成像的机能定位区。与脑(人)的形象思维和视知觉的发展直接有关。

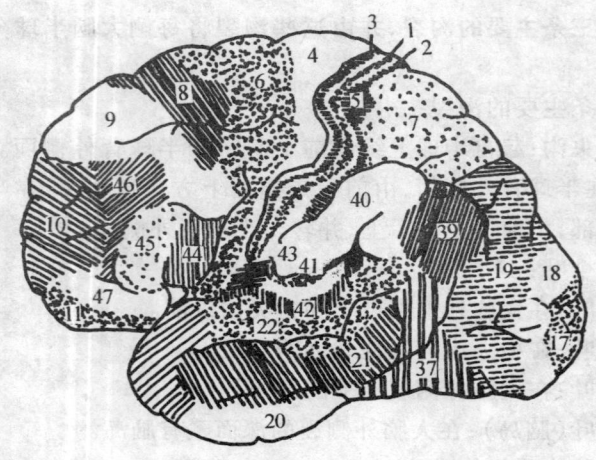

图 12(1) 大脑半球外侧面的皮质

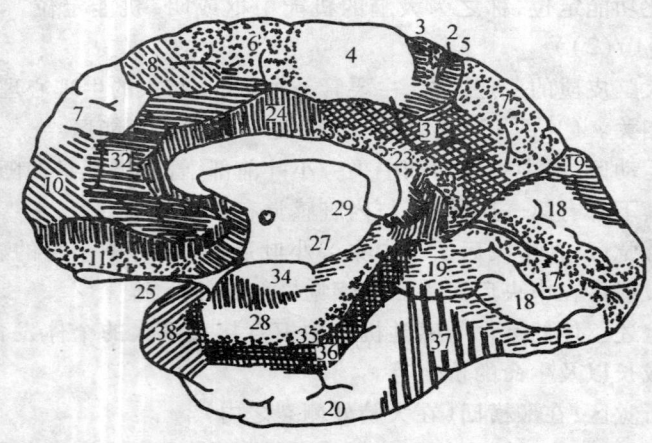

图 12(2) 大脑半球内侧面的皮质

嗅觉区:在半球内侧面的海马回沟附近。当大脑疲劳时,眺望远方青山绿水,利用上呼吸道进行平静呼吸,可以起到消除疲劳的作用。这与嗅觉区的兴奋状态是有关的。

内脏活动调控中枢:在扣带回(胼胝体周围)附近。它发出的指令可调节内脏的一切运动。这个区域实际上还参与人的情绪调控,并对学习、记忆产生了一定影响。

语言、文字中枢:这个中枢是围绕着人类所特有的第二信号系统——言语、字和词的说、听、读和写功能而特殊分化来的。它是人类建立条件反射以及高级思维活动的特质基础所在。

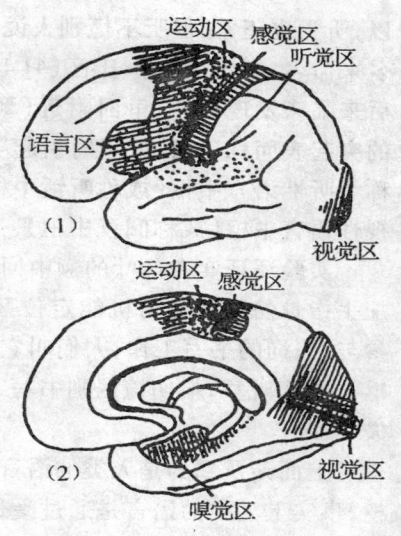

图13 大脑皮质机能定位

临床观察证实:脑的局部损伤会影响人自身的正常生理心理活动。例如1861年法国的神经病理学家布洛卡(Broca)首先提出了言语皮层功能定位的证据。他观察到一例能听懂他人说话,口咽肌肉不瘫痪而自己不能讲话的病人。病人死后,尸检发现病理损害部位,是位于左侧大脑半球额下回后部约1/3处。(见图13)这个部位恰恰在控制口咽肌运动的皮层中枢之前。后来,经过多年的继续临床观察证明,说话中枢(运动性语言中枢)是同大脑皮层的上述部位相联系的,人们都称这个区为Broca氏区(44区)。在临床上称"失语症"。(见图12)

1874年,德国的维尔尼克(Wernicke)在临床治疗中发现,当左半脑颞上回后部的缘上回发生病变时,一般口头说话能力还可以,听觉也正常,但听不懂别人说的话。人们把这个区就以他的姓名来命名,叫 Wernicke 氏区(41 区、42 区)。临床上为"失听症"。后来临床发现,大脑角回附近(颞叶的颞上沟向后上方延伸涉及的突起表面称角回)受损时引起"失读症"。后来有人把 41、42 区称为听性语言中枢(或称听话中枢),把角回附近的机能定位称为视性语言中枢(或称阅读中枢)。

实验还证实在额叶的额中回后部(靠近中央前回运动中枢支配手指骨骼肌运动的机能定位区附近)又特化了神经元的功能,参与字、词的书写工作,人们叫它视运动性语言中枢(或称书写中枢),临床观察,损伤该区则书写、绘画等精细运动发生障碍,此为失写症。

上面涉及到的是人类的语言、文字(听、说、读和写)的调控中枢,事实上人类的语言是通过漫长的历史逐渐由简单到复杂,并促进了脑的生理功能以及组织学的演发而来。事实上人的语言活动是在全部大脑皮层参与下完成的。也有人认为,语言能力与颞叶的颞上沟以上的颞上回后部有更密切的关系。

人的一切心理活动和复杂的思维活动,都不是大脑皮层的局部区域内所能形成的,一般都需要联合区(联络区)或动员整个左右两个脑半球同时参与下完成其心理活动的。例如,计算机软件信息的输入,文学的创作和创造与发明的灵感等,都是大脑的区域联合或大脑的同步活动的结果。

这种语言机能活动的联合皮质区的特点告诉人们,要提高语言的整体水平,必须全面提高听、说、读和写的能力。例如用开发大脑功能的理论指导学习或教授外语时,除去加强直观性(包括语言的形象直观、教学手段的动态与三维式的结合),提高语言、文字的形象思维表达能力之外,还应注意语言综合能力的提高。在大脑语言相互的书写、阅读、听性语言和运动性语言中枢的反复频繁活动过程中,加强对文字的字形、字音、字意的理解与掌握。

从幼儿至青少年这么大的年龄跨度,语言的掌握和语言中枢的建立,是经过循序渐进、因势利导的过程逐步建立起来的。如果从人的语言知识掌握角度看怎么符合思维的认知规律,有的学校根据幼儿和青少年的生理心理特点,采用了诸多的教学手段来帮助学生尽快理解和掌握语言、文字,如有的借助于动作的演示使学生加快了时语言、文字的掌握速度;有的借助于图画来帮助学生进一步理解字和词的概念;有的借助背景音乐和音响效果来烘托和渲染了环境气氛帮助学生掌握诗歌的意境;还有的借助声情并茂的语言描述,学生进入角色现场表演,以及小实验、小制作、幻灯、录像等手段,引导学生入情入境,加速从视、听觉对纯言语、文字呈现的补充。这就使学生通过形象思维的提高过程也对抽象思维的发展有个质的提高。大脑总是处于优势的兴奋状态所进行的学习与记忆,可提高教与学的实际效果,也促进幼儿和青少年的脑发育以及身心的健康。

上述人类(特别是青少年学生)对字词、言语的掌握过程,其生理基础是由于人脑的极端发达。聪颖的人类大脑表面有高度分化的皮层细胞,它覆盖的总面积几乎占整个脑的体积的一半还要多。有意思的是这个神奇的大脑发展起来的时间却是在各器官之末,堪称大器晚成。古人类学的研究指出,最早出现的两腿走路并能使用工具的人形动物,是一种叫做南方古猿的猿人,生活均在250万年以前。它们脑的体积和现代的黑猩猩的脑所差无几,但它们能制造粗糙的工具用以打猎和切剥猎物,这是现代黑猩猩所不能的。说明南方古猿能充分利用其450克的脑结构功能。

约在50至70万年前,出现了直立人,其脑约有1000克,他们能制造比较精致的石具,能用火,并能杀死大的动物。这说明,这种人有了更大的能力开辟新的生活环境和克服地理上的种种限制。现代的人称为智人(Home sapiens)大约出现在20万年以前,其脑重和体积又显著增加,可达1300~1400克。

现实人们复杂的社会生活,如上天入地的发明创造,遗传与仿生工程,电脑进入家庭等等的巨大科学进展,是否说明我们已调动这个1400克脑的全部潜力呢?科研与实践证实,我们人脑的巨大潜能还远远没有发挥出来。我们人类一生脑细胞的消耗只用去1/10左右;传统的思维模式和学习与记忆模式,大部分偏重于单侧脑优势发挥较多的作用,还有很多脑优势的部分没能被调动起来,处于闲置状态。打个比方,好像一个容纳万吨物品的大仓库,绝大部分处于空空如也的境地。

前面曾提到:事实上人的语言活动是在全部大脑皮层参与下完成的。依据大脑皮层机能定位分区的特点看来,我们人类所有的皮质感觉投射区,包括运动区在内,还不到整个大脑皮层面积的20%。占80%以上的均为皮质联络区(association area)。这些联络区通过联络纤维与感觉区相连。联络区的皮质可能和数种感觉区相连。根据这种解剖特点,有人认为不同性质的感觉信息在联络区可以被综合,形成复杂的意识成分。位于视觉投射区与躯体感觉区之间的顶叶联络区可能是产生空间运动主观感觉和自身形象的地方。

有人推测,在幼儿时期,联络区皮质比较并且分析躯体感觉、本体感觉和视觉信息,对于学习与记忆过程极为重要。目前这方面的研究,从解剖生理和心理学等方面正在通过实验实施各个课题方案。总之,从外界刺激作用于感受器,直到感觉的形成和出现反应活动,这是中枢神经系统参与下的极为复杂的过程。为了使读者对这一复杂过程有个简明概念,请参看下面的方框图。(见图14)

这张图概括了中枢神经系统活动的最一般规律,标示了环境刺激导致行为反应的途径。

综合上述,人们对自己大脑有了逐渐的一步一步的深入了解。有人认为额叶部分的皮质功能可能与躯体的运动、内脏感觉、语言

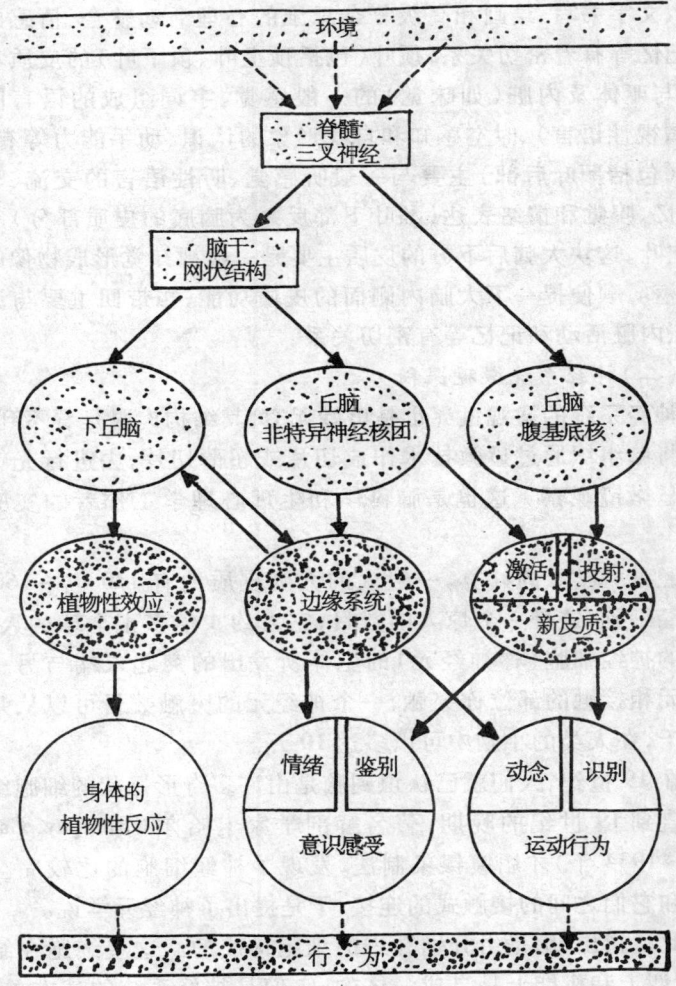

图 14 在特异和非特异系统的作用下,产生三种行为活动:
意识感受、运动行为和体内的植物性神经系统反应

交流、文字书写、绘画和高级复杂思维的心理活动整合、情感的调控、记忆等有着密切关系;顶叶(包括顶上叶、顶下叶)的皮质功能大概与躯体及内脏(如味觉)的一般感觉、字词组成的语言阅读(所谓视性语言)、时空感知和自我形象的认识、动手能力等有关;颞叶(包括颞叶后部)主要与一般听感觉、听性语言的交流、学习与记忆、嗅觉和情绪表达(颞叶下部反蜷为脑底的皮质部分)等有关;枕叶,这块大脑后下方的皮质主要是一般视知觉形成物像的机能中枢。顺便提一下大脑内侧面的皮质功能,扣带回主要与调控情绪、内脏活动和记忆等有密切关系。

(二)神经系统微观探秘

神经系统的微观世界也是奥妙无穷,其结构肉眼是看不到的,必须将脑组织通过显微技术作成切片或超薄切片,去进行光镜和电子显微镜观察。这也是脑科学和生理心理学工作者的实验基础。

经过科学家的计算,一般人的大脑皮质约有140亿~160亿个神经细胞,这是一个惊人的数目,它大约4倍多于全球的人口,而大的神经细胞(称神经元)的胞体所发出的突起末端与另一个神经元相接触的部位称突触,一个神经元的突触数目可以从几百到几千,在人类的小脑中可以多达10万。

在19世纪,人们就已认识到脑是由许多奇形怪状的细胞组成的。直到19世纪的晚期,著名解剖学家卡哈尔(Ramony. Cajal, 1852~1934年)才用镀银染制法,发现了神经细胞的比较完全的面貌和它们之间的接触式的连接,于是提出了神经元学说。

此说指出,脑是由分别开来的细胞构成的。这些细胞在结构上、代谢上和机能上是自成一体的,它们是神经系统的基本单位,称之为神经元(neurons)。(见图15)20世纪50年代电子显微镜的发明使得神经解剖学家观察后进一步肯定了神经元学说。

在神经系统内还有第二类的细胞,叫做胶质细胞或神经胶质。

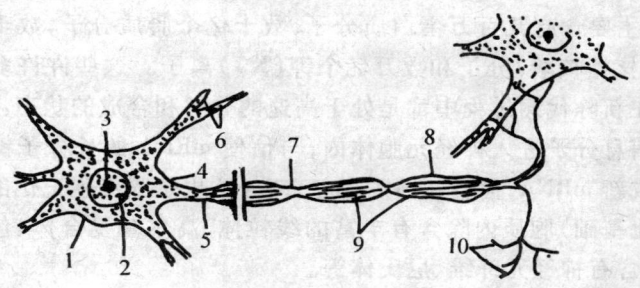

图15 一个被覆髓鞘的轴突的结构
1.细胞体;2.细胞核;3.核仁;4.轴突小丘;5.轴突;6.树突;
7.朗飞氏节;8.许旺氏细胞;9.髓鞘;10.终扣(钮)

它们是个体小、数量极多、种类多样的神经系统内的另一种细胞。其功能可能与支持、营养作用有关。在临床上它们是形成脑和脊髓瘤的主要组织。在脑损伤后可以膨胀,这叫做水肿,它能干扰神经元的功能。脑外伤对青少年及儿童的学习和记忆以及正常的心理活动起着不良的作用。

人的一切心理活动和生理活动的信息贮存和传递都是通过神经元的一系列生物化学和电变化来实现的。

具体地说,一个典型的神经元的功能有:收集数种来信的信号,整合它们,把它们编码组成复杂的传出信号,并把这些信号分送给大量的其他细胞。在神经系统中表达和加工信息的方式决定于神经元怎样来调理信息的特性。

下面简单地介绍神经元的细胞体、轴突、树突和突触的结构。

1. 细胞体

神经细胞体内含有细胞核,核内含有染色体,带有遗传指令,称为基因(genes),是细胞的一切代谢活动的蓝图。一个神经细胞在工作时,其中的化学过程是极为复杂的。我们在此举出一些粗略的数据供参考。在一个正常的神经细胞中,除其他组织成分不计外,主要含有几百万蛋白质分子,数十亿个脂质分子,数千亿个RNA(核糖核酸)分子和数万亿个钾(K^+)离子。这些许许多多的分子在新陈代谢过程中都是处于高速的分解和合成的状态。比如一个信息分子进入神经元胞体内,与信使mRNA的长分子链结合后形成新mRNA,信息就被贮存起来。(这也是脑细胞记忆的机制和生化基础)胞质内除含有丰富的线粒体、高尔基复合体、包涵物外,还含有神经元纤维、尼氏体等。

神经元纤维:光镜下可见胞体内有呈线状交织分布的神经元纤维。在突起内,神经元纤维呈平行排列。在显微镜下,神经元纤维是由许多神经丝或微管集合而成的。其功能可能是在神经元内起支持和运输物质的作用。

尼氏体:光镜下可见,是细胞内的嗜碱性颗粒或小块。电镜观察,尼氏体由粗面内质网和游离的核蛋白体构成。主要的功能是合成蛋白质,供神经活动需要。少儿时期由于脑发育和生理心理活动的迅速增加,神经元的代谢活动旺盛,一方面必须注意补脑,(脑细胞必要的营养物质,如脑磷脂、蛋白质和糖元的合理补充)另一方面还必须注意脑细胞能量的积累。就是说脑细胞的营养物质有了充足的蓄积,就给知识与信息的大量增加、思维能力的提高,特别是创造力的迸发提供了有利的条件。从解剖学家提供的材料可知,高智能的科学家、企业家,他们的神经元胞体营养物质充足,且体积较大。大脑的工作效率是惊人的,而它消耗的能量也大得令人吃惊。只有体重2%的大脑,却要消耗人体20%的能量,其消耗的营养物质主要是葡萄糖。大脑还喜欢"吃"蛋白质中的谷胱甘肽,谷胱甘肽的抗氧化作用,是遏制脑细胞生"锈"的克星。在这里也提醒一下广大教师和家长,大脑并不完全"吃素",脂肪中它最偏爱卵磷脂。黄豆、蛋黄内卵磷脂含量丰富,也是健脑之必需。

德国大脑研究所的人士最近验证,听力超群的音乐家的听觉皮层的第4层比常人厚1倍,而画家的视觉皮层的第4层也比常人厚。由此可见,大脑中专司某种行为活动的皮层的厚度及其相关的支撑结构,是创造力的物质基础。

2. 突起

由神经元的细胞体发出的突起部分,可分为树突和轴突两种。(见图15)

轴突:每个神经元只有一个粗细均匀的轴突。一般的概念轴突好像是从细胞体上发出的一根细丝。然而实际上,一根典型的轴突是可以在结构和功能上分成几个区段的。在多极神经元中,轴突是从细胞体的一个叫做轴突小丘的锥形部分长出来的。这是传递信息的神经冲动开始的地方。轴突的长度也极其不同。有短至几个微米者,有长达1米以上者。轴突常常是分出旁枝来的,不分枝的很少。因为有大量的分枝,所以一根轴突可以对许许多多的神经细胞施加影响。轴突的旁枝(亦称侧枝)常常呈直角发出,轴突的末端分支多,形成终末支。这些细小的分支末梢有一特殊的结构形成突触。即与下一个细胞的连接之处。

大多数的轴突都有鞘,称为髓鞘。髓鞘是紧靠轴突上的非神经性的细胞构成的。对神经元的神经冲动传导起着绝缘作用。婴幼儿期由于大脑神经元细胞的轴突未髓鞘化,就是说神经细胞的传导部分没有发育完善起来,从幼儿心理行为上也表现出:受刺激时全身都参与反应,精神不易集中,易兴趣转移,顾此失彼等等。这正是神经系统的"短路"现象,是属于正常的生理心理活动。作为教师必须掌握儿童的生理心理学才能保证和提高教学质量。髓鞘发生病变时,就会产生不良后果。例如在多发性脑硬化中看到的种种脱髓鞘病变。

树突:神经细胞的多样性,主要来自于树突的造型。树突的造型常常与它的信息加工的特性有关。树突的分支多,呈树枝状,愈向外周分支愈细,表面常有刺状物,称棘刺。棘刺是其他神经元终末支与树突的接触点。树突的功能是接受信息,将神经冲动传至胞体。一般树突占整个细胞体积的 95%。这些棘刺使得树突表面看起来很粗糙,它们深受神经生理学家的注意,因为它们是可以变化的,随着外界的刺激可以提高和增加棘刺的数量与质量。人体组织学工作者曾将几位伟大的科学家的大脑作成切片,观察结果表明:富有智慧与创造力极强的人,其脑细胞的棘刺数量大大超过常人。这大概和成绩卓著的科学家们善于开动大脑潜能,捕捉各个方面的信息与知识,勇于创新,在逆境中拚搏,勤奋努力是息息相关的。

3. 突触

近代科学技术的飞速发展,特别是 20 世纪 50 年代电子显微镜的发明,使得科研人员的视野增大,进一步观察到神经元与神经元之间不是直接的连接,而是在连接处有一段极狭窄的(一般是 20nm〈那米〉左右)间隙。这极小的地段被称之为突触。(见图 16(1)(2))突触是信息传递和整合的关键部位。一个神经元可通过突触影响多个神经元的活动;同时,一个神经元的胞体或树突通过突触可接受许多神经元的影响。

要说的是:有人说突触是信息传递和整合(调整与综合作用)的关键部位。例如我们头脑中的瞬间记忆(也叫掠影式 iconic)的现象,常常表现出来的片刻即逝的景物印象或者某种已逝的声音在耳中的余响,其生理心理学基础正是在"突触"(又称接触点)中实现的。

近十几年,我国一些省市的教育教学科研特别注重大脑功能——创造力的开发,从对人的思维方式革新入手,探索我国教育的改革和发展。其中采取的一个重要手段就是让少年儿童在愉悦的氛围中提高认知能力和直觉思维能力,逐步拓宽想像力、观察力、思维能力、记忆力和创造力。这些实验过程,无疑地对少儿的脑功能开发起着积极的良好影响。

第二章 创造力的解剖生理学机制

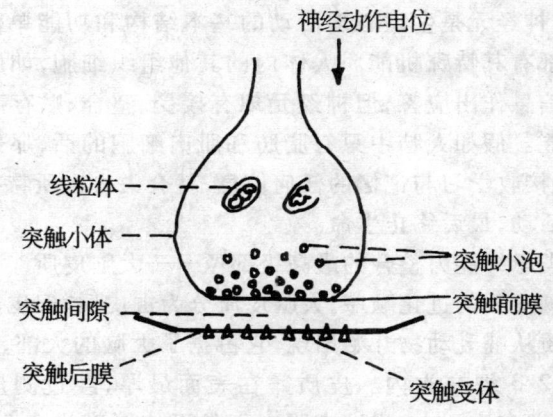

图 16(1) 突触结构模式图

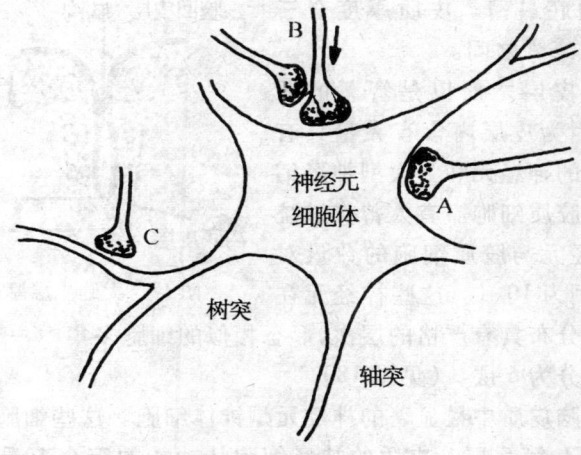

图 16(2) 突触的类型
A. 轴突与胞体相接触；B. 轴突与轴突相接触；
C. 轴突与树突相接触

看来,神经元是生理心理活动的基本结构和功能单位。而每个神经元都有其特殊机能。人体内的其他组织细胞,如肌肉细胞只能接受信息作出应答,但神经元却有接受、整合、贮存和传递信息多种功能。假如人脑中只有脂肪和肌肉细胞的话,那他就不能思维,不能接收学习与记忆的任何信息,就会失去人所特有的一切高级神经活动,最后终止生命。

4.人类思维能力整合的最高级部位——大脑皮质

按大脑皮质的进化顺序,大脑皮质分为古皮质、旧皮质和新皮质。新皮质从哺乳动物开始出现,它占据了大脑的大部,其中1/3露在表面,2/3埋在沟内。皮质露在表面最厚,经过测量大约有2/3的面积埋在沟裂内,测试表明它们的平均厚度为2.5毫米,但大脑各部分厚薄也不一,(见图17)在中央前回的运动区最厚,在距状裂的底最薄。皮质厚度介于1.5~4.5毫米之间。

大脑皮层之所以是智慧的源泉,就是因为皮层内含有大量具有特殊功能的神经元和为大型神经细胞服务的胶质细胞。有人曾作过统计,将神经元与胶质细胞的数量对比,其比例为10:1。这些神经元在皮质中的分布具有严格的层次,形态相似的细胞多集中一起,一般由外向内分为6层。(见图18)

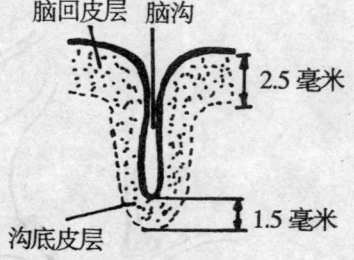

图17 大脑皮层厚度

在大脑皮质中最显著的神经元是锥体细胞。这些细胞的胞体大都在第3、第5层。皮质的神经细胞从功能的组合上看似乎是排列成为纵柱形式的。在分析皮质接受感觉传入的单细胞放电的实验中看到,一个柱中虽有多种的细胞,但似乎是共有一种功能特性的。

六层神经细胞的显微分层名称是:第1层:分子层。第2层:

外颗粒层。第3层:锥体细胞层。第4层:内颗粒层。第5层:节细胞层。第6层:多形细胞层。(上述的6层结构,一般以颞叶为典型。)

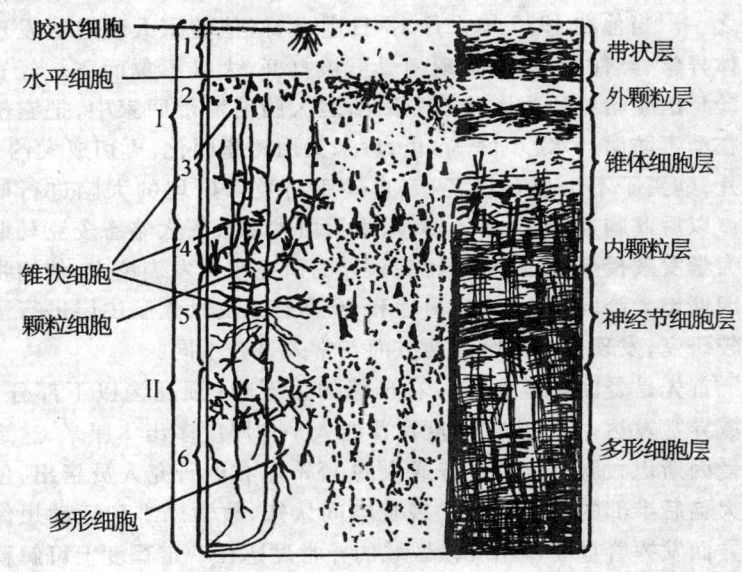

图18 大脑皮质结构图
(带状层又称分子层)
(神经节细胞层又称内锥体细胞层)

以上所叙述仅是最基本的模式,事实上,大脑皮质中就有100亿神经细胞,按照排列与组合推算神经元间可能的结合方式已多到天文数字。在理论和实际上,皮质的一个神经元可连接任何其他神经元。皮质的构造是如此复杂,而机能还要比这组合起来的方式繁复、灵活得多。由于人脑皮质极大量的神经元和它们之间互相联系的广泛性和复杂性,使得人类大脑皮质获得了完善的分析与综合的能力,构成了思维与语言的物质基础。大脑皮层真是个神秘莫测的世界,在世界范围内引起脑科学家和更多的人去孜孜以求地研究它、发现它。

众所周知,爱因斯坦被誉为人类历史上最具创造才华的科学家之一。当他在1955年4月18日逝世时,他的家人装殓时发现尸体异常,经仔细检查,发现颅骨已被打开,大脑不翼而飞。经查是验尸医生哈维所为。他把爱因斯坦大脑悄悄带回家中,把它浸泡在消毒防腐药水(甲醛等)里,后来又用树脂固化,再切成大约2百片,购买了不少保存设备,亲自动手对爱因斯坦的大脑进行研究。以后此脑经历43年的辗转,最后由加拿大安大略省麦克马斯特大学女教授桑德拉·威尔特森领导的研究小组发表论文,他们将爱因斯坦大脑同35名普通男性和50名普通女性大脑皮层进行了比较研究,发现他的大脑在两方面与常人显著不同。

首先是爱因斯坦大脑左右半球的顶下叶(顶间沟以下部分)区域异常发达,大脑皮层厚度比普通人平均厚度多出1厘米,这造成爱因斯坦大脑宽度超过普通人的15%左右。研究人员指出,位于大脑后半部的顶下叶区在视觉空间认知、数学思维和运动想像力方面发挥着重要作用。该区域的异常发达在一定程度上可解释之所以爱因斯坦会形成自己独特的思维方式。

爱因斯坦本人就曾描述,他的科学思维过程具有较强的视觉性(富有很强的想像力与联想力),而语言在其中所起的作用似乎不大。

爱因斯坦大脑另一显著特征是其缺少常人大脑中的一种皱沟。该皱沟通常位于大脑皮层相邻的脑回之间,一般横贯顶下叶区。研究人员推测说,缺少这一皱沟很可能导致位于顶下叶区的神经元彼此间更容易建立起联系,因而使他的思维更为活跃。

爱因斯坦尽管生来具有天才的脑生理基础,但如果没有后天的培养和个人的努力,天才也难发挥出超人的智慧。

附带说一下锥体细胞的形态与机能。

皮层的组织结构中最显著的神经元是有锥体细胞的存在,分为中、小型和大型锥体细胞,主要分布在大脑皮层的第3和第5细胞层之内。在第5层(又称节细胞层)的大型锥体细胞其轴突向髓质行进。第3层的锥体细胞发出纤维对皮质各层之间、各部位之间和左右半球之间进行联络及联合,经过错综复杂的广泛联系(如大脑联络皮质区、胼胝体等),从而对进入皮质的各种冲动进行分析综合,然后作出反应,产生各种心理活动以及心理行为等等。

皮质运动区具有特殊的神经元筑构学的特点,除第3层内聚集大量锥体细胞外,在第5层内有巨大的Betz氏细胞,其直径为50～60微米,细胞体面积约为8.900微米^2。这种形态学上的特征使Betz氏细胞有可能接受更多方面发来的突触联系,其中包括同侧皮质内纤维以及皮质间纤维的联系。人脑运动区约有34000个Betz细胞,它的活动和随意运动有关,因而具有特别重要的机能意义。具体地说,它能发动全身骨骼肌的运动和完成四肢(上、下肢)精细、灵巧的动作。如人的走、跑、跳、投运动以及手对劳动工具、运动器材的抓握,绘画书法的手法运用等都和这些运动神经元的机能是息息相关的。

(三)神经的"交叉支配"与肢体运动

1. 神经的"交叉支配"

泛指人体的躯体(主要是骨骼肌组合的上下肢)运动和感觉活动,基本都是受大脑对侧的神经支配,好似"交叉关系"。例如少年儿童在篮球游戏中的右手臂的投篮得分比赛,其右手臂的运动是受以左侧大脑运动区为主的神经支配来完成这项工作的。

2. 交叉支配的神经机制

感觉传导路:复杂的反射活动是由传入神经元、中间神经元和传出神经元互相借突触联接而成的神经元链,其特点是传导路径长,多半要涉及最高神经中枢——大脑皮质。这样的神经传导通路称传导路。

一般把身体感觉的神经过程（由感受器经周围神经、脊髓、脑干、间脑至大脑皮层的神经通路）称感觉传导路；一般把躯体运动的神经过程（由大脑皮质经脑干、脊髓、周围神经至效应器的神经通路）称运动传导路。

以下通过感觉和运动传导路的反射过程看看神经的交叉支配。

各种感觉传导路虽行程和功能均有不同，但从结构看有其共同性，即从外周感受器到大脑皮质一般由三级神经元组成。第一级神经元的胞体位于脑、脊神经节，其周围突连于感受器，中枢突进入中枢与第二级神经元形成突触联系；第二级神经元的胞体位于脊髓或脑干，其纤维多交叉对侧上行至第三级神经元；第三级神经元的胞体均在丘脑，它发出的纤维组成丘脑皮质束，投射到大脑。

两个案例：

第1个，浅感觉（躯干、四肢的温觉和痛觉）使导路。第一级神经元的胞体在脊神经节内，其周围突至躯干、四肢的皮肤感受器；第二级神经元为后角固有核，其轴突经白质前连合交叉至外侧，向上行止于丘脑（外侧核）；第三级神经元为丘脑外侧核，其轴突经内囊投射到中央后回的中、上部和旁中央小叶后部。

第2个，传导意识性深部感觉，传导来自肌、腱、关节等处感受器的冲动，传向大脑和小脑。

第一级神经元的胞体在脊神经节内，其周围突至躯干和四肢的肌、腱、关节等深感受器，中枢突入后根至脊髓后索，上行至延髓；第二级神经元为薄束核和楔束核，其轴突，在中线上与对侧交叉，交叉后的纤维上升止于丘脑；第三级神经元为丘脑外侧核，其轴突经内囊上行，止于中央后回的中上部、旁中央小叶。

从上述一个浅感觉、一个深感觉传导路中有一个很重要的通性就是神经纤维有个交叉过程。

再通过随意运动(人不仅能对外界的刺激反射性地反应,而且会产生随自己的意识发生的运动)。由于运动控制的类型差异,将控制复杂的随意运动的神经系统分为锥体运动系统和锥体外运动系统。

案例二个:

锥体运动系统主要控制精确的随意运动,特别是随拇指运动能作许多精确的、灵巧的动作,如写字、打字、弹钢琴、接棒球。锥体运动系统的大多数细胞来自大脑皮层的中央前回或额叶第4区。其轴突(下行纤维)通过内囊、大脑脚、中脑到脑桥和延髓。在延髓锥体部大约有80%的轴突交叉到对侧,即锥体交叉。其余约有20%未交叉的纤维下行,它主要支配躯干的肌肉。而绝大部分经过交叉的纤维支配的上、下肢运动为对侧性的。那就是:右侧大脑皮层控制左侧的肢体运动,而左侧的大脑皮层则控制右侧的肢体运动。

锥体外系主要涉及随意运动的控制和姿势张力的保持。

锥外系的细胞主要来自大脑运动中枢前方的皮质大细胞以及来自顶叶和枕叶的其他细胞所发出的轴突。它们通过内囊和大脑脚到脑桥,然后进入对侧的小脑皮层。在这里分出两条通路,第一条是经过小脑,再经丘脑返回大脑皮层,即丘脑皮层回路;第二条是由小脑再进脑干。在脑干内侧这些轴突上升到中脑并交叉到对侧,再由红核发出纤维再交叉到对侧并下降到脊髓。

从以上运动所受神经支配的锥体系和锥体外系看来,也有个重要的通性就是其神经纤维都有个交叉对侧的过程。

3. "交义支配"的生理心理意义

主要有二: 其一:对从事劳动或劳动者说来可以起到"积极性休息"的良好作用。实验方法是:选择一个右利手(习惯用右手操作者),使其操作一重物(1~5公斤),当工作到疲劳为止,迅及换(几乎左右手同步,即一个手停下来的同时另一个手马上又工作起来)手并持一定相同重量亦工作到相对疲劳为止,再回到原来的操作手(右手)继续进行负重劳动。结果证实原操作手的劳动效率不但不下降,反而提高25%~30%,从而也说明了,这种改换操作肢体的劳作,虽然肢体并未休息(一般把肢体完全停下来的操作者的休息方式称为"消极性或被动式休息";把轮换休息式的运作称之为"积极性休息"),但它比绝对的肢体都停下来休息的效率大大提高。这就给人们提供(包括青少年的工作、学习以及劳务等)了生理科学依据。

其二,大脑交替式工作,对学习与记忆极为有利。脑科学家研究说明,人们由于社会分工和专业优势的不同,用脑习惯(思维定势)也不完全相同。为了优势互补提高素质,有人曾提出:"读书的动手,动手的读书,手脑并用。"我认为这个提法和倡导的是符合科学的,应予以大力支持。北京等地的一些学校在课间进行音乐欣赏、自我暗示静休等活动开展得好,通过测试证明,其脑电波呈现以 α 波(为梭形波,频率8~13/s,振幅20~100μv,处于清醒、安静、闭目状态。记录最明显的部位:枕叶、顶枕区)为主的脑电波形。说明学生在课间休息时,大脑皮层处于优势兴奋状态,课前心理准备是良好的。其生理基础是:大脑两半球在课上、课下是交替或轮换式的工作,课间休息是积极性休息。教学评估说明实验班的学习成绩显著地提高。

二 少儿的主要生理心理特点

(一)少儿的神经系统容易疲劳

少儿在正常状态下其神经系统的工作耐力较差。总的说来神经细胞还处在稚嫩的生长发育阶段,一方面树突和树突棘(或叫棘刺)还没完善起来,接受信息的能力还不是很强。其二是细胞体的营养物质贮存和代谢能力还没达到最高水平。这些少儿脑细胞的生理特点必然影响其心理活动的持久性,说明少儿的神经活动易疲劳性的产生是正常的,可以理解的。

(二)少儿注意力持久性差,兴趣容易转移

年龄愈小,精神愈不易集中,也容易分散。主要与脑细胞在少儿期其轴突部分(或称神经纤维)的有机化学物质(主要成分是磷脂和蛋白质,有绝缘作用)还没有完全髓鞘化,易接受各神经元的扩散信息,神经元自身由于绝缘性还不好也容易将由树突传入的信息泛化出去。所以少儿的脑活动常表现为注意力不易集中而且容易把刚刚被吸引的兴趣优势又转移走了。教师应了解、掌握少儿的这一生理心理特点,想方设法为孩子创造一个快乐氛围,尽情发挥幼儿的想像力、观察力和创造力的心理优势,为提高孩子的智能作出应有的努力。最近有的教育专家撰文提出见解:教师应在学习软件上下功夫,比如创设轻松愉快的教学情境,发挥暗示教学的作用,使学生在学习和受教育过程中保持愉快、不紧张,有利于发挥主动性和创造性,实现有意识和无意识的统一,释放巨大的学习潜能。教师应强化暗示教学信息的意识,(教师向学生发出两类信息线索,一类是知识技能方面的明示教学线索;另一类是教学的暗示信息)就是要教师能巧妙也运用自己的动作、表情、语言风格、价值倾向、理想信念及课堂气氛,并把这些原本为不自觉、非逻辑的伴随信息线索转化为有教育意义的非理性的信息线索,传递给学生,熏陶、感染、启迪并积淀成学生的情感、态度、意志、信念、动机、需要等非理性精神。它以其富有形象感的、使人愉悦的非理性信息线索调控着教学活动,实现着师生间知识同步、思维共振、情感共鸣。在这样的情境中,学生创造的热情和欲望最易唤起,灵活运用知识,进行创造性的学习。

(三)少儿情绪易激动,起伏大,自控能力较差

少儿神经机制是:脑神经细胞的功能分化还正在发育与特化期间;控制情绪的中枢部分(额叶和边缘系统的相关部位等)和联

络皮质区的神经功能也未完善,其神经通路也没拓通,情绪调控能力不强是有生理性原因的。有时表现出来是喜形于色,手舞足蹈,有时表现出来是悲观失望,垂头丧气。教师应了解、驾驭少儿的心理特点,在教育改革中拉近师生间距离,产生情感共鸣,避免理论脱离实践,传授知识流于空洞说教,达不到预期的教学目的。

(四)少儿直觉思维能力强

虽然孩子们的大脑半球高级神经活动的分析、推理性逻辑思维还较差,但他们在空间、音乐、艺术、感知抽象图形、绘画等方面的思维能力是占优势的。教师如果能主动调动学生这个心理优势,在课堂上能帮助学生尽快理解教材内容,同时还可以诱发学生产生新的联想、思路与结构,进行创造性的学习和探索。依据少儿这个特点,教师在教学活动中,就可以采用多种教学方法,变以往静态式教学为三维、动态式教学,通过让学生动手、动脑、动口,进一步形成师生间、学生间、小组间的多向交流与互助,在促使学生身心发展的同时,又能在操作运算、探究、表达活动中理解、巩固知识,并尝试新的方法,发展创新能力。

(五)少儿的运动能力还不强

具体表现在动作协调性差,动作的准确性不高的特点。这是因为他们的大脑运动中枢以及小脑的发育仍在进行中,特别是小肌肉群的神经支配的分化程度没有高度特化。小脑的协调共济运动能力和控制肌张力的能力还远远不足。动手能力的活动中,诸如劳动、绘画等项教学活动逐步得到提高。另在体育游戏和体育教学中,少年儿童易受外伤,往往也是由于肌群(尤其是小肌群)的协同和肌力较弱造成的。这些活动的组织者和教师应予以关注。

(六)少儿的模仿力极强

根据这一特点,多进行一些发展性活动,即发展学生的"感觉形式"(如视听觉、动觉等),提高感觉器官能力。在教育教学过程中,教师的为人师表作用更为显著,一言一行都会受学生的监督,所以教态、语言水平,动作的准确性、科学性都会给学生带来积极作用或负面影响。如个别教师的衣着不整、教态不规范、污言秽语等常常被学生模仿。体育课有的教师讲解动作技术要领不清楚,示范动作不合理,直接对学生的美育和外伤事故等等带来不良影响。

(七)少儿必须有充足睡眠,才能保证其身心的健康发展

睡眠从生理学角度可分为慢波睡眠,异相睡眠(又称快速眼动睡眠)。脑电特征为:慢波睡眠出现低频高幅的同步化慢波(δ波),异相睡眠出现高频低幅的去同步化快波(β波)。然而这两种睡眠都有其特殊的生理意义。如慢波睡眠能促进生长发育及体力恢复,特别对身高的增长肌肉发育等等,此项睡眠不能少于规定时间。异相睡眠的重要作用是:使神经细胞活动增强,促进神经系统发育成熟,有利于新突触的建立,有促进记忆的作用。

少年儿童脑的发育(7~8岁)包括体积、重量已接近成人,但脑组织与神经元的贮备与信息的接收、分类、编码和传递功能是稚嫩的。而快波睡眠期对神经系统发育、新突触生成与完善、学习与记忆能力的提高大有裨益,所以说睡眠是少儿生长发育的必须。少儿阶段年龄不同,睡眠所需时间也不同。在整个睡眠期间,两种睡眠互相转换也不一样。新生儿每天睡眠时间长达16小时以上,其中异相快波睡眠占睡眠时间的1/2;儿童每天睡眠时间大约9~12个小时,其中异相睡眠占整个睡眠时间的1/3;成年人每天睡眠时间约需6~9个小时,其中异相睡眠占整个睡眠时间的1/4。由此可见,睡眠时间随年龄的增大而缩短,异相睡眠的时间比例也减少,这种现象与个体发育和脑的觉醒系统的发育有关。美国斯坦福大学睡眠研究专家迪曼的实验证实,长期睡眠不足造成的后果,可使少年儿童的智商下降,甚至变成弱智。

(八)少年儿童内脏活动的稳定性和免疫系统的机能还不能

适应变化万千的大千世界

　　主要是因为调节内脏活动的中枢(扣带回附近为主的皮层活动)以及皮质下调控内脏活动的丘脑的功能性发展;在少年期是很不完善的。加之大脑对内脏运动神经(交感和副交感神经)的整合作用也不够理想,孩子们的内脏活动常出现的是亢进或紊乱状态。如消化不良、腹疼、腹泻,走、跑时偶尔还出现肝脾淤血性疼痛或"极点"、"第二次呼吸"等运动生理性的不适。在少儿期,免疫能力较差,儿科常见病时不时侵袭或感染到儿童躯体,直接影响少年期的学习与记忆。

第二节　大脑的不对称性

　　近年来诞生了一门新兴的边缘交叉学科——"人体不对称学",它是一门应用性、实践性很强的学科。它对人才学、临床医学、应用人体解剖学、教育学和心理学的发展起着不可低估的影响。

　　本节将着重介绍国内的人体解剖学工作者近几年对人的大脑相关部位的形态学不对称性的研究和两侧大脑半球功能不对称性的机理探讨,仅供参考。

　　自然界存在着许许多多的不对称现象,如化学中的光学异构现象,物理学中的宇宙不守恒定律,生态环境下疾病发生的地区倾向性等。以往,一般对人体的描述是有两侧对称性的存在与发展。但是如果把人体做一正中矢状切面(沿人体前后方向纵切的正中剖面),各将一半复制成一个整体,我们会惊异地发现两个模样完全不同的人,这说明人体的对称性是相对的,而不对称现象是绝对地永久性地客观地存在着。

人体在形态、生理甚至病理诸方面都存在着不对称现象,例如人手的左利、右利;左右肢形态(青年期左脚比右脚要大些)机能(左脚作支撑脚时多些)的不对称;左右腹股沟管弱点的致病性,左右乳腺癌发病的侧向性;人类 X 和 Y 染色体的不对称,几乎没有同源位点。所有这些从整体、器官到细胞的分子水平的不对称问题的发现和独立研究,有助于从另一角度去探讨人体生命过程和脑开发的解剖生理学机制。

近年,美国遗传学家麦克林托克发现玉米籽粒颜色不平衡遗传的"跳跃基因",即基因在染色体中位置可变换移动,影响新生一代动植物性状。这一划时代的发现为研究生物分子水平的不对称现象奠定了基础。

我国的临床实践也证实了人体不对称现象的存在与致病的弱点是相关的。如肺癌的发病情况,调查 212 例肺癌的发病部位,发现致病特点与支气管管径大小和吸入外界致癌因子呈正相关,男性右肺癌症发病率大于左肺癌,$P < 0.01$;女性右肺癌症高于左肺癌。有趣的是:运动外伤治疗中,四肢骨折往往偏向左侧肢体,右半球脑损伤比左半球多 7 倍。

一 对大脑不对称性(右、左大脑半球的形态结构各异现象的客观存在)的研究

(一)动态

Geschwind 对 100 例因非神经系统疾病亡故者的大脑进行解剖学研究,发现左侧颞平面明显大于右侧颞平面。他的研究还证实,在 1 例仅有 29 周的胎儿中也发现了这种不对称性。有的学者还测量出左、右两半球的颞面区比例为 2∶1,即左边是右边的两倍。这种颞平面的左右不对称性在成人比婴儿更为明显,说明人类在个体发育至成熟期间,左颞平面有了进一步的进展。

科研成果还证实,在活人(活体)身上采用动脉造影术(arteriography)被实验者 44 个右利手病人,观察大脑两半球的动脉造影图,发现有 86% 的人左边的大脑中动脉(即供给颞叶皮质的动脉)的血管比右边的粗大,分枝也多。

当用语言刺激大脑有关中枢时,通过测定人脑的血流量也发现两半球的不对称性。通常情况下,绝大部分的人左半球的血流量比右半球的血流量要多。

有的学者从微观角度进行了组织学的研究,实验结果证实大脑左半球皮质的神经元神经组织中的(大神经细胞)数量比右侧的多,其树突分枝(末梢神经)也多,这一显微结构的差异在 80% 被解剖的新生儿的脑中存在。说明人类语言脑的高度发达的显微特征也被作为种族遗传性状而世世代代繁衍下来。

皮层下部位的不对称,Kerttsz 和 Geschwind 对 158 个成人延髓的观察,在 82% 的标本上,左侧锥体束较右侧锥体束更早的交叉到对侧,而且右侧脊髓内锥体束也较粗大,这可能与人类多为右利手进而使右侧肢体得到更多的神经支配有关。

生理学家利用生物化学方法测定结果证明人体内分泌激素的含量在大脑左右半球是不对称的。Oke'等专家研究 5 个人的大脑标本,发现左侧枕核区的去甲肾上腺素含约为右侧 1.53 倍之多。

(二)大脑半球相关部位形态学不对称研究

我国脑科学和脑功能开发工作者(天津师范大学〈原天津教育学院生物系人体解剖生理教研室〉有关科研人员)作了积极地努力和探索。他们选取正常成人脑标本 20 例(均经防腐固定液——甲醛固定),其中有 16 例脑标本是刚从尸体开颅后取出的。就 20 例尸体两侧大脑半球(按每例分成两个侧面研究,共 40 个侧面)的宏观不对称性相关部位的初步研究结果,作了理论探讨,研究与测试具体部位主要是在大脑半球背外侧面以及颞叶、额叶的形态学测量;着重在运动性语言中枢(或称说话中枢)的岛盖部、三角部、大脑外侧沟以及中央沟等部位。通过拍照、测量、绘尸体标本相关中枢详细平面图、数据处理,根据实用医学统计学计量资料的计算和分析。(见图19)

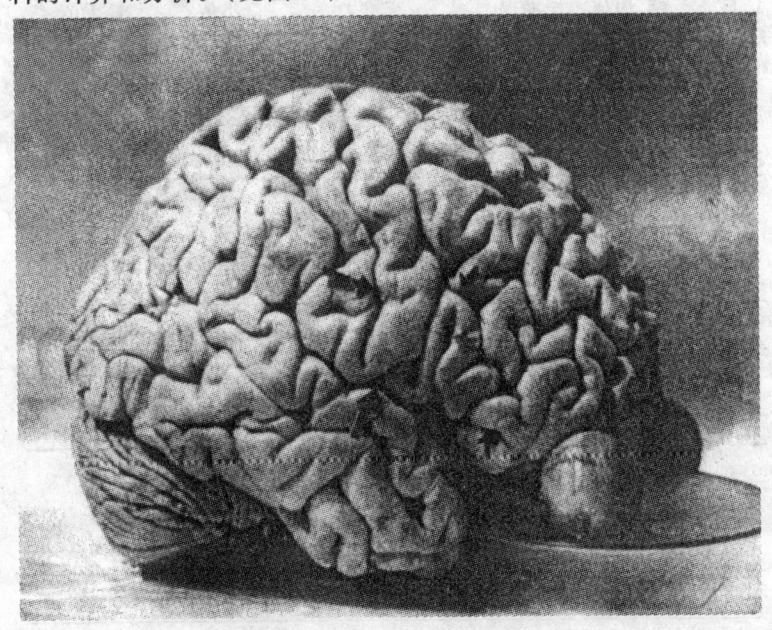

图19 大脑半球测试的标本照片

根据标准差的公式:

$$s = \sqrt{\frac{\sum (x - \bar{x})^2}{n - 1}}$$

标准误的公式:

$$\bar{sx} = \frac{s}{\sqrt{n}}$$

其结果见下表内。(见图 20(1)(2)(3))

大脑半球的各径(mm)

项目	平均值±标准误		标准差		最小值		最大值	
	左	右	左	右	左	右	左	右
长	156.67±1.36	155.30±1.35	±6.08	±6.02	148.00	143.00	167.00	166.25
宽	58.82±1.06	60.24±1.14	±4.74	±5.12	50.90	50.85	70.00	71.00
高	107.74±1.66	106.42±2.06	±7.43	±9.19	93.14	94.40	122.00	124.00

图 20(表 1)

大脑半球中央沟的长度(mm)

项目	平均值±标准误	标准差	最小值	最大值
左	107.60±2.09	±9.34	82.00	126.50
右	102.35±2.87	±12.85	69.00	125.00

图 20(表 2)

大脑半球外侧沟的长度(mm)

项目	平均值±标准误	标准差	最小值	最大值
左	88.40±1.92	±8.39	75.00	100.00
右	81.26±3.39	±14.77	60.10	118.00

图 20(表 3)

结果表明:左、右大脑半球长、宽、高的统计学处理所得数据与《中国人体质调查》大脑左、右半球的各径的数据大致相仿,即左侧半球较长、较高。左侧半球中央沟平均值为:107.60±2.09mm,右侧半球中央沟的长度平均值为102.35±2.87mm,两相比较左侧较右侧长5.25mm。左侧半球外侧沟的长度(又称大脑外侧裂)平均值为88.47±1.92mm,右侧半球外侧沟的长度平均值为81.26±3.39mm,两相比较左侧较右侧长7.21mm。

左、右大脑半球运动语言区,通过测试,绘投影图,见图21。

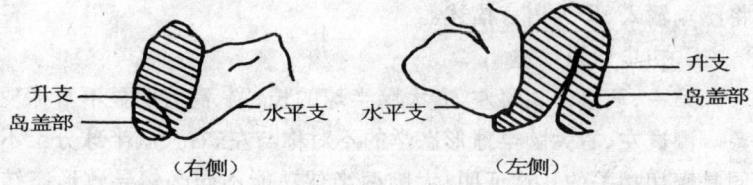

图21 左右侧大脑皮质运动性语言中枢的测试图

1. 对大脑两半球不对称性的理论认识

第一,解剖学工作者和生理学工作者从来就有一个基点和共识:解剖的内涵(主要研究人体的形态学)与生理的内涵(主要研究人及动物的机能学)是个统一(或合二而一)的有机关系。即人体的形态、结构与机能之间是个相辅相成辩证统一关系,又有其内在的有机联系,可以说互为一体的两个方面。也可以这样说:由于大脑两半球机能(实际上是个优势分工互为补偿的关系)的不同,导致相关部位的形态与结构的显著差异。其反之亦然。

第二,从进化的观点分析。人类在长期的进化过程中,由于生产劳动和社会生活产生了语言、文字。人们发现大脑皮质(特别是左侧)的额叶和颞叶的某些区域激烈地活动与发展起来。就是人类具有语言(Language)、文字,可进行抽象的概括和思维,因此人类进行条件反射之丰富,是动物无法比拟的。

第三,临床医学专家证实,两侧大脑半球的不对称性,主要来自对单侧大脑半球发生病变的研究。例如因肿瘤、癫痫而切除大脑一侧球皮质,或为达到治疗目的而切断胼胝体等等。专家们指出:大脑两半球机能具有不对称性,左右两半球各具有其不同的优势。即大脑两半球的功能是高度专门化的,各司其职,而又相互补充。临床实验证实,右半球在非语词的认识上的功能上是占优势的,如对空间的辨认(包括视觉、触觉等)、音乐的分辨和理解等,而语言机能(尤其字词、句子的语法、语义的抽象理解方面)则很差。因此推论,右半球主要是将感觉输入,译成表象。而左半球则将感觉输入,译为语言描述。

2. 初步认识综述

第一,从整体观察左、右大脑半球的长、宽、高有明显不对称现象。测试左、右大脑半球形态学的不对称与左、右大脑半球分工不同是密切相关的。这证明:大脑两半球功能不同必然导致形态结构的不对称性出现。

第二,左、右大脑半球的外侧沟和中央沟的平均长度均为左侧较右侧长,由于大脑皮质其 1/3 露于表面,而 2/3 埋于沟壁和沟底。沟越长,表面积越大。

第三,中央沟的起点左侧半球多数位置靠后,这表明左侧额叶的表面积较右侧大,这与左侧掌管语言和逻辑思维等功能相关。

第四,左右大脑半球运动语言区测试的结果:左、侧大脑半球是不对称的,并且左侧明显大于右侧(以岛盖部最为突出),左侧运动性语言中枢的明显优势,证明人类大脑左半球主要掌管语言机能,因而语言中枢范围较右侧为明显增大(计算证明:左侧运动性语言中枢比右侧大将近 1 倍)。这个科研课题,将从微观上作进一步的深入研究。

二 大脑左、右两半球的机能的不对称性

见图 22,只作参考。

三 对大脑两半球不对称性(包括形态学、机能学)相关问题的初步认识

(1)人的直觉思维信息 90% 来自视知觉、听知觉(大脑枕叶及颞叶附近),然后通过大脑纵裂底部的胼胝体,由右脑向左脑传递。由于传递速度特快(以 85m(米)/s(秒)的速度),而左右脑相距是以毫米计算的,所以左、右大脑传递信息的活动,几乎是同步

的,这其间大约是 15.5 毫秒。而且还有个先后顺序。

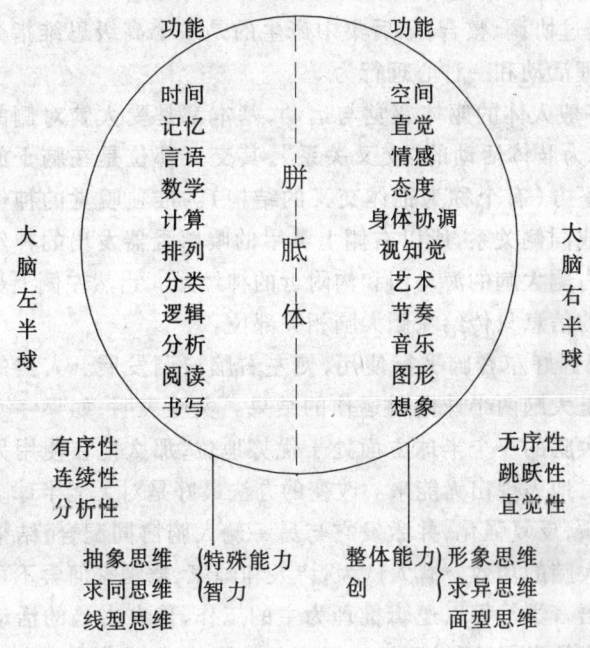

图22 大脑两半球功能差异(分工)图示

(2)左、右大脑的机能有个简单分工。比如对言语、字词的抽象概念,一般偏重左脑活动多些。牵扯对时空感觉、自我的形象认知、音乐绘画等艺术的形象思维多数是右脑的心理活动要多些。但实验也表明,左右大脑的机能也不是绝对的。如左右脑都有语言功能和指挥人类语言表达(听、说、读、写)的言语中枢,但左脑主要负责言语的语法、语义和言语的逻辑性,而右脑有着语言的情感、情调和语言的节奏感功能。就人类的情感而言,左脑主要是情感的控制,右脑主要是负责情感的表达。而左右侧大脑的功能关系是:各司其职、优势互补、相辅相成的统一整体。正常人的心理活动、心理行为是左右大脑皮层的相关中枢(特别是皮质联络区的沟通)经过协调、整合,最后集中产生的是一个高级思维指令下的一个心理活动和一种心理行为。

(3)一般人体的躯体感觉与运动,基本都是受大脑对侧的神经支配,称为肢体活动的"交叉关系",其交叉部位是在脑干的延髓部分前下方(有个称为锥体交叉的结构)。惟独嗅觉的神经支配是平行或同侧关系,所以右侧上鼻甲的嗅感受器发出的神经冲动只传至右侧大脑的海马回和沟附近的神经元。当然左侧上鼻甲的嗅细胞的信息只传给左侧大脑相关部位。

(4)把握好左右脑平衡使用,使左右脑协调发展。人类的最高成就都是大脑两半球同时运作的结果。实验表明,如果一个人在使用他大脑的一个半球方面处于优势地位,那么他在使用另一个半球相对地表现出无能来。改变的办法最好是对无能半球多给以良性刺激,反复强化,并激发它与另一侧大脑协同配合,结果将大大提高大脑的功效。有人认为,诗人和画家、舞蹈家何尝不可干点数学或语言学等等以逻辑推理为主的工作,使左右脑的活动达到协调齐步的发展,可以更好地创造出精品,为人类作出更大贡献。

心理学也证明,记忆与思维能力最理想的人,是那种恰到好处地把握左右脑平衡使用的"平衡型"人。因为人的记忆,犹如许多的"录像带"堆放在一起,一连串的情景以"录像带"的形式进入大脑,贴上"标签",存入大脑记忆库需要重新回忆某事时,就是大脑凭借着"标签"找出那盘"录像带",大脑中记忆"录像带"的操作,主要是右侧大脑完成的;把这些"录像带"贴上"标签",分门别类,整理存放的工作则是由具有逻辑功能的左脑来担任。这说明我们人脑的记忆过程主要由左右脑分工负责为基础,然而两侧脑又必须联合起来才能产生真正的记忆。

有些幼儿园和小学教师,在课堂教学中,非常注意开发少儿的大脑功能,根据少儿形象思维活跃并占主导地位的特点,巧妙地运用"直接教学法"、"角色教学法"。比如学习"bus""cup"……英语单词时,先出示实物或学具,然后叫孩子"见物即说,见景即说"。有的教师还把一串枯燥的单词、语句,编成生动形象的小品,让学生即兴演出;有的数学、语言和物理学教学中还采用"超前教学法",发挥学生左右大脑的整体功能,即思维的推理性、逻辑性和创造性、形象性的有机结合,一方面使学生处于最佳学习状态,一方面还促进少儿脑的迅速发育,使其大脑两半球的形态与机能得到平衡的发展。

也只有动员左右侧大脑同时活动,才能在大脑相关部位的神经元形成长期记忆(也称固定记忆或持久记忆)。这种记忆的生化基础是将信息固定在"核酸"上(一般是脱氧核糖核酸的长分子链,简称 D.N.A.),有人称为"核酸"记忆。

第三节　边缘系统与记忆

一　什么是边缘系统

见图 23。

边缘系统(limbic system)这个名词是由解剖学家布洛卡(Broca)1878 年提出来的"边缘叶"的概念衍生出来的,用以表示新皮层下面围绕着脑干的那些部分。哪些结构应当属于边缘系统?这是有不少争论的。无论根据什么硬性标准,神经系统都不容易划分。在一些低等动物,如两栖类、爬行类,它们的边缘叶大部分结构接受嗅系统的大量投射纤维,所以边缘叶又被看成为嗅脑。嗅脑对环境进行嗅分析的。

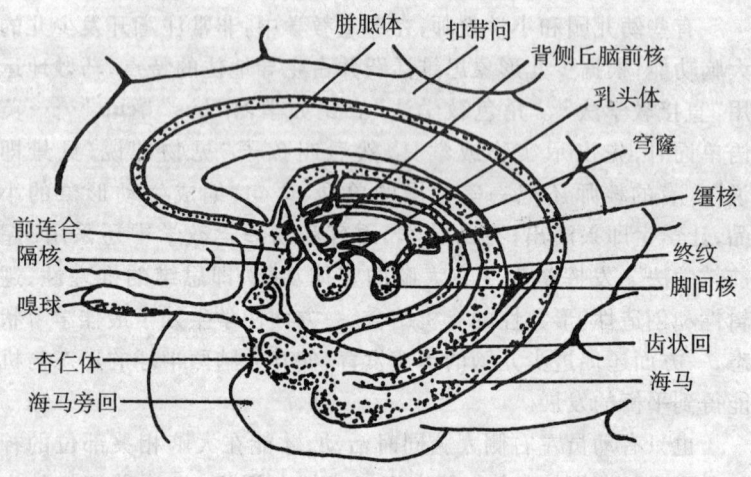

图 23　边缘系统模式图

在种系发生上嗅脑属于皮质中最古老的,不同类别的动物,其嗅脑是不同的。

人类的边缘系统,多数学者认为应该包括以下部分:

边缘叶主要包括扣带回、海马回和海马回沟形成的穹窿形的岛回等部分。

边缘叶与附近的皮质(额叶的眶部等),加上皮质下的隔区、杏仁核、丘脑下部、丘脑上部、丘脑前核、部分丘脑背核、中脑内侧被盖区等,总称为边缘系统。它们在结构上、功能上互相有密切的联系。边缘系统具有复杂的纤维联系。

二　边缘系统的功能

边缘系统的生理机能已引起生理学、心理学、临床医学等多方面的专家学者的极大关注,学者们从各个角度结合实践进行多学科的深入研究,存在着许多不同的观点和认识。本节只作一般性介绍。

(一) 与学习和记忆有关

实验证实,边缘系统(特别是海马回附近、基底神经节、丘脑等部分)都有一定的贮存信息的能力。信息的贮存是突触的机能。每当特定的感觉信号通过突触系列,各个突触此后对同样信号的传递可变得更熟练。当某感觉信号多次通过一突触系列后,有时甚至该感觉传入未被兴奋,而来自脑其他部分的信号也可造成通过该突触系列的冲动过程,虽然实际上这只是感觉的记忆,却使人经验地感知原来的感觉。

临床工作者一般认为如果海马及其他边缘系统的机能发生障碍时,病人常常不能保留新近获得的信息,就是说病人易忘近事,但仍保留远的记忆。所以,边缘系统其中的海马结构与学习、记忆功能有关。

动物与人的学习、记忆其生理过程是不完全相同的。动物的学习与记忆比较简单,只经过一般条件反射的建立基本就可以了;而人类的学习与记忆,包括着思维、意识等抽象(如言语、字词等)概念在内,比较复杂,今天对此还了解得不多。

实验证实边缘系统除海马结构之外还有大脑底部的杏仁核,他们共同的作用可能是促进在其他脑区中的记忆的形成和贮存。还有人发现破坏了海马或杏仁核,或同时损毁这两个部分都能妨害新的学习,但并不妨害已有的记忆。因此也可以说,这两区域都不是贮存记忆的理想场所,而具有调节其他脑区的学习或记忆贮存机制的。

说明一点:记忆的贮存似乎是广泛地分布在神经系统之中。比如许多以损毁脑组织的方法研究学习与记忆机制的实验并未发现脑内有一个专门贮存某种记忆的区域,即未发现某种记忆贮存在某一地点。

(二) 边缘系统与情绪心理活动有关

情绪是中枢神经系统的高级功能。人类情绪是一种心理现象,是一种反应极为复杂的生理心理行为。伴随着情绪活动有植物性神经功能和躯体运动功能的变化。

在动物实验中,刺激边缘系统的不同部位可出现不同的情绪反应。比如下丘脑有控制情绪反应的功能。动物实验表明,在间脑水平切除大脑的猫,对微弱的刺激就能发生一系列交感神经兴奋亢进及躯体运动反应,动物拱背怒鸣、张牙舞爪、扩瞳竖毛、心律加快、血压升高、血糖增高等,与正常猫在搏斗时所表现的一样,称为"假怒"。破坏下丘脑不再发生"假怒"。通过埋藏电极刺激下丘脑外侧区,动物表现攻击厮杀的行为。电刺激下丘脑背侧区,则出现逃避性行为。可见下丘脑与情绪反应关系是很密切的。

(三)边缘系统对内脏活动的调节

在动物实验中,刺激边缘系统的不同部位可引起明显的心、血管反应,呼吸和胃肠运动的改变,瞳孔、立毛肌、血糖、体温、汗腺等植物性机能活动的变化。不过,边缘系统所引起的内脏活动的反应是多变的。例如,刺激扣带回前部出现呼吸抑制(刺激过强则呼吸加速),血压下降或上升,瞳孔扩大或缩小。边缘系统活动所引起的反应比较复杂,是因为它是许多初级中枢活动的调节者,仅能起到促进或抑制各初级中枢活动的作用。

第四节 动手能力

素质教育是当前教育改革的中心内容。培养学生能力又是素质教育的重要组成环节之一。一般认为,能力的培养着重是从三个互有联系的方面(知识能力、动手能力和心理能力)对受教育者进行强化。本节侧重对动手能力的科学机制作个阐述和介绍。

动手能力:泛指学生对其所学的知识、概念和理论,在实践中解决问题的能力,也包括基本技能、基本技巧。

　　随着教育、教学改革的深入发展,学校在课程结构、教学方法等方面作了不少努力。如中小学普遍(尤其自然常识或数、理、化、生及地理等课)开展以下的教学内容:增加实验课时间、内容;增加实验个人操作时间;增加考题操作技能、技巧的分量和比例;增加走出去进行社会调查、参观访问等社会活动的时间;加强第二课堂、科技小组和劳技课等项活动。

　　通过这些有意义的教学实践活动,培养和提高了学生的观察力、注意力、想像力、记忆力和创造力,是培养跨世纪、开拓型人才的明智之举。

　　手巧则心灵。人的手是一个特殊的认知器官。在排除视觉的条件下,依靠触摸物体的边缘轮廓,就可以形成对物体的形状知觉。这是因为双手可以制定坐标点,一只手的各手指可衡量物体的尺度大小、曲度变化、各部位置,向大脑提供有关物体的确切的全面信息。双手交替在物体边缘轮廓触摸,可获得较深印象。大脑接受信息后,在头脑中构成物体的形象,使触摸信息转化为视觉信息,使视觉形象强烈起来,就像用眼睛看见一样。

　　手的触摸觉是人所特有的认知能力,来自双手和其他感官的大量信息可以促进脑的分析综合机能的发展。触摸觉主要指手的运动觉与皮肤觉(皮下的感受器)结合的感觉。比如少儿学习"烫"字,可能开始时不好理解也不好记忆,如果叫孩子触摸一下热烟筒,仅只是手触的一刹那、一瞬间,马上就有感性体验并很快掌握这个单字,而且下边放个"火"字一下就记住了。这就是手触觉的奇效。

　　生理学研究提供:手述具有准确的定位能力。特别是指尖的刺激定位非常准确,平均误差仅1毫米左右。而上臂、腰部和背部的刺激定位能力则较差,平均误差约1厘米。手不仅具有刺激定位能力,还能辨别出相隔一定距离同时受刺激的两个点。触觉能辨别出两个刺激点的最小距离叫"两点阈"。一般说来,头部和手指的两点阈最小,肩背部和下肢的两点阈最大。

手指具有较高的触压觉感受性,这与手指在人的劳动和日常生活中时刻离不开手指的活动,频繁的接受各种刺激,而在大脑皮质有较大的机能定位区是息息相关的。(见图24、图25)

手具有特殊的触摸感觉、准确的定位能力、精细的工作能力,在大脑皮质代表区所占的比例很大。有人曾估算"大脑控制整个躯干的细胞只相当于手的1/4"。(一个大拇指在大脑的运动区,相当于一条大腿的5倍)

临床儿科专家指出,对大脑的发育和提高智能来说,最重要的是手指的运动。大脑从手指得到的感觉信号非常多,给手下达的指令也最为频繁。正因为有这种通达的"热线"联系,从手上传来触觉、热觉、痛觉信号能既迅速又准确地传到大脑,在大脑的指挥下,手便可做出千变万化的精细动作来(巧夺天工),所以在手练巧的同时,少儿的大脑也得到了开发。如劳技课学习编织、手工、剪纸,美育课学习绘画、书法、器乐演奏,实验室的技能操作,家庭中的家务劳动等等这一切,都是有意无意地做了大量手指运动,对少儿脑的发育起了很好的催化作用。尽管按照脑功能开发的要求动手操作还存在一些问题,但学校在教育改革中能迈出这一大步,显然是可喜的,应予支持和协作。

动手能力的加强,实际上大脑直觉思维能力也逐步地提高。实践证明,直觉思维和逻辑思维的有机结合就会产生低级或者说是初期萌发的创造力。随着大脑认知能力和形象思维的迅速提高,必然促进理性思维的发展。打破原有的思维定势,建构新观念,开发少儿的大脑功能,这正是少年儿童时期迸发的创造力的永不枯竭的源泉。

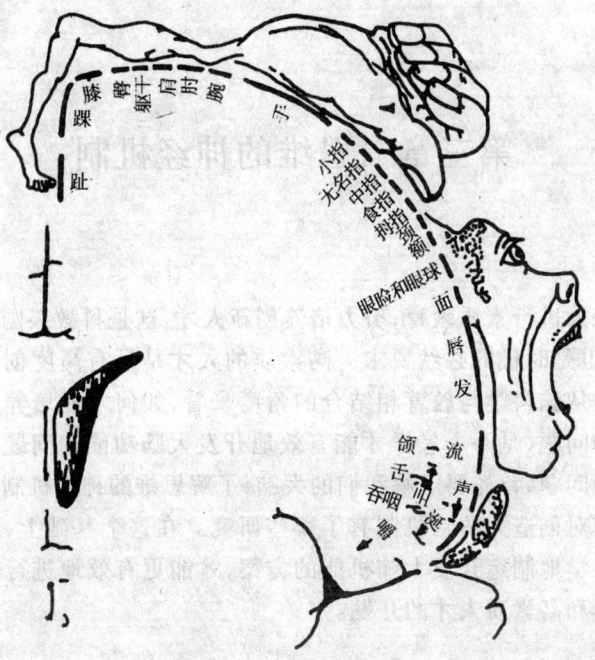

图 24　人类大脑皮质中央前回躯体运动代表区示意图
粗线的长度大致表示每一结构的皮质代表区的范围
（仿 Penfield 等，1950）

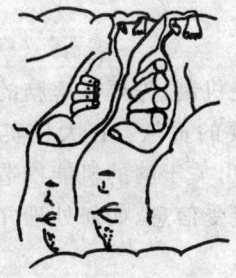

图 25　脑皮质运动区和感觉区的定位（示意图）

第三章　思维的神经机制

深入进行素质教育,努力培养创新人才,这是科教兴国的重要举措,也是时代的必然要求。高素质的人才是具有高度创新能力的人。从脑科学与教育相结合的角度来看,如何才能培养高素质人才的问题,是一个怎样才能有效地开发大脑功能的问题。要解决这个问题,首先要了解我们的大脑,了解思维的神经机制以及人们目前对创造力的脑机制有了哪些研究。在这个基础上,我们才能更科学地制定开发大脑机能的方案,才能更有效地进行创造力的培养和高素质人才的开发。

第一节　脑的功能结构与思维

一　脑的机能构筑

要了解思维的神经机制,先要了解脑的功能结构。神经心理学在这方面作出了重要的贡献。在大量实验和临床研究的基础上,神经心量学家发展出关于脑的机能构造的理论。这些理论对于我们认识脑是如何接受信息、如何处理并指导行为有十分重要的意义。

(一)脑的三大基本功能区域及其分级组织的结构

苏联著名神经心理学家鲁利亚在大量的临床和实验研究的基

础上,提出了脑的三大基本功能区域及其在第二和第三功能区域中的分级组织的理论。这一理论不仅可以比较圆满地解释很多复杂的神经心理症状,同时能够为我们了解正常人的高级心理活动,包括复杂的思维过程。

为了理解脑的三大基本功能区域的理论,我们先来了解一下脑的基本构造。

人脑大体上分为如下几个部分:大脑、小脑、脑干、间脑和基底神经节。大脑也叫做端脑,它分为左右两个半球,中间借助神经纤维束而联结起来。大脑从外向内包括下述几个结构。首先是大脑皮层,其后是皮层下的白质,再后是白质下的一些核团,即基底神经节。在大脑半球的外表面上布满了深浅不等的沟,较深的沟则叫做裂。沟裂间的隆突部分称为大脑回。大脑半球上的这些沟回,在胚胎第六个月的时候即已开始出现,到了七月中时,所有主要的沟回均已表露出来。大脑半球的外表面上有几个重要的沟裂,它们把大脑半球的外表面分成了几个脑叶。在这些沟裂中,最重要的是外侧裂和中央沟。外侧裂从前下向后上方走行,中央沟从上向下走行。大脑半球的外表面上有四个脑叶,即:额叶、顶叶、颞叶和枕叶。额叶位于半球的前部,中央沟以前,外侧裂以上。颞叶位于额叶的后下部,在外侧裂的下方。顶叶在额叶的后面,它的前界是中央沟,下界是外侧裂。枕叶位于顶叶后部,颞叶的后上部。枕叶的前界是一条人为的顶枕线,它自顶枕沟的上端连至枕前切迹。

大脑皮层是覆盖在大脑表面上的一层神经结构,颜色发灰,它是由神经细胞胞体及其纤维构成的组织,与大脑内部主要由纤维组成的白色结构有明显的区别。因为这个特点,人们一般也将其称作灰质。灰质具有分层的特征。典型的新皮质有六层结构,即分子层、外粒层、外锥体层、内粒层、内锥体层和多形层。大脑皮层的纤维联系十分复杂。大致上包括四组,即皮质的传入纤维、传出纤维、联络纤维和连合纤维。人类大脑皮层上有很多皱摺。这些皱摺的形成是大脑皮层面积增大扩张的结果。这就好比是将一张很大的纸揉成一个团一样。从表面上看,大脑皮层好像没有多大,但若将其展开,把皱摺铺平,面积可达2200平方厘米。这其中,有1/3露于表面,另有2/3位于皱摺里面,即大脑上面的沟和裂里。从进化上看,人类的大脑皮层包含了几种成分。在种系演化上,最早出现的皮质是嗅觉性的,主要的功能是调节内脏的活动,这种皮质在鱼类即已出现了,叫做古皮质。从爬行类开始,非嗅觉性的新皮质出现了。在以后的进化过程中,新皮质的面积不断增加,发展十分迅速。到了哺乳类,特别是高等哺乳类,新皮质已占据了完全主导的地位。在人类的大脑上,新皮质占了全部皮质的96%,而古皮质则只剩下很小的部分,并被挤到脑的底面及卷入脑的内面。

　　脑干位于颅后窝,由中脑、脑桥和延髓三部分组成。脑干内有一些重要的生命中枢,如呼吸中枢、心跳中枢等。脑干内的脑神经核与10对脑神经相联,支配相应的感觉和运动。脑干内的上行和下行传导束是脑与脊髓等部位的联系通路。此外,脑干内还有穿行于细胞间的纤维,称作网状结构。网状结构中有上行激活系统,对人的觉醒状态的维持有重要的作用。

　　小脑位于脑干的背后,占据了颅后窝的大部分。小脑的机能主要是负责人的姿势的保持、平衡、动作的协调以及动作技能的自动化过程。

　　间脑位于中脑的前方,在胚胎发育的早期,间脑和端脑均来自同一个脑泡,以后端脑向外膨出,发展为大脑半球,将间脑的大部分遮盖起来。间脑包括丘脑、上丘、下丘、后丘和底丘。间脑是感觉的中继站。人的各种感觉在到达大脑半球之前,要在这里注册登记。除此之外,间脑中的下丘脑在神经内分泌机能中还占有极其重要的地位。

　　鲁利亚将与人的高级心理机能有重要关联的脑的结构分为三

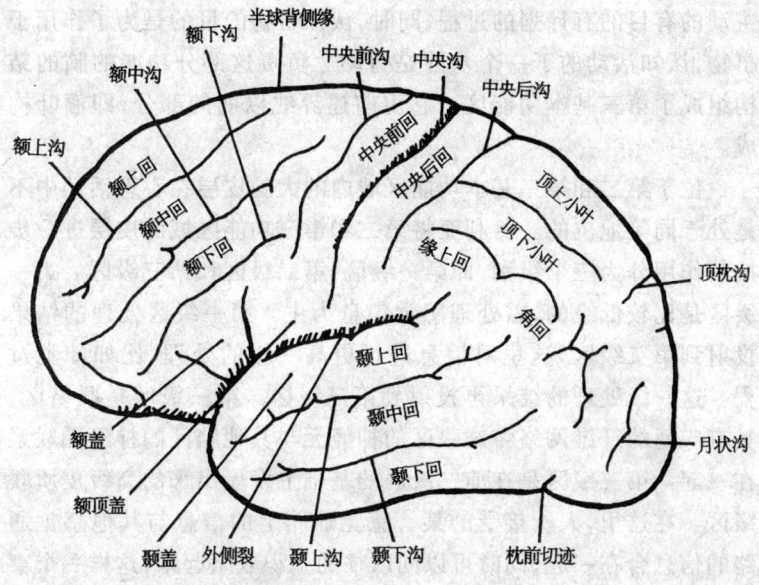

图 28 大脑半球外侧面

个功能区域。首先,进行任何高级心理活动,人必须处于警觉状态下,他或她需要将注意集中在所要进行的心理作业上。这是一个基本的前提。保证这一前提的就是人的第一基本功能区的作用。它位于脑干,网状结构则是这一功能区的主要部分。

在第一基本功能区提供的注意背景下,认知活动的下一个步骤便是接受和分析综合来自各个感觉通路的信息。负责这部分功能的脑的结构组成了第二基本功能区。在大脑半球的外侧面上,将中央沟和外侧裂相联形成一条界线,从而可以将大脑半球分为两部分,即前部和后部。第二基本功能区由大脑半球的后部构成,包括位于前述界线以后的顶叶、颞叶和枕叶。这部分的功能是感知和处理各种信息,完成认知事物的心理活动。

人的高级心理活动,包括思维机能在内,在相当程度上是一种主动的有目的有计划的过程,同时,认知事物的目的是为了作用于事物,认知活动的下一个步骤是行动。负责这部分功能的脑的结构组成了第三基本功能区。它由前述界线以前的部分,即额叶构成。

位于第二和第三基本功能区域内的大脑皮层在心理活动中不是处于同等地位的。鲁利亚将第二和第三功能区域的皮层进一步按其作用分为三个级别,即第一级区、第二级区和第三级区。第一级区是比较低级的,以处理感觉信息为主。第一级区处理的结果投射到第二级区,这里对信息进行更高一级的处理,比如知觉过程。这一级处理的结果再投射到第三级区。第三级区是联络区,具有广泛的纤维网络将这一区的神经元与其他脑区的神经元联系在一起。第三级区是在前二级区的基础上发展出来的高级皮质联络区。在这里,人所接受的某一感觉通路上的信息与其他感觉通路的信息合在一起,同时可以同以往的知识联络起来,这样一个事物的感知便不是单独的了,从而得到如实反应。对这三级区的大致活动情形,我们可以枕叶为例来进一步作具体一些的说明。作为第二基本功能区内的枕叶,它有初级视觉区,负责视觉信息的初步分析和处理;次级视觉区,进一步处理来自初级区的视觉信息,从而形成了视知觉;以后信息进一步投射到三级区,在这里物体的视知觉与其他信息结合在一起,从而对物体形成了更为高级的认知,与更为复杂的认知网络合在一起,构成了在一定现实环境中出现的物体。在颞叶,听觉信息的处理也大致经过类似的步骤。这种皮层的分级和对信息的一步步分析综合,最终达到对客观事物的正确反映。

鲁利亚关于人类大脑三个基本功能区域的划分以及在第二和第三功能区内皮层的分级化,是对人脑机能构筑的一种理论上的深化认识,同时这种理论也得到了临床研究的支持。许多脑损伤所造成的认知障碍可以用这种理论解释。它也是我们认识思维的脑机制的重要理论框架。

（二）认知模块

Foder 在本世纪 80 年代提出了认知的功能组块，或模块的理论，并以此从理论上重新构筑了脑的功能体系。认知模块学说在相当的程度上加深了我们对脑的系统的解析。认知模块的理论较鲁利亚的三个功能区域及皮层分级的学说更为细致，它们是从不同的角度探讨脑的组织构造。三个功能区从比较宏观的方面，从认知活动的动态过程探讨脑的机能构筑；认知模块的学说则主要针对认知机能的结构组成，比较深入地剖析了认知活动的脑的建构。按照认知模块的理论，一个模块是认知活动的最基本的功能和结构单元。一个模块的组成需要满足几个条件，即封闭性、特异性和自发性。脑的机能全景就是由众多的认知模块构筑的。认知神经心理学广泛采纳认知模块的理论，不仅在临床上，而且在实验室里，通过双重分离的方法，探讨各种认知过程，包括思维活动的认知模块。双重分离方法是神经心理研究中广泛采用的手段，它实际上是一种科学研究的逻辑。假定有两种机能活动，如功能甲和功能乙。要想证明这两种机能是相互独立的和可以分开的，如证明功能甲和功能乙是两个完全不同的机能，甲和乙可以分开，两者互不影响，那么你就要找到证据表明：乙这个机能损害了的时候，甲可以正常进行；同时还要证明，甲这个机能损害的时候，乙可以正常进行。只有在这两种情况都成立的情况下，我们才可以得出结论，甲与乙是两个不同的机能，两者可以分开。双重分离的方法为我们提供了科学地解析各种认知神经机制的有力手段。

二 大脑两半球的对立统一及其对思维活动的意义

我们的身体分为左右两侧，我们的大脑分为左右两半。左脑和右脑在形态结构上粗看起来差不多，但是细致的观察则会发现许多地方有较明显的差异。比如颞叶上的一块叫做颞平面的皮质区,左侧和右侧就有肉眼都能够看出的差别。其他还有不少地方在左脑右脑上都有较明显的区别。

　　大脑两半球的功能偏侧化问题是神经心理学领域中的一个重要课题。大脑两半球的偏侧化在人类的语言机能上表现得最为明显。这种言语机能的偏侧化大都是通过临床对脑损伤病人出现的语言障碍的观察和研究而发现的。早在19世纪末叶,法国医生布洛卡就在一次人类学会议上宣布,我们是在用左脑讲话。他的这个结论来自对几名失语病人的研究,其中最先也是最有代表性的是一个叫做"唐"的失语患者。布洛卡医生在病人死后进行了脑的解剖,发现位于左侧额下回的病灶。这个区域后来就被人们称为布洛卡区或运动性言语中枢。继布洛卡的研究后不久,医生韦尼克又在左脑的颞叶发现了听觉性语言中枢。随后,从听、说等言语机能开始,人们进行了大量的临床观察和研究,发现了左脑与右脑在多种认知机能上的差别。这些研究构成了左脑和右脑机能分化的基础。

　　在临床研究的基础上,神经心理学研究者又根据人的视觉和听觉传导通路的特点开发了可用于正常人的实验手段,在实验室进行了大量以正常人为对象的关于两半球差异的研究。其中最常用的手段有两种,一种是半边视野速技术,另一种是双听技术。前一种可以通过选择性地将不同的语言或非语言信息投射到左半球或右半球,从而可以以量化的方法研究左脑和右脑各自的优势。后者则通过听觉通路将信息投射到不同的半球,从而研究左脑和右脑的分化。这些方面的研究构成了实验神经心理学关于两半球偏侧化机能的主体研究。研究结果一般反应了这样的事实,左脑适宜的接受信息或擅长的信息类型是语言信息,而右脑的适宜信息是非语言的内容。由于汉字本身的特点,它不是拼音文字,且带有表意特征,研究汉字的脑偏化性曾是很多研究者很感兴趣的内容。然而研究结果比较不统一,倾向哪一侧脑的结果都有。不过总的来看,基本上也还是左脑多与语言信息的处理关联,右脑多与非语言的信息处理相关。

对于左右脑机能偏侧化的探讨最有贡献的是 Sperry 等神经心理学家对于割裂脑病人的研究。这方面的材料已有大量的介绍,这里就不再重复。

目前关于大脑左右两侧的功能差异有了十分丰富的临床的和实验的资料。总的来说,左脑擅长于言语感知、言语表达、语义、符号、计算、逻辑、线性和理性等方面的内容。右脑则擅长于空间、形象、图像、绘画、语调、同时性、非线性、情感方面的内容。

与大脑左右分化相关联的一个重要的现象是人们的利手,也就是人们的用手习惯。利手与脑的关系是一个十分复杂的问题,可以说到目前为止,这个问题仍旧是个未能得到满意答案的难题。据调查,到目前为止,以利手为专题写的专著和论文已经数以千计。仅就对于利手的形成问题,专家们就有各种不同的理论。

首先,利手是生物进化过程中的产物。只有人类才有利手的特性。动物,即便是高等的灵长类也没有利爪的特性。利手作为人类的一种生物学特性,同人类的劳动也有着相应的关联。劳动不仅造就了我们人类,同时也改变了人类的生物学属性。在这种意义上,手可以说是劳动的产物,手在使用上的习惯也正是在劳动过程中,在生物学原则与环境的相互制约中逐渐形成的。人类的利手习惯可以追溯到人类久远的童年时代。根据人类学家的研究,在刀耕火种的石器时代,人类就有了利手习惯。而且那时的利手比例同现在并没有太大的区别。绝大多数人使用右手,约 10%的人是左利手。这也反映出利手的生物学本质,表明它不单是一种受文化和社会环境制约的产物。

利手的生物制约性也反映在有些左利手的产生有其神经病理上的原因。有一些左利手者在出生时难产,用过产钳,有的出现窒息使脑部缺氧,这都造成一定的损伤。

利手的形成也有遗传上的原因。20年代一位美国学者曾在俄亥俄省立大学进行了一项利手与遗传的关系的研究。在被调查的2177名一年级大学生中,如果不问其父母,左利者约为5%。但若把父母的利手情况算在内,则情况大不一样。父亲是左利的,子女同为左利的占到9%强;母亲是左利的,子女同是左利的占到13%;而父母都是左利的,其子女同为左利的则占到46%。这结果清楚地提示着利手与遗传的关系。

然而,利手又不单纯是一个生物学上的内容,它也实实在在地印刻着社会的痕迹。举个最明显的例子,如果以使用哪只手写字作为一个主要标准来测定一个人是左利还是右利的话,那么我们中国人的利手比例远远地低于别的国家,特别是西方国家。但是,我们写字的习惯是学校里老师要求的。几乎在我们所有的小学校里,当孩子开始学写字的时候,左手就被禁止了。所以我们看到有很多人写字时用的是右手,吃饭时便改为左手了。这是中国的一个文化特点,它直接影响到手的使用习惯。还有一些统计数字也很能说明些问题。从1932年到1970年,仅仅几十年间,美国左利手人数的比例竟从2%上升到10%。通过研究发现,正是在这几十年中间,随着科学信息的传播,许多美国人已认识到一个事实,即阻挠自然的用手习惯会产生一些不良的后果,有些人会因此而产生口吃和出现情绪问题。正是在这种社会意识普遍提高的背景下,利手的真实比例也就表现出来了。

在谈了利手的形成因素之后,我们现在进一步来看看利手与脑的特化的一些联系。首先,要澄清一个认识上的问题。由于科学信息传播的不准确和不充分,现在有不少人认为,根据神经系统的交叉性原则,即左脑和右侧肢体相联,右脑则和左侧肢体相联,既然右利手的人用左脑说话,那么左利手的人就是用右脑说话了。这是完全错误的。实际上,多数左利手的人像右利手的人一样,也是主要由左脑来掌管言语活动的。只是在左利手的人中,左脑主管言语活动的比例较右利手的人为少。

与利手密切关联的一个十分重要也是十分现实的事情就是许多家长和学校老师都会遇到的一个问题：左利手是否应该改过来？

对于这个问题，我们的建议是要分情况而论。主要是要看看左利的程度，如果是强左利，最好不要改；若是只有一种左利的倾向，则改过来适应社会上的习惯也未尝不可。因为我们中国的传统习惯、社会习俗都是顺着右利者的。不光在中国，各个国家都是一样，只是程度上有所不同就是了。

左右脑的分工是十分重要的，但更为重要的则是两个大脑半球的协同配合。事实上，人的各种复杂的认知活动和智能操作都是以大脑左右半球的相互配合作为基础的。人的大脑两半球既对立又统一。它们相反相成又相辅相成，共同协作完成人的各种复杂的认知机能，包括思维和创造活动。事实上，半球的特化和协同是脑演化的趋势。只有特化才有协同，两者是统一的。

三 PASS理论及其对研究思维过程神经机制的意义

PASS是神经心理学理论研究的一个新的发展。PASS表示的"计划—注意—同时性操作—继时性操作"这样一个系统过程。它是一种全新的关于人类智力结构的理论。关于智力的理论有多种，概括起来可以分为如下五种：因素理论，其中包括桑代克的特殊因素，斯皮尔曼的二因素以及凯勒和瑟斯顿的多因素学说；结构理论，其中包括吉尔福特的三维结构，希来辛格和格德曼的二维结构以及阜南的层次学说；卡特尔的液态和晶态理论；皮亚杰的结构发生理论；信息加工理论。这些理论的发展对人们的研究工作起着重要的指导作用，同时也促进了各种智力测查量表的开发。人们可以在理论的指导下定性或定量地对智力这个十分复杂的过程进行分析和评定，在临床实践中则进一步提高了对精神活动过程的诊断的康复评定的科学性。不过这些智力理论尚有一个不足的地方,就是还没有把智力同脑的结构和机能紧密地结合起来。心理学家提出的这些理论基本上是通过对正常人的观察和实验而发展起来的。这些观察和实验限于条件的制约,难于将实验结果和脑的结构结合起来。神经心理学,包括实验神经心理和临床神经心理的发展,使对心理活动的研究和对脑本身结构的探讨有机地结合起来。PASS 理论正是在这种背景下产生的。

加拿大阿尔伯特大学心理系的 J. P. Das 教授是 PASS 理论的主要倡导者。Das 教授基于神经心理学的大量研究成果,尤其是苏联神经心理学家鲁利亚等人的工作,将人类的智力活动分解为四个基本过程:计划过程、注意过程、同时性操作过程以及继时性操作过程。这种划分是对我们前面提到的脑的三个基本机能区的深化。这四个基本过程包含了大脑两半球的偏侧和协同机能,突出了大脑额叶的统合作用以及脑的基本功能区相互配合的重要原则。

PASS 理论强调认知过程的动力学特征。换言之,人的认知活动是一种主动的过程而不是被动的简单接受过程,它是动态的而不是静止的。鲁利亚将人的皮层功能分为三个基本区域:第一功能区与注意过程相关,第二功能区实际上以两种方式感受处理各种信息,即同时性信息处理方式和继时性信息处理方式。在前两个功能区的基础上,第三基本功能区从事计划、控制以及组织认知过程的活动。鲁利亚有关脑的机能构筑的学说也是 PASS 的理论基础,而 PASS 则是对鲁利亚脑功能组织理论的新的发展。

在 PASS 理论基础上开发出来的认知评定系统,简称 CAS,在教育领域已经开始应用,从另一个全新的角度对人的智力过程,特别是儿童的认知过程进行深入的检测和评定,在学习障碍等儿童智力发展的一些问题领域已显示出明显的效果。

PASS 理论中很重要的一部分内容,也是与通常我们谈论三段论式的线性抽象思维有着很大差别而与形象和空间思维密切关联的是同时性加工过程。Das等人明确地将同时性操作强调到是人的一种基本的信息加工程序,是神经心理学对人的认知过程以及思维方式的新的认识。同时性操作是一种不同于依时间系列而展开的信息处理过程,在思维活动中,这种过程更多地与综合性创新能力相关联,因而值得我们特别注意并进行更深入的研究。

四 额叶在思维活动中的重要作用

同其他高等动物比较起来,人类的额叶是相当发达的。这种进化上的发达是与人的高级心理活动特别是思维和创造能力相吻合的。从行为神经生态学的观点来看,这是完全符合自然演化的逻辑的。只有人类才有高度的思维和创造能力,只有人类才有高度的组织计划机能。而额叶在现代人类大脑上的增大正说明额叶在思维和创造机能上的重要作用。大量的神经心理学研究正不断地丰富着我们关于额叶在思维和创造机能上的作用的知识。

额叶在解剖上的特点是它上述作用的基础。额叶与大脑皮层的其他部分以及皮层下结构有着非常广泛的联系。额叶有十分发达的传入和传出纤维。这些纤维将额叶同皮层的其他部分,即其他脑叶以及皮层下的诸多结构,如基底节、丘脑等,联系在一起。尤其是前额叶,它不仅接受顶叶、枕叶和颞叶发来的关于体感、视觉和听觉信息的纤维,而且还接受来自皮层下的尾状核、杏仁核和下丘脑等处传入的神经纤维。从前额叶发出的神经纤维伸向顶叶、颞叶、大脑内侧的扣带回以及皮层下的基底节、杏仁核、下丘脑等结构。

由于这些复杂的传入传出纤维,额叶同皮层的其他部位以及皮层下结构有着十分广泛的功能上的关系。这种广泛的关系是使额叶行使其计划和组织以及判断和推理等抽象思维机能的基本保证。

临床神经心理学的大量研究表明,额叶损伤会导致患者出现如下思维活动方面的障碍:概念形成障碍、分类障碍、计划障碍、预测障碍、推理障碍、数学障碍等等。神经电生理和功能影像方面的研究也表明,额叶在人进行思维等高级心理活动时是最为积极活动的人脑部分。关于额叶在人的高级心理活动特别是思维等过程中的作用的研究,目前正是脑科学研究的一个主要内容。

五 问题解决

问题解决是思维活动的主要表现形式,也是思维活动的主要目的。研究问题解决的神经心理机制是了解思维神经机制的一个核心内容。

问题解决包含了多种基本的认知技能,同时需要模块化过程和对这些基本技能的调节和控制。有效的技能需要在合适的恰当的时刻出现,此外,这些技能之间的变换还需要具有相当程度的灵活性。认知技能的组织在问题解决过程中是一个十分关键的环节。认知技能的组织有两种基本的形式:一种是习惯性的组织,另一种则是创新式的组织。前一种构造了一般性的思维,后一种则形成了创造性的思维过程。通常认为,一般性的思维的认知技能的组织是在记忆中存储下来的一些固定通路,比如早晨起来沿着一定的路线上学去的习惯性行为就是很好的例子。这就像一个计算机程序一样,各种程序的组成部分,在时机合适的时候会被呼唤出来,并在恰当的地点参与行动。严格来讲,这种认知活动并不是真正意义上的思维,只是一个习惯性的有目的的行为。真正的思维是当我们面对一个新的环境时需要我们作出某些决定的时候出现的心理活动过程。这时需要我们重新组织原来固定的认知机能,改变旧有的固定作法,而开始一个新的行动。

在临床上可以见到由于大脑的损伤而导致的患者在问题解决方面出现的明显的障碍。这些障碍尤其是在旧有的行为方式或处理事情的方法已不再适用,要想能够解决问题就需要采用新的策略时表现最为突出。这里值得一提的是,这类问题解决方面的障碍对患者日常生活所造成的困难往往比在医院或诊所中通过普通智力测验所反映出来的困难更为严重。有些时候,普通智力测验可以给出正常的分数,但病人却在实际生活中,当遇到某些需要开动脑筋解决一些实际问题时出现困难。通用的一些智力测验,比如韦氏智力测查量表,一般含有多项认知成分。测验中的题目往往可以用不止一种认知技能或方式来获得正确分数。脑损伤可以导致患者某种或某些认知技能的损坏,不过一般不会造成所有认知技能均出现问题。病人常常保留有不止一种认知技能,因而可以通过那些保留完好的认知技能来解答临床上常用的量表中的题目。但这并不等于病人在思维活动中是正常的,只是没有更好的方法把这些问题检测出来。因而,我们要对问题解决的心理机能进行更为深入和实际的研究,至少不能单靠智力测验来评判一个人的思维能力。不能否认,在这方面,目前仍有很多认识上的问题。不仅在社会上,而且在企事业以及学校等教育机构,不少人过分依赖智力测验,在智力测验和思维能力中间划上了等号。为此,我们应有一个比较清楚的认识,并从脑科学的角度出发,正确评价智力测验,客观地分析思维能力,即看到两者相同的部分,也要看到它们的区别。现在研究者们已经开发出一些新的测验方法,努力将思维的复杂性纳入可以定量测查的范围,但诚恳地讲,目前所取得的成绩离准确地测定出思维过程各个方面的障碍和问题还有相当长的距离。

思维的运作,或问题解决的具体实施有以下几个基本要求或步骤:(1)将注意过程集中到所要解决的问题上。(2)对所要解决的问题进行抽象推埋。(3)形成必要的合适的解决方案或策略。(4)灵活地依问题的不同而变动策略。(5)对效果进行评估并进而对策略作出相应的修正。这五个方面哪一个出了问题均可导致问题解决障碍。神经心理学的研究提供了这方面的大量临床和实验室资料。下面对这五个方面分别加以说明。

1. 集中注意

问题解决的第一个条件是主体充分意识到问题的存在,需要注意相关的事物并指导相应的行为。如果注意过程有了障碍,解决问题的活动便难以进行。对于同问题解决密切相关的注意活动,目前的研究主要集中在两个方面。首先是注意的保持,另外是注意的选择。

关于注意的保持。不少脑损伤病人很易受到环境的干扰。对他们来讲,许多无关的刺激都会令他们注意转移,使正在进行的活动半途而废。由于他们难以将注意保存在所要解决的问题上,从而造成思维活动难以正常进行。

关于注意的选择。不能合理地分配注意也会造成问题解决的失败。脑损伤可以导致某些病人无法完成那些需要合理选择注意内容的作业。临床神经心理学有一些这方面的检测手段。最典型的是 Stroop 色词测验。在这个测验中,病人被要求大声地朗读一组颜色词书写的颜色,其中书写的颜色与颜色的名称是不符的。比如红这个字不是用红色而是用蓝色写出来。这是人为造成的一种语义与颜色之间的干扰,目的是检查人的抗干扰或注意选择能力。一些脑伤病人在进行这种作业时表现出极大的困难,朗读中出现大量的错误,反应时间也格外地延长。这表明他们无法有效地选择注意的主要内容。

2. 推理

推理的一个基本前提是主体能够从问题所提供的各种各样的事件中抽象出主要的关键的信息。抽象过程是对具体的和表面的事物的一种超越。它要越过具体的表面的事物的局限,认识事物的本质特征,并知晓这些本质特征如何与其他事物的属性相关联。比如,火车、汽车、自行车、飞机、轮船,其外形和内在结构有很大的差异,但它们都属于一个抽象概念,交通工具的一个成员。

对于抽象机能的测定有多种方法,基本上可以分为两大类:一类采用语言材料进行测评,另一类采用非语词的材料进行测定。在属于前一类的各种抽象能力测验中,人们一般比较熟悉和比较常用的是韦氏量表中的相似性测验。在这个测验中,被试要说出各对词语为什么或在什么方面是相似的,比如狗和狮子、橘子和香蕉等等。若抽象过程出了问题,对这样的测验可能会作出十分具体的和基于表面的回答反应。如认为橘子和香蕉相似是因为它们都有相近的颜色,狗和狮子相似是因为它们两个都用牙咬东西等等。有些抽象机能出了问题的病人还可以另一种方式表现出来,比如找不出相似的地方,或者不断地将两个词不同的地方罗列出来。韦氏测验中的另一个分项,词汇定义作业,也可以将抽象机能方面的障碍检测出来。这时,有障碍的人可能在给某个词语下定义时重复使用该词语,形成语词自我循环。比如,解释什么是修理,或给修理下定义时说,修理指的就是修理汽车、修理家具。

典型的非语词抽象机能测验是分类作业,如 Weigl-Goldstein-Scheerer 分类测验。检查时被试要在一堆物品中进行选择,将不同的物品按照一定的标准划分到不同的类别中。当被试按照一种标准对所有物品完成了一种分类以后,主试进一步要求他或她按另一种标准重新对所有物品分类。思维有明显障碍的病人往往不能完成这种作业。障碍严重时,甚至连一种标准也找不出来,病人杂乱地将不同的物品任意地堆在一起。

3. 策略形成

策略形成指的是主体依据问题的性质,形成可行的解决方案的能力。这种能力至少包括两个组成部分,首先是形成简单策略的能力,其次则是对策略各步骤进行预测和估计后果的能力。

关于简单策略的形成。眼睛是大脑活动的窗口,眼球运动在一定程度上反映了思维活动的过程。神经心理学家采用眼动仪对简单策略的形成进行了比较深入的探索。研究表明,思维有障碍的人在按主试要求进行目标物搜索时,眼球转动呈无序状态,没有明确的投向。而正常人在进行有目的的视觉搜索时,眼球的运动轨迹是有序的,目标投向也很明确。

关于步骤后果的预测和评估。对于许多问题的解决,特别是复杂一点的问题,一般需要人们能够知晓行动方案的各个步骤相互间的关系,并且可以预测行动的后果。就是解决一些日常生活中的事情,也包含了处理相关的多项内容的过程。举个简单的例子,像准备一次晚餐,就需要考虑先去干什么,后干什么。先做的事决定了后来的事怎样去做。比如请什么人来,就决定了需要准备什么样的菜,准备什么样的菜又决定了到什么地方去采购等等。这只是一个简单的例子,现实生活中充满了需要预测和评估才能办好的问题。人若在预测和评估这些方面出现了障碍,势必导致问题解决中的困难。神经心理学家通过测验更为科学地揭示了预测和评估在问题解决中的重要性。

4. 灵活性

灵活地选择适宜的方法和策略是能够有效地解决问题的一个基本前提。主体应有能力改变或修正不合适的方法以便适应新的环境和新的问题。灵活性有了障碍会明显地阻碍问题解决的进行。当呈现给主体一些需要不断转换心理表象才能完成的作业时,比如,根据图中小人的体表标示指出相应的自体位置,灵活性有问题的人会感到这种作业难以完成,作业中出现了大量的错误。由于出示的小人不断地变换方位,主体便需要不断地调整相应的心理影像,没有这种调整的灵活性是难以胜任这种问题的。

灵活性障碍通过一般用来测定抽象能力的分类作业,如 Weigl-Goldstein-Scheerer 测验等,也可以明显地检查出来。自本世纪30年代以来,分类作业便被认定为一种可以反映人的思维的灵活性的测量方法,至今这种方法仍在比较广泛地使用。思维障碍的患者往往不能进行多种标准的分类,在进行完一种标准的分类后,患者很难转换到以另一种分类标准进行的分类。在神经心理学术语中,叫做思维的持续状态。这种思维僵持的症状在使用其他思维灵活性作业,如 Wisconsin 卡片分类测验中,表现得也十分明显。

5. 评估和修正

思维的失败也可以是由于不能对行为的后果进行评估以及不能对思维的过程或步骤进行监控所致;不能对行为后果进行评估即缺乏反馈学习机制,进而可出现思维的僵化;不能对思维过程或步骤进行监控则导致难以按规则有效行事。反馈学习、防止思维僵化以及规则掌握是与评估和修正密切相关的三个方面。

(1)关于反馈学习。Wisconsin 卡片分类测验是一种被人们广泛用来检验问题解决中策略应用的灵活性的方法,同时也适用于评定主体对行为的反馈信息的敏感性。通过这种测验可以发现主体能否有意地利用反馈信息去检验行为策略的正确与否并进行适当的修正。此测验有三个维度上的标准可以用来解决分类问题,即数量、颜色和形状。对被试进行测验时,首先要求他或她按照一个维度的标准、数量、颜色或形状,对卡片进行分类。然后持续这种分类方式达到一定数量后,告诉他或她将分类标准转换到其他维度上去。这样连续进行一定的次数,记录被试掌握分类标准以及按要求能否灵活进行转换这些标准的情况。Winsconsin 卡片分类测验的另一种实测方式是不明确告之标准需要转换的情况,而是在被试成功地按照一种标准进行了连续十次的正确分类之后,主试即将这种标准换了,被试若继续按原来的标准进行分类,便被认定为错,直到他或她自己主动地将分类标准转换到另一个维度上去。思维障碍患者在作这种测验时表现出明显的困难,他们不会利用反馈信息修止自己的判定标准,不能及时修止不合适的策略,因而难以在不同的标准中间进行灵活的转换,作业中出现过多的错误。Milner(1964 年)在临床研究中发现,一些病人出现思维的持续状态,他们反复地进行同一种模式的分类作法,尽管主试已经多次地告诉他们,他们的作法已经是错误的了。

(2)关于思维僵化问题。正如 Milner 的临床研究所发现的,不少思维障碍的病人不能有效地进行判断标准的转换,是由于他们不能利用反馈信息,思维进入持续状态,或僵化了。这种思维的僵化不仅出现在像 Winsconsin 卡片分类这样有一定智化成分的作业,在一些较少需要智能参与的活动中,僵化现象亦可表现出来。比如,有些思维障碍病人作不出复杂的动作,只能反反复复地重复同一个简单动作。这种状况也称作动作持续。若要求患者先画一个圆圈,然后再画另一个形状,他们会一直将圆圈画下去,不去理会将圆圈转为其他形状的要求,直到把笔从他们的手中取走为止。有时候,这种思维僵化的症状还带有概念掌握方面的问题,表现出一种混杂的症状。例如鲁利亚以及其他一些神经心理学家的研究(Luria, 1965, 1966, 1969; Goldberg & Tucker, 1979; Goldberg & Bilder,1987)发现,若先要求病人作听写作业,然后要求他们按指令画画,结果会出现患者所画的图中充满了字母和文字。若要求患者依次画十字、圆圈、十字时,结果会出现在圆圈中充填了很多十字的混杂现象。十分明显的,这种思维的僵化状况会极大地阻碍问题解决的正常进行。

(3)关于掌握问题解决的规则。按照一定的规则去组织行动是解决问题的一个重要方面。掌握问题解决的规则也是人类行为演化的结果。这是一种适应性行为。它要求人们能够限制某些行为方式,以符合问题解决规则的要求。Milner(1961年)的研究发现,一些思维障碍的病人无法遵循一定的规则去组织动作,从而造成问题解决的失败。

掌握问题解决的规则的关键是要有能力找出那些规则,如果发现不了规则,便无从谈起怎样遵从的事情。研究人员发现,一些思维障碍的病人之所以不能按一定的规则行事,是由于他们不能悟出那些规则,看不出事件的规则性。Stevenson(1967年)通过实验发现,思维有障碍的人在寻找一系列相关的简单规律时有明显的困难。实验中,给被试呈现一排杯子,在最左端或最右端的杯子里有一个硬币,给被试的作业是去猜测,猜哪一个杯子里有硬币。接着主试出示给被试实际情况。然后将硬币依次向左或向右移动一个杯子,被试接下来继续猜测。这项测验让思维没有障碍的人来作是比较容易的,不需要多少次,他们就能够准确地将硬币移动的规律找出来。然而对于思维有障碍的人来说,事情并不那么简单,他们难以从表面的现象中找出背后的支配原则,尽管这种原则十分简单和易于发现,问题的核心是这种发现内在规则的思维活动出现了问题。

六 问题解决的脑结构

以上,我们谈了问题解决过程的神经心理研究的行为表现方面。这些揭示了问题解决过程中所必须的一些基本的机能环节。现在需要了解脑的哪些部分同这些基本环节相关联,也就是与问题解决相关的脑的结构问题。

首先涉及的一个问题是大脑的前部和后部的问题。研究发现,与前述各种各样的思维障碍相关联的脑的病变部位多数位于脑的前部。这并不是说脑的后部损伤不会出现思维障碍,而是从统计上来看,前部损伤远较后部损伤更易出现这些思维环节上的障碍。这里谈的脑的前部指的主要是额叶。从前面对额叶的讨论中,我们也了解到作为最为晚近才高速发展起来的额叶在人的抽象思维活动中占有相当重要的地位。

关于大脑的左侧和右侧的问题是继前部和后部之后的另一个需要了解的重要内容。多数情况下,大脑左侧的损伤较右侧损伤更易出现上述思维基本环节的障碍。

下面的表格汇集了一些与前述思维基本环节障碍的有关的脑的解剖部位方面的研究资料,从中可以看出脑的前部以及左侧与人的思维活动的密切相关性。

与问题解决机能相关的脑结构研究

研究者	作业项目	脑结构
Wilkins et al. 1987	慢数	右额
Jones-Gotman & Milner, 1977	图案流畅性	右额
Robinson et al. 1980	卡片分类	右额
Smith & Milner, 1984	价格估计	右额
Milner, 1964	视觉迷宫	右额
Corkin, 1965	触觉迷宫	右额
Perret, 1974	色词朗读	左额
McFie & Piercy, 1952	分类	左额
Benton, 1968	分类	左额
Hecaen & Ruel, 1981	分类	左额
Milner, 1964, 1971	语词流畅性	左额
Rainier & Hecaen, 1970	语词流畅性	左额
Perret, 1974	语词流畅性	左额
Petrides & Milner, 1982	自我标示	左额
Shallice, 1982	伦敦塔	左额
Milner, 1971	卡片分类	左额
Drewe, 1974	卡片分类	左额
Taylor, 1979	卡片分类	右与左额
Salamaso & Denes, 1982	注意	右与左额
Alivisatos & Milner, 1989	反应	右与左额
Halstead, 1940	范畴分类	右与左额
Cicerone et al. 1983	概念形成	右与左额
Stevenson, 1967	推理	右与左额
Stevenson, 1967	转换	右与左额
Shallice & Evans, 1978	估算	右与左额
Nelson, 1976	卡片分类	右与左额

人脑是非常复杂的器官,思维是人脑的一种高级活动,在进行

这种活动时,脑的很多部位均在不同程度上参与并协同活动着。前面主要讨论的脑的前部和后部以及左侧半球和右侧半球的问题,是强调这些部位在思维过程中的重要性,但不是否定其他部位的作用。事实上,思维活动的正常进行需要的是脑的前部和后部、左侧和右侧的共同活动,缺了任何部分都是不行的。

七 数学机能的神经机制

人类思维活动的一个主要表现形式是数学运算。数学的脑机制从一个侧面反应了思维活动的神经过程。

在谈数学的脑机制时,我们先要强调一个尽管道理似乎都明白,但在不少人的头脑中仍旧保持着的错误观念,那就是将数学能力与计算能力相提并论。我们要说的是,数学能力不等于计算,尽管两者关系密切。这不是我们理念上的思考或逻辑上的推断,而是现实中脑的研究所揭示的客观结果。临床神经心理学研究发现,脑损伤可以导致一些病人出现数学能力上的障碍,习惯上称作失算症。而这些失算症患者的数学障碍的表现恰恰证明即便是一些简单的数学运算机能也反映出那里有不同的思维活动过程。一种数学能力障碍主要表现为不能理解数字的,在一定程度上有些类似失读,即阅读障碍。患者不能认知数字的意义,因而使数学运算失败。另一种数学障碍主要表现为丧失了数学运算的操作程序,患者虽然可以正确认读数字,但却不能正确地对数字进行符合运算规则的操作,比如不能进行加法、减法等。再一类数学障碍主要表现为空间运作能力的障碍,患者不能正确地把握空间,运算时不能正确地进位等。此外,还有表现在另一些方面的数学障碍。一些病人不能解应用题,特别是当需要一定的计划才能解答的时候。凡此种种均提示数学机能的复杂性,就连简单的数学运算也不是可以归结于计算本身的事情。

与数学机能关系最为密切的脑的结构是额叶和顶叶。额叶的损伤可以导致计划方面的障碍,从而造成解题困难,尤其是一些需要推理的应用题。如问患者问题:儿子8岁,父亲比儿子大30岁,母亲比父亲小10岁,问:他们各自多少岁?病人尽管可以进行一般的数字运算,但却难以回答此类问题,因为他们不能形成有效的解题策略。

顶叶的损伤造成不同类型的数学障碍。一般可以分为以下几类。一类是单纯的计算障碍,表现有两种不同的形式,其一是数符关系障碍,其二是运算操作障碍。另一类是伴失读或失写的数学障碍,原因多与对数字符号的语义内容的理解障碍有关。再有一类由于顶叶损伤而出现的数学障碍,属于空间机能方面的问题所致的障碍。患者不能正确地进行竖式运算,进位困难。这种空间机能方面的数学障碍多与大脑右半球顶叶的损伤有关。

数学的脑机制的一个新的研究成果是有关估算与精算的脑定位。最新的神经心理学研究揭示,人脑至少有两种不同的计算机能,一种是精算,另一种是估算。而这两种不同的计算机能在大脑中有不同的定位。精算的脑结构主要位于左脑的顶叶,而估算则主要位于额叶。精算和估算的不同的脑机制的研究为现在小学数学改革中增强估算的内容提供了科学的依据。长期以来,我们的数学课程和教材只讲精算,不讲估算。现在看来,这种作法是不合适的。预测和估计,包括估算是人脑额叶的重要机能。这种机能对于人的生存和社会生产实践有着十分重要的作用,也可以说是人的一种重要的计算机能,因而完全应该按照脑的机能发展增加这部分的内容。

第二节　思维和创造能力的提高问题

前面谈了不少大脑的机能结构及其与思维的关系。掌握这些知识的目的是为了能够有效地运用这些知识来为我们提高思维和创造能力服务。增强脑机能、提高思维和创造能力有很多种方法，这里仅举一种方法以起抛砖引玉的作用。

提高思维能力的几何题训练法。几何学是最古老的数学分支之一。在做几何题的过程中，学生头脑里发生的，实际上是将直觉的观察转化为可用言语表达的逻辑。而这一转换的操作过程，实际上正是大脑两半球的协同活动。同时，在解几何题的时候，人要在相当程度上依靠前脑，即额叶的组织和计划功能。另外，在做这些题的时候，还需要问题解决的各个环节的配合以及各个步骤上的技能。所有这些，正是人的思维能力的一个综合的体现。

做几何题需要左右两半球的协同合作可以从裂脑人的实验中得到证实。神经心理学家曾对两名裂脑病人进行了这方面的研究，在一系列的智能测验中，病人在实验中均达到了满意的成绩，只是在解几何题的作业中，显得非常的困难。

左脑和右脑在解决几何图形的辨认和推断的问题时各有不同的表现。为了进一步研究大脑两半球在解决这类几何问题时的具体作用，实验者又在五个裂脑病人身上进行了实验。实验有两个操作内容，一是让裂脑人用一只手触摸藏在屏幕后的三个几何形体，另一个操作内容是给他看五个类似的图形，最后的要求是从中找出最相配的一个图形来。比如，当他看到五个大小不同的等边三角形时，他就必须触摸那三个三角形，并找出与之最为匹配的一个来。但这个问题并不那么简单，因为那三个三角形中没有一个是与之完全相配的,只有一个三角形的三个边长完全相等,也即是正确的答案。在这个实验中,左手(右脑)操作较右手(左脑)操作得分只是稍稍高一些。左右分数差为84%:76%。当问题较困难时,即边数增加,但仍旧还是规则的图形,左手和右手在得分上的差别增大。匹配四边形时,左右差别为70%:54%。匹配再复杂些的,左右差别可增大到82%:45%。最后,当使用曲线(拓扑学意义上的)图形,即不规则图形时,左右手分数之差达到了顶峰。右手(左脑)的得分下降到纯随机的水准(33%),而左手(右脑)的得分则上升为86%。这个实验结果表明,左脑在解决一些简单的欧几里德几何学问题(比如三角形)时,很有一些用武之地,左手右手差别并不明显,这是因为言语的方法对于寻找一个"普通的等腰三角形"这样的问题来说,还是很能用得上的。但是当要寻找的图形的形状变得越来越复杂时,言语的方法就显得有些用不上了。而当采用难以用言语表达的不规则的拓扑学形状时,左脑就难以发挥作用了。然而对于同样的图形,右半球却有了用武之地,没有显出有多大的困难。这不仅反映在选择的正误率上,而且也表现在反应的速度上。右脑支配的左手在反应时间上比左脑支配的右手快二倍,而左脑不仅在反应上慢,还常常同时伴有犹豫不决的不肯定的迹象。

几何图形的辨认和推断是比较简单的问题,解几何学证明题则是较为复杂的事情。这时最需要的是一种图形和言语的转换。几何证明题的解决需要把视觉的理由用言语化的方法转化为逻辑的证明。这时最为重要的是左脑和右脑的信息交流。这也就解释了为什么一些裂脑患者解决不了这样的几何学问题。因为在胼胝体切断的情况下,右脑不能把它对图形的理解和推断传达给左脑,左脑也不能发挥言语思维上的优势。两个脑子只好单独地活动,结果就是难以解决这些几何学问题了。尽管这是在病理的两个半球分开的情况下出现的困难,但对我们正常的学生而言,却有着相当重要的提示作用。有很多学生学不好几何,其中更不乏有人认定自己是不可能学好几何的。而有的家长和教师在经过多少次努力之后,也难免有同样的观点。现在正是到了澄清认识和改变教育方式和训练方案的时候了。那些大脑正常但却怎么也学不好几何学的学生,虽然具有完整无损的左脑和右脑以及两脑的正常纤维联系,但是由于各种原因,他(她)们已形成了极其顽强的不分信息对象都采用言语思维的习惯,以至于他(她)们很难去使用右脑,更不易采用两脑协同的方式来解决复杂的问题。

这些研究告诉我们,左脑和右脑之间的信息交流正是解决几何问题的关键。这也正是为什么我们可以通过几何题训练法提高思维能力的道理。

第四章 创造性心理特征与培养

第一节 创造性心理特征的涵义与构成

一 创造性与创造性心理特征

创造性是对一定事物的质的特征的描述和规定。从根本上讲,创造性是对人的某一侧面的一定特质的描述。当我们说创造性产品和创造性活动时,是指人的创造性产品和人的创造性活动。因此,无论用创造性描述和修饰什么对象,其核心都是对人的创造特性在一定侧面和程度上的肯定和研究。创造性就是人的创造特性,也即创造性的心理特征。看到这一点,有关创造性的所有界定和研究在我们的视野中就会成为相互联系和互为补充的整体。

心理特征又被称为人格或人格特征,因此创造性心理特征即创造性人格特征。在下文中,二者是作为同义使用的。

人格也可称个性(Personality)[1],指一个人的整个精神面貌,即具有一定倾向性的心理特征的总和。个性结构是多层次、多侧面的,由复杂的心理特征的独特结合构成的整体。这些层次有:①完成某种活动的潜在可能性的特征,即能力;②心理活动的动力特

---

[1] 朱智贤主编:《心理学大词典》,524页,北京,北京师范大学出版社,1989。

征,即气质;③完成活动任务的态度和行为方式方面的特征,即性格;④活动倾向方面的特征,如动机、兴趣、理想、信念等。这些特征不是孤立存在的,是错综复杂交互联系,有机结合成一个整体,对人的行为进行调节和控制的。各种成分之间的关系协调对于有效正常的行为是重要的。个性不是天赋的,是在先天生理结构基础上,在后天环境教育影响下形成的。个性受一定社会历史条件和所处社会地位的制约,它具有民族的、阶级的、团体的共性。即使在同一社会历史条件下人们所经历的具体生活道路也各不相同,又形成区别于他人的独特特点。人的个性一旦形成,就具有稳定性特点;但个性也并不是不可改变的,它是随着现实的多样性和多变性或多或少地变化着。

创造性人格特征,是指个体所具有的体现创造倾向和为自身创造提供内在准备的各种心理特征的总和。尽管系统研究创造性的鼻祖——心理学家吉尔福特(J. P. Guilford)主要研究了创造性才能的性质、表现和测查,但他也关注到创造性人格的问题。他认为,"创造性人格是一个代表创造性人物的那些特性的组织方式"。[①] 创造性人格包括了创造性能力和动机、气质特征等对创造性行为的出现和结果产生影响的各种特性或品质。

创造性人格特征符合人格的基本特点,具有整体性、稳定性、个体性和习得性。创造性人格特征是许多影响创造性行为的心理特征构成的整体,在现实的情景中,每一方面的心理特征都不会孤立地存在,创造性人格的影响是许多因素的交互作用的结果。创造性人格特征也是相对持久和稳定的,它一般会体现在多次、多种活动中,或在较长时期内保持某种方式或水平。它的形成和改变需要一段时间的积累,一旦形成了某些特征,它们就会保持相对稳

---

① J. P. 吉尔福特著,施良方等译:《创造性才能——它们的性质、用途与培养》,7页,北京,人民教育出版社,1991。

定。创造性人格特征还具有个体性,一方面,构成人格的各种心理特征本身就具有类型和水平的差异,如能力有类型和发展水平的不同,另一方面,这些心理特征的构成方式也是千差万别的,因此人格表现出独特性和个体性。吉尔福特十分重视创造性人格的个体性。他认为,创造性人格的展现,是一件高度个体化的事件,它强调独特性,避免顺从。另外,创造性人格特征是后天发展形成的。个体在其基本生理条件如探究反射等的基础上,在家庭、学校和社会中的各种有利于创造性的环境影响下,通过个人所经历的多种多样的创造性的学习和生活实践活动所逐步发展、形成了其具有独特性和相对稳定的创造性人格特征的整体。

二 创造性与学习、问题解决

在研究和教育实践中,创造性与问题解决(problem solving)通常作为一个专题出现。

创造性是指人的创造性的心理特征或人格特征,作为心理特征必然有一个由萌芽状的、不稳定的表现逐渐形成为稳定的、成熟的特征的过程,这一相对长期的进程是由个体所经历的许多次知、情、意的心理过程构成的。这里所说的心理过程就是学习过程或问题解决的过程。

学习,尤其是儿童的学习,经常被理解为以模仿为主的继承前人经验和成果的心理活动。创造是与模仿相对的概念,进而也就推出创造与学习不能相提并论。但当我们了解心理学对学习实质的新的研究和阐述后,就会发现把创造与真正意义上的学习泾渭分明地区分开来是很困难的。当代公认学习的真正含义是:"一个主体在一定情境中的重要经验引起的、对那个情境的行为或行为潜能的变化,这种变化不能用主体的先天反应倾向、成熟或暂时状态(如疲劳、酒醉等)来解释。"(心理学家——希尔加德等)更简洁的界定是:"学习是人的倾向或能力的变化,这种变化能够保持且不能单纯归因于生长过程。"(心理学家——加涅)可见,学习的发生必然包含个体的倾向或能力的变化。如果这种变化是与儿童发展的需要相一致,对于学习主体来讲不仅是新颖的、独特的,而且是有价值的(新颖性、独特性和具有社会或个人价值是创造性的基本特征,后面将详述)。这时学习的结果就是一定程度上的创造经验。如果学习的结果与儿童的积极发展相悖,如形成了不良的学习态度或学习习惯,对儿童的成长无价值可言,就谈不上创造经验。

教育过程旨在促进儿童积极地学习和健康地发展,其实质就是使儿童积累创造性的经验。儿童的创造性经验在他人或成人看来也许缺乏独特性或价值,但在其个体的智慧发展和个性成长中确实具有重要价值和意义。因此,儿童的创造活动的发生并不受他们的年龄和所从事的活动的内容的限制。

作为教育者,要能辨别儿童活动中真正的学习是如何发生的,哪些学习结果与儿童的发展一致。例如"埋头死记硬背"、"简单照猫画虎"的活动中,儿童并没有获得教师和家长所期望的能力上的转变,没有在期望的方向上发生学习,如果说他们的能力和倾向也发生了一定变化,那也许是获得了不良的学习方法、厌恶学习的情感或加强了机械的记忆能力等。这样的活动谈不上创造经验,也不是我们所希望的学习。总之,无论儿童的年龄和已有经验如何,只要儿童的学习活动是积极的,就必然包含着创造。

问题解决是对学习过程的描述,透过问题解决可以更清楚地看到创造和学习是密不可分的。

当学习者遇到心理意义上的"问题"时,问题解决就可能发生了。问题解决就是指解决新的问题,即所解答的问题是初次遇到的学习。尽管问题解决的具体内容和情景各异,但心理学家对问题解决的共同特点达成以下共识:第一,解决问题是指解决新的问题,即所解答的问题是初次遇到的问题。例如,某类数学问题如果不是第一次解答,而是第二次、第三次或多次解答,就称不上解决问题,只能说是一种操练(drill)。解决问题与练习不同。第二,在解决问题中要把已有的简单规则(包括概念)重新转换组合,找出对当前问题适用的地方。因此,原先习得的简单规则,是解决问题过程中的思维的素材。第三,问题一旦解决,学生也就有所习得,他们的能力或倾向随之而发生变化。在解决问题中产生的新的规则,贮存下来构成学生的"知识宝库"的一个组成部分,以后遇到同类情境时,借助回忆即可作出回答而不再视为"问题"了。由以上关于"问题解决"的论述,我们会看到问题解决就是创造新规则的过程。

综上所述,创造性与学习和问题解决有着实质性的联系,积极有效的学习活动和问题解决的成功,在一定意义上都体现了创造性,促成了创造性心理特征的形成。反过来,创造性对于所倡导的积极成功的学习也是重要和不可缺少的。

三 创造性心理特征的构成

(一) 构成要素——创造性活动倾向、性格特征和能力特征

如前所述,心理特征或人格特征是指一个人的整个精神面貌,即具有一定倾向性的心理特征的总和。它包括能力、气质、性格和活动倾向(动机、兴趣等)等多个侧面,这些特征交互联系、有机结合成一个整体。除此而外,根据有关构成较稳定的创造活动的主要心理特征的分析研究,我们认为创造性的心理特征主要包括三个侧面:创造性活动倾向、创造性性格和创造性能力。它们是创造性心理特征的基本要素,它们相互影响、促动、整合并表现为一个人的人格特征,综合地体现在创造性活动中。

创造性活动倾向,是具有创造性的个体所具有的活动倾向方面的稳定特征,是创造性心理特征中具有一定动力性和稳定性的部分,如需要、动机、兴趣和信念等方面的创造性特征。决定个人

对事物的态度和行为的内部动力系统,能使人对创造性活动表现出积极性和持久性。

创造性性格,是具有创造性的个体所具有的性格方面的稳定特征。性格(character)是个性心理特征之一,一般指人对现实的态度和行为方式中的比较稳定的、具有核心意义的个性心理特征。性格有复杂的心理结构,其内容为:①对现实和对自己态度的性格特征;②性格的意志特征;③性格的情绪特征;④性格的理智特征。这四方面是相互作用、相互联系、相互制约的。性格和其他心理现象一样,也是人脑的机能对客观现实的反映。巴甫洛夫指出,性格是神经类型特征和生活环境影响的"合金"。正是由于这种"合金"中成分组合不同,才使人对外界影响的态度和行为方式带有个体特色,但对性格形成起决定作用的是社会规律,是人与环境的相互作用,即实践活动。性格是比较稳定的个性心理特征,但又具有可塑性,它是在生活过程中逐渐形成与发展的。

创造性能力(creative ability),又称创造性才能,简称为创造力,是产生出某种新颖、独特、有社会或个人价值的产品的能力。在创造性心理特征各成分中,创造性能力被研究得最多。

在创造活动中,性格特征和活动倾向虽然不像创造性能力那样对创造活动起着直接的决定作用,但它却不可缺少,具有着极大的制约作用。我们知道,任何一项创造活动,都是对已有观念或方法或理论的突破与创新,它没有现成的方法、途径可以遵循,相反,它必须打破旧有事物的束缚,寻求和探索新的东西。显然,这其中充满着艰辛和困难,需要付出比一般活动多得多的精力和时间,因此没有坚强的毅力和不屈不挠的精神是不可想像的。而且,能不能除旧布新,寻找到新颖独特的、有价值的思想,很大程度上取决于是否兴趣广泛、好奇心强烈、富有想像、独立自主等个性品质。此外,新思想、新观念、新理论的提出往往会受到已有的权威、保守思想的阻碍,这将给创造者造成一定的外在压力,勇敢、不迷信权威、幽默、不怕失败等个性特征常常在此发挥着重要作用。

综上所述,创造性心理特征主要分为三个基本要素——创造性活动倾向、创造性性格和创造性能力。但当我们面对真实的教育情景时,面对生龙活虎的孩子时,创造性是作为不可分割的整体展现于现实的活动中。我们绝不能把它们割裂、孤立起来对待。创造性心理特征的各个要素相互融合、相互促动,构成了完整的创造性心理特征或人格特征。

(二)创造力与智力的关系

为了探明创造力的内涵和本质,不可避免地面对这样一个问题:创造力与智力的关系如何?在现实中它们都用来表明个体的智慧、聪明程度,而且培养儿童的智力作为学校教育的目标之一已成为普遍观念,那么如何理解培养创造力与培养智力的关系呢?

为了使大家有个鲜明突出的印象,我们先将对二者关系研究分析的结果呈现出来:创造力与智力本质上是一致的,智力应包含创造力的成分,创造力的发展水平从根本上体现了智力的发展水平。

许多学者的理论分析一致表明,创造力与智力在本质上是完全一致的。朱智贤分析认为[①],智力是人的一种偏于认知方面的心理特性或个性特点,而创造力则是智力的高级表现。这里面包含两层意思。其一,它肯定了创造力是一种高度发展的智力,而不是本质上与智力不同的东西。因为一个人要能发现新问题、提出新观念、新设想,创造性地解决问题,就必须观察敏锐、注意集中、想像丰富、思维灵活多变、有独创性。也就是说,只有构成智力的各种能力高度地、协调地发展,才能有高创造力。因此,高创造力者智力必高。其二,它指明了创造性水平的高低是衡量一个人智力发达与否的根本标准。因为创造力是人类智慧的集中表现,社

---

① 朱智贤:《儿童心理学问题》,北京,北京师范大学出版社,1982。

会的一切物质、精神财富都是创造力的结晶,创造力代表了一个民族兴旺发达的水平。对于个体来说,如果一个人废寝忘食,读书万卷,但却人云亦云,因循守旧,提不出任何见解,做不出任何发明创造,那就谈不上有高智力。相反,这正是智力低下的表现。有的学者认为,创造性是智力品质的集中表现,智力水平的高低一般都可用创造力的大小来表示。这是很有道理的。

研究创造力与智力的关系,最主要的实证方法是对同一群个体的创造力测验成绩和智力测验成绩进行比较。我们且不管其结果如何,其实这种研究的起点本身就限定了研究的结果。研究的起点暗含着这样一个假定:智力是推理性的,创造力是发散性的,即创造力与智力是不同的,并以此假定为基础编制了智力和创造力测验。鉴定智力的智力测验基本没有测验创造力的题目,吉尔福特曾对有名的个别智力测验以及团体智力测验作过因素分析,他发现这些测验大多测量认知力、记忆力以及聚合思维,只有极少的试题是测量发散思维以及评价能力的。吉尔福特认为,经由发散思维而表现于外的行为即代表个人的创造性。后来的许多学者接受了吉尔福特的观点,把发散思维能力作为指导创造力测验编制的操作定义,即对规定的刺激产生大量的、变通性的和独特性的反应的能力。因此,许多人也把创造力测验称作发散思维测验。那么,确切地说,通过现有的创造力测验和智力测验来比较的是发散思维与聚合思维的关系,而不能体现创造力和智力的关系。

目前,研究越来越表明智力并不应排除发散思维,创造力也同样需要聚合思维。换句话说,智力与创造力并不存在本质的不同。那为什么还要提出创造力的概念?因为创造力体现了人们对智力认识的进一步深入,创造力更突出了人类及人类个体智慧的本质。吉尔福特的研究方法能很好地说明这一点。

吉尔福特研究创造性才能时,首先着手改变传统的、狭隘的智力观(传统的智商测验所体现的)。他指出:"我在探求对创造力

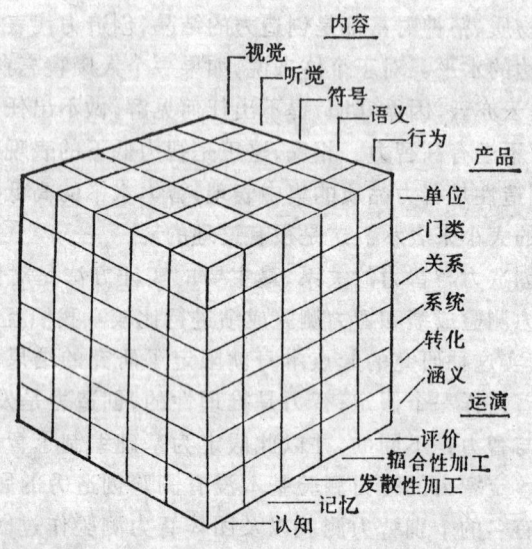

图 26　智力结构模型

的基本性质的理解时,重点主要放在宝贵的人力资源的智力方面。就广义而言,智力应当包括对创造力表现特别重要的种种能力。"吉尔福特在更宽广的视野中研究智力,研究能力的多种倾向,他对"能力倾向研究方案"进行了 5 年的调查研究,发现有大约 40 种理智能力已被他们或其他人所证实,于是他感到急需找出各种能力的内在的逻辑关系,并对此进行了理论构架,提出了著名的"智力结构模型"。该智力结构模型是由三个维度构成的立方体图形。(见图 26)① 三个维度是信息内容类型——内容,信息加工方式——运算,信息加工结果——产品,它们分别包括五种类型(视觉信息、听觉信息、符号信息、语义信息和行为信息)、五种类型

---

① [美]J. P. 吉尔福特著,施良方等译:《创造性才能——它们的性质、用途与培养》,44 页,北京,人民教育出版社,1991。

（认知、记忆、发散性加工、辐合性加工和评价）和六种类型（单位、门类、关系、系统、转化和联想）。吉尔福特提出任何一种能力都可以从三个面来确定它的基本性质。智力结构模型指示出智力包括150种可以区分的能力倾向，吉尔福特指出已有40种被研究证实外，还推测存在约80种未被发现的能力倾向有待探明。

在新的智力多元观点和智力结构模型的基础上，吉尔福特研究了创造力的种种成分和表现，他主要选取与"信息加工方式——运算"维度中的发散性加工有关的30种能力和与"产品"维度中的转化有关的25种能力进行分析。可见，吉尔福特的研究思路和结果表明了创造力与智力之间存在着本质上的内在联系。

总之，创造力和智力在本质上具有相当的一致性，发展儿童的创造力和培养学生的智力是辩证统一的，而决不是相互矛盾的，在一定意义上，儿童创造力水平的高低可以作为检验儿童智力开发程度的基本标准。

（三）创造力与创造性思维能力的构成

1. 创造力

想像与思维，是人们进行创造活动的两个重要的认识过程。创造性想像能力和创造性思维能力是创造力的主要体现。

创造性想像是想像的一种。根据想像内容的新颖性、独立性和创造性的不同，可以把想像分为再造性想像和创造性想像两种。前者是根据语言或非语言的描绘（如图形、图解、符号等）在头脑中形成相应的新形象的心理过程，后者是不依据现成的描述，而根据一定的目的和任务在头脑中独立地创造出新形象的心理过程。再造性想像对理解别人的经验是十分必要的。创造性想像则是从事创造性活动的一个必不可少的重要组成部分。

创造性想像不是过去表象的简单重现，而是经过加工改造创造出新的形象，因此创造性想像能够结合以往的经验，在想像中形成新的设想，提出新的假设，是创造性活动顺利开展的关键。实践证明,科学研究上的重大发现和创见,生产技术和产品的改进及发明,文学家、艺术家的塑造和构思,都离不开创造性想像。甚至儿童的学习,包括画图画、做游戏以及解答数学题,都需要创造性想像的参与。由此可见,创造性想像在创造性活动中起着重要作用,是创造力的一个重要内容。正是因为这样,许多创造力研究者将创造性想像作为衡量创造力发展的一项重要指标。

创造性思维是在已有知识经验和感知的基础上,对信息进行一系列深度加工,倾向产生新颖独特的思维产品的过程。黄耀枢在"关于创造性思维的一个标准"中提出,判断是不是创造性思维,须看能否满足下述主要条件:①给出新概念;②作出新判断;③作出新假设;④逻辑证明;⑤实践检验。如果满足条件①—④的为"准创造性思维",全部满足的为"全创造性思维"。还有的学者把创造性思维定义为反映事物本质属性和内在、外在有机联系,新颖的具有广义模式的且可以物化的一种思想心理活动。

由于创造性思维的发生是逻辑思维与非逻辑思维、发散思维与聚合思维、自觉意识与非自觉意识的交融结晶,因此,它具有以下显著特点:①整体性。创造性思维是各种思维的综合,是建立在各种思维基础上的整体。它运用包括聚合思维、发散思维、直觉思维和分析思维等多种思维形式。创造性思维的整体性还表现在它是脑物质、思维对象、思维环境和各种思维形式的系统综合,是上述各要素间辩证关系的统一效应。②突破性。要创造就必须突破。创造性思维就是要突破一般性思维的常规惯例,突破陈腐观点,突破重重障碍,突破原来的框框,突破现成方案,突破已有结论。它能证明人是否在创造,它是人的认识达到更高阶段的明显标志。③新颖性。创造性思维的立足点是"创新",它是应用新的程序并创造了新的思维产品的思维活动。④变通性。就是善于从不同角度想问题,在一个问题面前,能尽量提出不同类型的多种设想、多种答案,以扩大选择余地;能灵活地变换影响事物质和量的某种因素,从而产生新的思路;思维在一个地方受到阻碍时,能马上转向另一个方面;能用心寻找最优答案,保证问题的最佳解决。⑤独特性。即在解决问题时能独辟蹊径,思路奇特。

2. 创造性思维能力的构成

创造性思维能力是高度综合的能力,它包含了各种重要的、必不可少的成分。对创造性思维能力的构成,学者进行了大量的研究,总结已有的研究成果,可以看到创造性思维能力的主要成分可以从以下两个侧面来分析。

(1)聚合思维与发散思维。发散思维(divergent thinking)和聚合思维(convergent thinking)是吉尔福特在"智力结构的三维模式"中明确提出并予以界定的两种思维方式。所谓发散思维,又称扩散思维、求异思维、辐射思维,是指从已知信息中产生大量变化的、独特的新信息的一种沿不同方向、在不同范围的思维方式。例如让儿童说出一件常用物品的用处。如一块砖的一切可能的用途,就可以从中看出该儿童发散思维的情况。所谓聚合思维,又称收敛思维、求同思维、辐合思维、集中思维,是指从已知信息中产生逻辑结论,从现成资料中寻求正确答案的一种有方向、有范围、有条理的思维方式。例如在多项选择中选出一个适当的项目,便可视为聚合思维,因为这类项目只要求一个正确的选择或是最适当的填充。

许多研究者认为,创造性思维实际上等于发散思维,并纷纷编制发散性思维测验测量创造性思维,而用智力测验测量聚合思维,使得发散思维和聚合思维被割裂开来,对立起来。我们认为发散思维的确是构成创造性思维的最重要成分,但绝不是惟一成分。完整的创造性思维应包括发散思维和聚合思维两个方面,缺一不可。只有发散思维和聚合思维的高度协调,才能构成相辅相成的高水平的创造性思维,才能保证创造活动的顺利进行。尽管吉尔福特重点论述了创造性思维中的发散性加工,但他同时强调:"应该指出,发散性加工能力并不代表智力中所有创造性的方面。"①

在传统的学校教育中,大部分教师所关心的是训练学生寻找一个正确答案的聚合思维,从而大大束缚了学生的创造力。这说明,忽视发散思维的训练会影响创造性思维的形成和发展。在近些年的教育改革中,也存在着只注重培养发散思维的创造性思维,严重影响了儿童创造性的全面和有效培养。

创造性思维能力中的发散思维和聚合思维都起着非常重要的作用,有学者指出,它们在创造活动的不同阶段发挥着各自不同的作用。

一般说来,在创造活动的开始阶段,问题的情境往往不很明了。这时必须进行聚合思维,综合已知的各种信息,明确所要解决问题的关键并导出发散点,因此,聚合思维是发散思维的基础,是具体创造性思维的第一步。接下来,则必须以解决问题的关键为出发点重新组合和应用以往经验,结合有关信息,广开思路,尽可能多地提出解决问题的可能途径和方法,这是一个发散思维的过程。最后,需要在上面发散的基础上,从多种设想、途径和方法中敏锐地抓住其中的最佳线索,使发散结果去假存真、去粗取精,找出最佳的解决方案来,从而创造性地解决问题。这又是一个聚合思维的过程。由此可见,创造性问题的解决,一方面是主体的思路沿着一些不同的有新意的通道发散,另一方面必须应用主体的知识,按照严密的逻辑规律以最佳的方式解决问题。

发散思维和聚合思维作为求异和求同两种形式,在创造性思维过程中互相促进、彼此沟通、互为前提、互为补充。所以说,创造性思维是发散思维与聚合思维的有机结合。

(2)直觉思维与分析思维。根据得出结论是否经过明确的思

---

① [美]J. P. 吉尔福特著,施良方等译:《创造性才能——它们的性质、用途与培养》,69页,北京,人民教育出版社,1991。

考步骤和主体对其思维过程有无清晰的意识,可以将思维划分为直觉思维和分析思维。

直觉思维是指人脑基于有限的数据和事实,调动一切已有的知识经验,对客观事物的本质及其规律性联系作出迅速的识别、敏锐的洞察、直接的理解和整体的判断的思维过程。而分析思维则指遵循严密的逻辑规则,通过逐步推理得到符合逻辑的正确答案或结论的思维方式。它进行的模式是阶梯式的,一次只前进一步,步骤明确,包含着一系列严密、连续的归纳或演绎过程。在其进行过程中,主体能充分地意识到过程所包含的知识与运算,并能用言语将该过程和得出结论的原因清楚地表述出来。而直觉思维则是没有经过明显的中间推理过程就直接提出结论,它进行的模式是跳跃式的,中间步骤省略。在其进行过程中,主体不能用言语将该过程和得出结论的原因清楚地表达出来。

直觉思维在创造活动中起着十分重要的作用,在创造活动中,往往不存在一种凝固不变的逻辑通道去引导我们按图索骥地解决各种问题,通常是各种可能性并存。而借助直觉思维,则可以在客观现实提供的各种可能性中做出适当的选择,在纷繁复杂的情况下做出有效的决策,在事实、证据有限的条件下做出准确的预见,在问题空间不明确的情形中迅速地寻找到解决问题的一般性原则和中介环节。显然,这对于创造、发明、发现的产生至关重要。

直觉思维在创造活动中作用重大,并不排斥分析思维在创造活动中的作用,创造活动常常是在直觉思维和分析思维的密切配合、协同活动下进行。直觉思维和分析思维各有所长也各有所短,重要的是如何取它们之所长,去它们之所短。在创造活动过程中,当遵循严密逻辑规律、采取逐步推理方式的分析思维方式难以施展和奏效时,富有探索性的直觉思维便被启用;而在直觉思维的探索取得初步结果之后,则又需要分析思维来加以整理和检验。这样,往往要经过多次反复,才能最终使问题得到解决。总之,创造性思维是直觉思维和分析思维的有效结合协同活动的结果。

第二节 创造性心理特征的内容

创造性心理特征主要包括三个基本要素:创造性活动倾向、创造性性格和创造性能力。前两者常常联系在一起研究,因此,下面我们主要从创造性能力和创造性活动倾向与性格特征等方面来分析它们的表现。

一 创造力的基本特征

创造性能力具有哪些特质?这个问题的研究起点落在了人的创造性活动一个外在侧面——创造性产品。

创造性产品中的"产品"是指以某种形式存在的思维成果,它既可以是一种新概念、新设想、新理论,也可以是一项新技术、新工艺、新产品。创造性产品的判别标准有三,即产品是否新颖、是否独特、是否有社会或个人价值。"新颖"主要指不墨守成规、破旧立新、前所未有,这是相对前人而言,为一种纵向比较;"独特"主要指不同凡俗、独出心裁,这是相对他人而言,为一种横向比较。一般认为新颖性、独特性是创造性的根本特征。"有社会或个人价值",是指对人类、国家和社会的进步具有重要意义,如重大的发明、创造和革新;"有个人价值"则指相对于个体发展有意义,而非抄袭模仿。

透过创造性产品的特性,研究者一致认为人的创造性能力的最核心的表现和特性是,新颖性、独特性和具有社会或个人价值。

二 创造性思维能力的特征

创造性思维能力是创造力的核心成分。吉尔福特等人将创造思维的重要特征归纳为以下几方面[①],它们被认为是创造力的主要表现,同时作为测查创造力的主要内容。

（一）对问题的敏感性(sensitivity)

即容易接受新现象,发现新问题。

1. 对需要和困难的关注

个体一般很快就会注意到某一情境中存在的问题。例如,在一个人觉察到有作出某种改进的需要时,可以看出这种能力。他可能问:"为什么没人去发明一种装置来处理那种东西？"或者"为什么他们不为克服这一困难做些什么？"

相应地,一项旨在测量这样一种特性的测验,被称为"仪器测验"。每道试题都要求被试指出一台众所周知的设备（如打字机或电话机）需要作出的两项改进。超出仪器设备范围之外编写的另一项测验,被称为"社会习俗"测验,这项测验要求被试书面回答诸如离婚、营业税或全国选举等这类事物有什么不对。

2. 对奇特与不寻常的事情的觉察

对问题具有敏感性的另一种观念,涉及到对所遇到的奇特的、不寻常的或令人困惑的事情的觉察。一项测验,该项测验要求被试找出每道试题中的一个不同的问题。对被试只给一个一般的使用说明,要他对每道试题做出某种他认为恰当的反应。如此一来,每道试题就都是奇特的或不寻常的了。

3. 看出问题即语义涵义认知

一般来说,一项成功的对问题敏感性的测验,要求被试就目前

---

① [美]J. P. 吉尔福特著,施良方等译:《创造性才能——它们的性质、用途与培养》,北京,人民教育出版社,1991。

的情境看出需要做些什么事。事物本来的性质就暗示了需要做些什么。所暗示的某种事情就是一种涵义。觉察即认知,在大多数情况下,这种信息都是涵义信息。这种能力被置放在语义涵义认知(CMI)的位置。

有一种测验被称为"结果(effects)"测验。每道试题都提供某个趋势方面的信息,被试则要陈述该趋势的某些结果。例如告诉他,再过5年,女孩的出生数多于男孩(与传统的比例相反),20年后这将意味着什么?所预测的信息项目就是涵义。我们所知道的事物隐含着问题。"恰当的问题"是另一个测查看出问题的测验,这种测验向被试描述一些为满足一种需要而制定的计划,要求被试就将需要什么提出问题。例如,告诉他一些十几岁的男孩正在计划建造一个俱乐部会所,有两处地方可供选择,在决定会所建在哪里之前,他们应当提出些什么问题?提出这类问题,意味着已经看到了问题。

(二)观念的流畅性(fluency)

即思维敏捷,反应迅速,对于特定的问题情景能顺利指出多种反应或答案。

思维的流畅性,即为了满足某一特定需要而产生许多可供选择的信息项目。流畅性关注观念的质量,只考虑观念的数量多少。但是,一般说来,应该承认,提出种种可供选择的观念,会增加产生某些高质量观念的可能性。业已证明,对一般个体来说,在一长列观念中,较有价值的观念很可能到后面才出现。思维者在得到较有效的思想之前,必须先排除掉较简单的、较常见的思想。所以,如果有人把观念的流畅性看做对创造性思维无足轻重的话,那么,我要指出的是:他不了解事实。正如我们将要看到的,为了产生优异的成果,发散性加工能力常常是与有助于产生高质量观念的另一种很有价值的能力组合在一起的。

吉尔福特的研究表明,观念的流畅性与发散性加工才能相对应,发散思维加工是个体广泛地搜寻自己的记忆贮存,尽可能提取更多的信息项目,以实现某种需要。

他们在大量的分析中,使用了许多不同种类的信息内容和信息产品,最终证实了23种流畅性能力的表现。

(三) 思维的灵活性(flexibility)

即具有较强的应变能力和适应性,能灵活改变定向,发挥自由联想。思维的灵活性主要表现在:

1. 适应性

一种观点认为,灵活性是以对正在变化着的条件的适应性的形式来表现的。由此而编制出来的一项新测验,要求被试解决很简单的数值运算方程,但代数符号经常予以改变。在解决一组习题之前,先告诉被试用减号代替加号,用除号代替减号;做了这组习题后,又采用一对新的变化。

2. 摆脱惯性

有关灵活性的另一个于假设是,灵活性就是能够摆脱惯性,这表现在思维方向的变化上。一种称为"火柴问题"的测验,是根据一种用火柴搭出正方形的游戏设计出来的。一个问题可以是要求移动几根火柴,留下一定数目的完整的正方形。假定问题是移去4根火柴,留下3个正方形(见图27),得出了一种解决办法还比较容易,但要求以几种不同方式来解决这一问题时,就很困难了。

"火柴问题"测验中的图示。其中每条线表示一根火柴,火柴可以按照试题的说明移动。

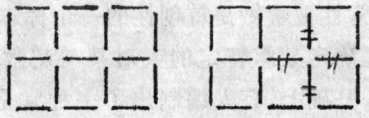

图27 火柴问题举例

3. 重新解释信息

有关灵活性的另一种假设是:灵活性即根据要求不断予以修正信息。个体在提出一种解决某个问题的办法时,这种方法不是刻板不变的,当它不能很好地符合最终的需要时,可以对它进行改进,使它成为满意的手段。在一项针对这一特定假设的测验中,我们为每一个问题选择一个具有若干种涵义的单词,例如"take"一词。被试要表明,他能够通过把这个词用在不同的表述中,说明这个词的几种意思。如果这个单词是"take",他可能会说"吃东西(take food)、娶亲(take in marriage)、欺骗(take for a ride)、做笔记(take notes)或服药(take a pill)"。这里,主要的能力应该是语义转化发散性加工。

4. 自发性

还有一种观念是,灵活性是指做不同事情时自发地改变心理定势。针对这一假设,设计了一种"砖块用途测验"。使用说明很简单:"在允许的时间内尽可能多地写出砖块的不同用途"。有些被试把砖块的用途局限在通常使用的范围内——建造这或建造那,等等。而另一些被试则更倾向跨入其他类别,能指出砖块的不同寻常的用途,如用砖块作砝码、武器、标记或磨料等。有些类别的用途,证明在智力结构中的语义门类发散性加工。

(四)观念的独创性、首创性(originality)

即产生新的非凡的思想的能力,表现为产生新奇、罕见、首创的观念和成就。

1. 不同寻常的联想

反应的不寻常性被看做是首创性的一个标志。测查不同寻常的联想的方法,是确定某组特定的人对某一刺激的某种反应有多大的共性,在这一基础上,有人编制出了一种常见的"单词—联想测验"。试题是一百个常见的单词,先用这些单词对一批大学生进行测试。先记下对每一个刺激单词作出的一系列不同的反应,然后确定被试列出每一个反应单词的频率,再根据这些频率,确定给对某个刺激单词作出的每一种反应的权数(频率越高的权数越低),从而对未来的反应也能给以适当的权数。被试所获得的总权数,就是他"不同寻常的联想"的分数。

2. 遥远的联想

具有首创性的人往往作出关系较为遥远的反应。遥远的反应可能是不寻常的,而且比不寻常反应更容易为人所识别。"后果测验"可用来测查这种表现。这项测验中的每一个问题,都简洁地描述一种极不可能出现的情境或事件。试题也许是这样陈述的:每一个人在一个偏僻的山谷中都会突然迷路。会发生什么后果呢?

(五)观念的转化、重组(redefinition)

即善于发现特定事物的多种使用方法。格式塔心理学家研究发现人常常是通过改变客体或语词的意义而成功地解决问题的。他们称这类事件为"重组"。研究认为重组有助于作出创造性表现,重组就是转化。

1. 隐蔽图形测验

隐蔽图形测验,要求被试找出镶嵌在大图形中的隐蔽的小图形。要找出小图形,就必须对某些线条加以重新界说,这些线条的其他用法必须加以改变。

2. 意义的转换

意义的转换就是语义转化辐合性加工,它的例子处处可见,如使一种熟悉的物品适用于不同寻常的用法。"新用途"是这种测验的一个例子。在该测验的每道试题里,向被试展示一张某个家庭里一间房间的照片。和照片一起呈现的,是要求被试根据所规定的目的想出某些物品的不同寻常的用法。在向被试展示一间像办公室的房间时,有一个问题是:"用什么东西作窗帘杆最好?"正确的答案是:灯杆,只要隔一段距离挂上一只灯泡就行。另一个问题是:"可以用什么来做个风筝?"正确的答案是:墙上挂着的那个精致的镜框里的一幅小的画。

"综合物体"测验也可测意义的转换,该测验中,列举两种普通的物体的名称,要求被试把它们两者结合起来,以适合某一特殊的目的。物体的类型应表示出某种最佳的用途。下面是这类试题的样本:

被结合的物体	最佳的用途
钳子和鞋带	钟摆
钉子和手杖	拣纸用的手杖
篮球和钢弹簧	练习拳击用的吊袋

还有一项测验称为格式塔转化,它属于言语类别。一道典型的试题是:"你认为最好是用什么来引火? A. 自来水笔,B. 洋葱,C. 手表,D. 铁锹,E. 保龄球。"正确答案是'C,因为表面玻璃可用作聚集日光的透镜。

三 儿童创造性活动倾向和性格的一般特征

过去。研究者们的注意力更多地集中在创造型儿童的能力问题上,而对其性格因素探讨较少。然而,自从50年代以来,已有越来越多的研究者认识到,儿童的创造性不仅仅局限于能力方面,也不单纯决定于固定的理性因素。创造性既包括创造性的能力特征,也包括创造性的性格、个性倾向的特征,它们都是创造性人格结构的重要组成部分,共同决定着创造性活动的方向和有效性。而且,后者对儿童创造力的发展有着重要的影响。于是,从那时起,研究者们便采用各种方法对创造型儿童的活动倾向和性格特征进行了大量的研究,从事业成就的角度研究了天才儿童的性格特征。

美国心理学家推孟追踪研究天才儿童数十年,他研究发现,天才儿童的一部分成年后成就很大,另一部分则成就一般。经过分析发现,前者具有四种共同的人格特征:完成任务的坚毅精神;自信而有进取心;谨慎;好胜心强。美国学者尼克罗认为,创造性人格特征包括:智力、觉察力、流畅性、变通性、独创性、怀疑、精密性、坚忍性、游戏心、幽默感、非依从、自信心等。

我国许多研究者也对创造性性格进行了研究和阐述。高玉祥认为①,坚定的目的性、行动的果断性、勇于克服困难的精神、不屈不挠的顽强毅力、丰富的感情、高度的责任感、勇于自我批评、自信心和勇于创新的精神等优良品质是与创造能力分不开的。周昌忠提出,创造个性有六个特点:勇敢、甘愿冒险、富有幽默感、独立性强、有恒心、一丝不苟。杨仲明指出,创造性人格最重要的特征有:勇于献身的精神、童心未泯、思想的灵活性、独立、果断、坚定、自制、幽默感强、对事业的巨大热情、难以满足的好奇心、无私的"给予"与奉献等。

综合国内外迄今为止的大量研究和论述,创造型儿童的一般活动倾向和性格特征可以概括为以下几个方面②:

(1)具有浓厚的认知兴趣。旺盛的求知欲是创造型儿童的典型人格特征,他们从小就好奇好问,爱追根究底,表现出浓厚的探求和学习知识的兴趣,时常到着迷的程度。

(2)情感丰富、富有幽默感。创造型儿童办事非常热心,对创造充满热情,对学习和创造活动有高度的责任感。但有时感情易冲动,似乎精力过盛比较调皮。创造型儿童还富有幽默感,这种幽默感同联想的灵活"思维游戏"的大胆几乎形影相随。它反映了一种内在的自由,没有这种自由,就难以进行创造。

(3)勇敢、甘愿冒险。创造型儿童敢于标新立异,敢于逾越常规,敢于想像猜测,敢于言别人所未言、做别人所未做的事情,宁肯冒犯错误的风险,也不把自己束缚在一个狭小的框框内。

---

① 高玉祥:《创造能力与性格品质》,载《心理学探新》,1985年第1期。
② 董奇:《儿童创造力发展心理》,199~200页,杭州,浙江教育出版社,1993。

(4) 坚持不懈、百折不挠。这种人格特征使创造型儿童能够持之以恒地把注意力集中在某个问题上,面对困难时,逆流而上,锲而不舍地思考、探索。

(5) 独立性强。创造型儿童善于独立行事,不盲从,对独立与自治有强烈的需要。他们深知自己是在复杂的捉摸不定的环境中进行创造性活动,因此,对已有的观点作出最后的判断和对自己的设想作出结论时,是十分审慎的。但这种独立性有时常常表现为对家长和教师的不顺从、不尊重,行为不合群,甚至破坏纪律。

(6) 自信、勤奋、进取心强。创造型儿童一般都很自信,他们坚信其创造活动的价值,在遭阻挠和贬斥时,也不改变其信念,而是努力克服一切障碍,去达到自己的理想和预期目的。他们勤奋刻苦,不仅勤于动脑,而且勤于动手。他们还爱在各方面与他人比,处处不甘落后。

(7) 自我意识发展迅速。由于创造型儿童智力发展好,因此,他们的自我认识、自我评价、自我体验和自我控制的发展水平,也常常超过同龄儿童。一般说来,他们能够正确认识自己,在自我评价方面,往往出现偏高的现象,但不会大起大落。在智力活动方面有较强的自控能力。

(8) 一丝不苟。富有创造力的儿童,都用严峻的眼光审视周围的事物,其中不少人把"一丝不苟"当做自己的座右铭。他们不满足于不完全确切的知识,遇到疑点和含糊不清的地方,喜欢刨根问底,不把问题搞个水落石出不会罢休。

与以上这些特征相对,在儿童性格中还存在许多不利于创造性发展的因素。总结大量研究得出与创造性性格和活动倾向相对的不良性格特点,主要有以下几个方面:

(1) 胆怯。胆怯常常导致儿童害怕困难、害怕失败、放弃努力,使儿童失去许多创造的机会,并在许多有可能获得成功的创造活动中失败。

（2）过分的自我批评。创造型儿童必须善于正确估价自己，过分地自我批评、自卑、消极的自我概念和自我无能力感会使儿童的思想不是过于呆板，就是缺乏想像力，最终导致创造力的自行封闭。

（3）懒惰。聪明才智、天才都来自勤奋，懒惰不仅使儿童无所作为，而且会严重阻碍儿童创造力的发展。

（4）从众。从前面的实验可知，从众的儿童由于心理承受力差，害怕发生问题与矛盾，害怕与众不同，易受外界影响，因而，倾向于不独立思考，不相信自己的创造能力，不相信自己的探索结果和结论，久而久之，就会变得惟命是从，人云亦云。

（5）狭隘。人格力量的充分发挥是建立在人格的完备性和整体性的基础之上的，性格狭隘，使儿童的人格结构不和谐，从而影响创造才能的发挥。

（6）刻板。刻板、固执和偏见使儿童目光短浅、思维僵化，往往不易接受新事物、新观点。

（7）骄傲。骄傲会使儿童观察力的敏感度与思维紧张度降低，好奇心、上进心减弱，使其缺乏创造需要和创造动机，创造性思维与创造性想像的能力也因此受到抑制。

四　不同创造类型儿童的活动倾向和性格特征

富有创造性的儿童除了具有上述一些共同的性格和活动倾向特征外，而且还由于他们擅长创造性活动的领域不同还表现出一些独特的性格特征，这一点已为心理学的有关研究所证实。以下主要从艺术活动、自然科学活动、社会科学活动和领导与社交活动等领域来看儿童创造性活动倾向和性格的主要特征。

（一）艺术类创造型儿童活动倾向和性格的特征

艺术类创造型儿童主要指在文学、音乐、戏剧、绘画、雕刻等领域表现出特殊创造才能的儿童。美国心理学家根据有关研究，将

艺术类创造型儿童的活动倾向和性格的特征归纳如下:
(1)具有较高的智能;
(2)真诚地推崇智慧与认知活动;
(3)尊重自己的独立与自主;
(4)非常灵敏,可以颇富技巧地将观念恰当地表达出来;
(5)作品丰富;
(6)对哲学问题很感兴趣;
(7)自我期望高;
(8)具有多方面的兴趣;
(9)具有超俗的思想,并有异常的思考与整合观念的能力;
(10)早期表现出超常的艺术才能;
(11)与人交往直率而坦白;
(12)行为合乎伦理与个人的标准;
(13)有时表现出焦虑以及由内心的创伤所引起的情绪不稳。

(二)自然科学类创造型儿童活动倾向和性格的特征

有关研究表明,自然科学类创造型的儿童具有以下活动倾向和性格的特征:
(1)情绪稳定;
(2)独立与自治需要强烈,爱自我满足、自我指导;
(3)具有高度的自我控制力;
(4)创新能力强;
(5)喜欢作抽象思考,求知欲望强烈;
(6)爱提意见;
(7)在思想上能不顾群体的压力,较少从众行为;
(8)与其他人关系比较疏远,态度比较超然,喜欢处理抽象的问题而不喜欢与人交往;
(9)喜欢揭开未知领域的奥秘;
(10)喜欢有秩序的和正确的事物,但也接受由矛盾和无秩序所产生的挑战。

(三)社会科学类创造型儿童活动倾向和性格的特征

马斯洛等用整体分析法进行的研究表明,社会科学类创造性活动倾向和性格的特征是:

(1)能敏锐地、准确地观察现实,与现实的关系比较协调;
(2)能接纳自己、他人和自然;
(3)情感流露自然;
(4)以问题为中心而不以自我为中心;
(5)有超然处世的品质和独处的需要;
(6)具有自主的、独立于环境和文化的倾向性;
(7)永不衰退的欣赏力;
(8)有洞察玄奥的能力和物我两忘的感觉;
(9)具有和所有的人打成一片的倾向;
(10)仅和为数不多的人建立深厚的个人友谊;
(11)有接受民主价值的倾向;
(12)具有强烈的审美意识;
(13)具有非敌意性的富于哲理的幽默。

(四)领导与社交类创造型儿童活动倾向和性格的特征

各种早期与近年来的有关研究表明,领导与社交类创造型儿童具有以下几方面活动倾向和性格的特征:

(1)经常介入某种社会事业中,主动积极地工作;
(2)很受同伴欢迎;
(3)很容易与儿童和成人产生相互影响;
(4)很容易适应新环境;
(5)有能力控制别人;
(6)倾向于对别人的主意和决定抱有希望;
(7)倾向于最先被同伴选中;
(8)能很好地承担责任;

(9) 拥有如何完成任务的知识;
(10) 能很好地表现自己的能力;
(11) 喜欢有别人围绕自己;
(12) 具有激励他人积极行为的能力;

五 创造性思维方式

创造性的思维方式是介于创造性性格特征和能力特征之间的心理特征,是创造性性格在思维形式上的体现,是从另一个角度强调创造性性格特征的重要,也有人称其为创造性能力的外部特征。创造性思维方式可以归纳为开放性、多向性、动态性这样几点:

(一) 开放性

开放性的思维方式是指要不断增加对世界认识的渠道,不断增加对世界认识的角度,要把自己置身于整体环境之中,纵横一体地比较、认识事物,思考问题,不断地增加自己和外界的联系,不断地输入、输出和转换,内联外引,通达畅晓,以使活力增强,反应迅速。思维对象是全方位的,开放的。封闭、单向、求同的思维模式无法带来思维的突破,只有将思维方式由封闭性转向开放性,才能有所创造,取得成功。

(二) 多向性

多向性的思维方式是指通过多种多样的思维活动,从思维的各个层次出发,对事物进行多角度、多方面、多因素、多变量的系统考察,这是一种综合性的思维。多向性思维方式是客观世界的普遍联系在思维中的反映,只有多向性才能正确地再现多维的世界。在创造性活动中,往往是把两种似乎没有联系的事物联系起来,从而取得新的突破。成功的创造必然有多向性思维方式的作用。

多向性表现在善于从不同的角度考虑问题。此路不通时,就另辟新道。主要有以下几种方式:①发散,即一个问题,多种设想,扩大选择余地;②换元,即事物往往由多种因素决定,就是多元性,变换其中一种或几种因素(换元),即可取得成功;③转向,即一方受阻,转向另一方,多次转向,直到获得成功;④创优机智,即在已经获得成功的条件下,也不满足,寻找更优的方案和结果。

(三)动态性

人类社会是处在不断地运动变化过程中的,与此相似,动态性的思维方式是一种运动的、调整性的、不断择优化的思维活动,它的根本特点是根据不断变化的环境、条件来改变自己的思维程序、思维方向,达到优化的思维目标,从而适应事物的动态多变,调控事物的发展过程。动态思维也是思维灵活性的体现。这种思维方式是开拓创造、取得成功的重要因素。

动态思维方式表现在思维的连动性上,即"由此思彼"的连动思维,它常以三种形式出现:①纵向连动,发现现象,向纵深方向探究产生这种现象的原因,做出突破性发现。对偶然事件的敏感程度,取决于纵向连动思维能力的强弱。②逆向连动,看到现象,想到它的反面,因为许多事物是互为因果的,这是一种从已知发现未知的重要方法。③横向连动。看到现象,联想与这种现象相似、相关的事物。许多发明创造都是从横向方面得到启示而做出的。

第三节 小学生创造性心理特征的形成与培养

一 小学生创造性心理特征的发展

儿童创造性心理特征的发展是与儿童整个心理各个方面的发展密不可分的,它受儿童心理发展总的规律的影响,在各个发展阶段也表现一定的特定特征。下面主要讨论创造性的发展。

从六七岁进入小学,儿童便开始进入学校从事正规的有系统的学习,学习逐步成为儿童的主要活动。在五六年小学的学习过程中,儿童不断地理解和掌握人类关于自然和社会的知识经验、基本技能和行为规范。同时,儿童的各种心理过程的有意性和抽象概括性也随之获得发展。通过学习活动,儿童逐步掌握读、写、算这些最基本的知识技能,掌握大量的间接的知识经验,学会通过分析、综合、比较、抽象、概括来掌握概念,学会自觉地、有意识地进行逻辑判断和推理、论证,这些大大促进了儿童书面语言和逻辑思维能力的发展。此外,儿童比较稳定的一些个性倾向和品质也形成和发展起来。总之,小学儿童在心理上出现了巨大的变化,小学因此被称为儿童心理发展上的一个重大的转折时期。

在小学儿童心理各方面发生变化和发展当中,创造性的发展是一个重要方面。根据小学儿童的身心发展特别是想像和思维的发展的特点,我们认为,小学期是儿童创造力发展的有实质性进展的新阶段。

(一)小学儿童创造性想像发展的特点

其一,小学儿童的想像兴趣发生转移、有意想像增强。儿童入学后,在教师的影响下,想像获得了进一步的发展。一方面,小学儿童的有意想像逐步发展到占主要地位。在教学活动中,教师常常要求儿童按照教学的目的进行符合教材内容的想像,这使得儿童想像的有意性、目的性迅速地增长起来。同时,小学儿童的想像逐步地符合客观现实,这使儿童原来在神话和童话中表现出来的想像兴趣向其他领域转移。

其二,小学儿童创造性想像的概括性、逻辑性也有了初步的发展。小学儿童从低年级到中高年级,想像逐渐由简单、零散、内在逻辑较弱向系统化、逻辑化转变。

(二)小学儿童创造性思维发展的特点

儿童心理学研究指出,小学儿童思维发展的基本特点是,从以具体形象思维为主要形式逐步过渡到以抽象逻辑思维为主要形式。虽然小学期的抽象逻辑思维主要属于初步逻辑思维,在很大程度上还具有具体形象性,但小学儿童的思维确实获得了初步的完善和发展。在小学阶段,儿童形成了初步的抽象、概括、比较、分类、具体化和系统化能力,掌握了一定的概念,并且逐步深刻化、丰富化和系统化,学会了进行初步的判断和推理,表现出较完整的思维过程。同时,小学儿童思维逐步具备明确的目的性,思维的监控和自我调节能力也日益加强。

随着小学儿童思维的各种形式发展、变化,小学儿童思维的创造性也在不断发展,并呈现出一定的特点。有人根据对创造性水平较高的小学儿童及其作品的分析研究后认为,小学儿童思维的创造性发展有如下特点:

其一,思维的独立性与依赖性的矛盾。85%的小作者在写作论文过程中,受到成人的帮助,但每篇小论文都凝聚着他们独立思维的智慧。

其二,思维的深刻性与肤浅性的矛盾。小学儿童的思维还十分肤浅,但思维深刻性在创造活动中也时有体现。

其三,思维的流畅性与滞涩性的矛盾。小学儿童联想自然、想像活泼,往往导致新的发现。但在创造活动中,由于知识经验的缺乏、思维方法的单一、习惯性思维的束缚,也常有思路中断或进展缓慢的滞流状态。

其四,思维的发散性与单一性的矛盾。发散性思维与单一性思维在小学儿童的活动中往往此起彼伏,有时思路较广,有时钻入死胡同而很难自拔。

其五,思维的能动性与不随意性的矛盾。一方面他们都能使思维始终指向于明确的创造对象和研究主题;另一方面,他们还不能自觉地运用科学的思维方法指导创造活动,不随意的思维、波动的思维的惰性仍占有较大的成分。

(三)小学儿童创造性的发展进程的特点

小学儿童创造性的发展是一个受各种因素制约的复杂的动态

进程。许多学者采用不同的方法对此进行了研究,结果一致发现,小学儿童的创造力呈持续发展趋势,但并非直线上升,而是波浪式地前进。

其中最有代表性的是美国心理学家托兰斯的研究。他在美国明尼苏达州对小学一年级学生至成年人进行了大规模有组织的创造性思维测验,他得出了关于儿童创造力发展的动态过程的结论:小学一至三年级呈直线上升状态,小学四年级下跌,小学五年级又恢复上升,小学六年级至初中一年级第二次下降,以后直至成人基本保持上升趋势。

日本学者潼次武夫以小学二至六年级学生为对象,对他们的创造性思维的流畅性、变通性、独立性进行测验。结果显示:整个创造性思维呈发展趋势;流畅性最高,独立性最低;四年级学生创造性思维最低,五年级最高。因此,潼次武夫的研究与托兰斯的研究结论基本一致。

如何解释在小学儿童创造力发展到四年级时出现创造力下降的现象?托兰斯根据他的研究进一步指出,人的创造力发展进程中总共有四次突然下降或停滞的创造力"低潮",依次为5岁、9岁(相当于小学四年级)、13岁和17岁。在5岁时,儿童会丧失他们的好奇心、想像力和学习热情;在9岁时,儿童变得十分注意使自己和同伴保持某种一致性,并放弃自己许多有创造性的活动;到13岁,儿童再次表现出对行为规范的一致性趋向,而思维则变得更为稳健、平常。

关于儿童创造力发展中的"低潮"现象,研究者们的意见较不一致。他们有的认为是生理原因引起的。如罗莉认为,13岁正是向青年期过渡的年龄,由于初进青年期带来的一系列变化,儿童内在情绪时常波动;儿童初期的生理平衡被打破,导致了心理发展的不稳定。有的从心理原因上来解释。例如有的研究者认为,四年级学生的心理开始出现明显变化,开始交友,结伙成群,思想、言行、仪表、衣着讲求一致,而且男女开始有别。所有这些必然会抑制儿童个性和创造性思维的发展。再如,托兰斯发现,大部分9岁儿童不再依靠来自成人的判断和信息,而开始依靠他们的同伴,同时对判断和评价的兴趣也提高了。由此他认为,创造力出现"低潮"的直接原因是与同伴保持一致的压力。还有的研究者认为这种现象是由教学原因所致,包括教学内容、思想、方式、组织形式、教师素质以及整个教学环境等等。比如,四年级学生正进入高小阶段,教学内容由直觉形象思维转为语言逻辑思维。这种变化学生不能立即适应,致使创造性思维水平一时下降。

对儿童思维品质的研究结果表明[1],小学儿童在运算中思维的敏捷性和灵活性是稳步发展的,尚未发现有"突变"或"转折点"。小学儿童思维的独创性比其他思维品质的发展要晚、要复杂,涉及的因素更多。因此,既不能忽视小学阶段,尤其是高年级儿童思维独创性品质的发展与培养。

二 影响小学生创造性心理特征形成的主要因素

在儿童创造性心理特征或人格特征的形成和发展过程中,除了先天遗传的因素外,主要影响因素是家庭、教育等外部因素和与创造性的形成密切相关的个体内在的心理现象。这里主要讨论自我意识、知识和动机等内在心理现象与创造性形成的关系以及家庭和学校教育等外在环境与儿童创造性形成的关系。

(一)自我意识、元认知与创造性

自我意识是个性的重要组成部分,它的发展水平标志着个性形成和发展的水平。所谓自我意识,简单地说就是对于自己本身和别人与自己及自己与社会关系的意识。元认知是人对认知活动

---

[1] 林崇德:《小学生运算思维品质培养的实验研究》,载《教育研究》,1983年第10期。

的自我意识和自我调节，是自我意识在认知活动中的体现。

在个体一生的发展中，自我意识很早就产生了。1岁左右的儿童开始把自己的动作与动作的对象区分开来，这是自我意识的最初表现。2岁以后的儿童开始掌握代词"我"，这是自我意识发展的标志。在学前期和小学期，儿童的自我意识进一步获得发展，自我评价、自我体验、自我控制依次产生并形成和发展起来。我国韩进之等人通过问卷调查认为，小学生自我意识的发展趋势是随年龄增长从低水平向高水平发展的。

由此可见，小学生的自我意识是不断发展的，但不是直线的、匀速的，既有上升的时期，又有平稳发展的时期。

（1）小学一年级到小学三年级处于上升时期，小学一年级到小学二年级的上升幅度最大，是上升期中的主要发展时期。小学二年级到小学三年级的差异也达到显著水平，在上升期中属次要地位。这是因为学校的学习活动进一步加强了儿童对自己的认识，如考试成绩的好坏，教师对自己的评定，同伴对自己的接纳性等等，都使儿童从不同角度对自己有了新的认识，而学习活动对儿童的自我监督、自我调节和自我控制等能力有了更进一步的要求，从而促使儿童的自我意识有了很大的发展。

（2）小学三年级到小学五年级处于平稳阶段，其年级间无显著差异。

（3）小学五年级到小学六年级又处于第二个上升期。在小学中年级，儿童的抽象逻辑思维逐渐发展起来，其辩证思维也初步发展起来，这就促使儿童的自我意识更加深刻。他们不仅摆脱对外部控制的依赖，逐渐发展了内化的行为准则来监督、调节、控制自己的行为，而且开始从对自己的表面行为的认识、评价转向对自己内部品质的更深入的评价。这就使小学生的自我意识的发展达到一个新的水平。

以上研究发现的儿童自我意识的发展进程规律与创造性的发

展进程的特点基本吻合。托兰斯提出人的创造力发展进程中总共有四次突然下降或停滞的创造力"低潮",依次为5岁、9岁(小学三四年级)、13岁(初中一二年级)和17岁(高中二三年级),其中学龄期的三次"低潮"——小学三四年级、初中一二年级、高中二三年级,正好与自我意识发展的三次平稳期——小学三年级至五年级、初中一年级至三年级、高中一年级至三年级相一致。这在一定程度上表明了它们二者之间具有相互影响的连带关系。

自我意识主要包括四种形式,它们是自我概念、自我评价(独立性)、自我体验(自尊心、自信心、自卑感等)和自我调控(坚持性等)。其中独立性、坚持性、自信心、自尊心、自我控制等许多方面与创造力关系十分密切,中学生自我意识的变化对其创造力的发展有着不可忽视的影响。

心理学研究表明,创造性思维和自我概念存在高相关。戴塔(Datta)对一群儿童先实施创造性思维的测验,接着对他们在自我概念方面的基本特征加以测定,发现在自我认可、独立性、自主性、情绪坦率上水平高的被试,在创造性思维测验上也同样得高分。

库帕史密斯(Coopersmith)用问卷、评价、谈话等多种方法研究了儿童的自我概念与能力及学业成绩的关系。结果发现,自我概念和智商的相关达到了显著性水平;高自尊的儿童具有善于表达、热心于课堂讨论、不怕挫折与极少忧虑等特点,而低自尊的儿童则相反。后来,他总结了这方面的研究后指出:自尊与某种把问题分解为各组成部分的分析性思维有关;与创造能力有关;与参与讨论和表达意见的能力有关;与完成任务的坚持性有关;与在挫折条件下保持恒定知觉结构的能力有关。由此可见,自尊、自我概念与创造力有着密切的关系,并从个性角度影响着创造力的发展及表现。前面已指出,中学生自我意识(包括自尊、自我概念等)的迅速发展,在一定程度上直接影响着其创造力的发展。换句话说,中学生创造力发展的表现特点及原因在一定程度上与其自我意识的发展直接相关联。

元认知作为自我意识的体现形式,在认知过程中起着重要的监控和调节的作用,元认知能力被认为是认知能力和智力中的核心和上位成分。同样,它与创造活动也有密切关系。董奇通过实验研究证实了这一点。他们曾结合中小学的语文阅读进行研究[①],主要探讨了元认知监控与思维的灵活性、独创性等品质的关系。研究以小学四年级、六年级、初中一年级、高中一年级(年龄在10~17岁)学生为被试。结果发现,阅读中思维的灵活性、独创性的发展与元认知监控能力的发展水平之间有显著性相关。

(二)知识与创造性

创造性,尤其是创造力与知识之间的关系问题是创造力研究者们长期争议的十分重要的问题之一。

创造性是人类产生、发展的基本源泉,不论对于人类,还是个体,创造性始终是其发展的基本特征。这里所谓的知识是指存在于个体头脑中的言语信息,是个体的内在心理现象,构成了智力活动的一部分。一定的言语信息反映了人类生活和实践经验的总结,是人们吸取新信息、解决问题的基础。世界上任何发明创造都开始于原型启发,都建立在相应的一定知识经验之上。由于个体所具备的知识经验的不同,其创造性的表现也会有所差异。当个体的知识水平比较低、知识比较单薄时,其创造性的表现也受到影响。而当个体知识越丰富,产生新设想、新观念的可能性就越大,创造力也就越高。对文化和社会具有极罕见和突出意义的创造力的最高形式,只有在拥有最大限度的信息时才能达到。

当然,我们也常看到,一个人具有很渊博的知识,但他的创造性却很小。似乎很有学问的人对一个物体的传统的或老一套的意

---

① 董奇:《元认知与思维品质关系性质的相关实验研究》,载《北京师范大学学报》,1990年第1期。

义,受到了过多的训练,这种功能上的固定性,极大地阻碍了他从新的角度去思考,导致创造力水平下降。

实质上,知识对创造性的影响并不主要体现在知识的量和深度上,更主要的是在知识的质和构成方面。知识的质通常指知识结构的合理性程度。现代心理学认为,合理的知识结构有利于同化旧有的知识或概念,形成新的观点和概念,合理的知识结构一般包括一定的基础理论知识,较深厚的专业知识,广泛的邻近学科知识及有关方面的科学技术发展状况的前沿知识。并且,合理的知识结构至少具备以下特点。①具有高度准确、着眼于联系的概念。创造离不开概念的结合,概念越明确,联系功能越强,新的观念就越容易形成,创造性思维就越容易展开。②具有双重的知识结构。包括按照逻辑关系建立的微观结构和在此基础上建立起来的以主题为中心的从一般到特殊的宏观结构。这样的结构因加强了联系的可能更有利于创造。③具有大容量的知识功能单位。知识功能单位指的是一组在内容上有必然逻辑关系的信息。知识功能单位容量越大,思维的跨度越大,跳跃性越强,创造的可能性也就越大。④具有大量程序性而不是事实性的知识。事实性知识往往就事论事;而程序性知识则只要求明确条件和线索,因此相对来说,其适用性较广,迁移性较强,较有助于创造。由此可见,知识结构越合理,知识的质量越高,创造越易产生,创造力也就越高。⑤具有多元的知识。独创性常常在于发现原来被认为彼此毫无联系的设想或对象间的联系或相似之点,而要做到这一点,没有丰富的知识和广阔的知识面常常是不大可能的。有重要的独创性贡献的科学家多半是兴趣广泛的人,或者是研究过他们专业之外知识的人。

因此,在学校教育中,单纯追求知识的量,无益于创造性的培养,因为创造并不能从现有的知识仓库中找到现成答案;而且靠死记硬背、墨守成规积累起来的知识还会产生顽固的惰性作用,阻碍创造力的发挥。在教学中教师应努力使学生掌握合理的知识结构,对知识有透彻的理解和把握。在合理的知识结构中,知识越丰富,思考时就能从更多的方面、层次、角度去考虑,灵活性、变通性就越大,创造性观念也就越容易产生。

(三)动机与创造性

1. 内在—外在动机与儿童创造力

从动力来源看,动机有内在动机与外在动机之分。所谓内在动机,就是指由儿童内在的需要而引起的动机。外在动机是指儿童在外界的要求和外力的作用下所产生的行为动机。例如,儿童为了得到父母或教师的奖励或避免受父母或教师的责备而进行某项活动。

尽管内在动机和外在动机都可以成为激发和维持儿童创造活动的创造动机,然而,许多经验事实和心理学研究业已证明,内在动机更有利于儿童创造活动的产生和创造力的发挥和发展。美国学者哈特曾从五个方面描述了在课堂学习中内部动机定向的特征:学习完全是出于好奇心而不是为了取悦于老师;学习是为了自我满足而不是为了得到好分数;喜欢挑战性工作而不是选择容易完成的工作;渴望独立工作而不是依赖教师的帮助;根据自己内部标准而不是他人的外部的标准来评价工作的成败。有关研究结果发现,内部动机使儿童更喜欢挑战性的、有乐趣的工作,而外部动机则使儿童倾向于简单的、容易的工作。因此,内部动机更有助于儿童进行创造活动,发展和提高创造能力。

综上所述,与外部动机相比,内部动机更有助于儿童创造力的发展和提高。原因在于,具有内部动机的儿童主要受好奇心、兴趣、满足感等驱动,在这种情况下,他们往往就会对问题更敏感,就会不计代价、更努力地去解决问题。而具有外部动机的儿童则主要把注意力放在取得外部奖赏或避免惩罚上,这常常会分散儿童的精力并有可能损害儿童的内部动机,从而阻碍儿童创造力的发挥与发展。

2. 成就动机与儿童创造力的发展

成就动机是指人们希望从事对他们有重要意义的活动,并在活动中克服障碍、施展才能以力求取得圆满结果的一种动机。例如,学生希望自己在考试中获得好成绩,能名列前茅,在体育比赛中能取得好的名次。通常,成就动机包含了两种倾向,力求成功的倾向和避免失败的倾向。这两类成分不同程度、不同强度地有机结合便构成了各种各样的成就动机。成就动机具有明显的个别差异,不仅表现在成就动机的强度上有水平高低之分,而且还表现在成就动机的成分上有结构的不同。如某些人的动机中,避免失败的成分比力求成功的成分要多一些,而在另一些人的动机成分中力求成功的成分则比避免失败的成分要多一些。前者成就动机要强于后者。

心理学家们从不同角度对成就动机的作用进行了许多研究,成就动机的强弱影响到个体对活动的选择和在活动中的坚持性。成就动机强的人常常选择成功概率约为50%的任务,因为这种选择能给他们提供最大的现实挑战。完成这样的任务可能获得更多的创造机会,更可能有所创新和创造性地解决问题,而且成就动机强烈的人往往愿意并尽力花费更多的时间和精力去从事活动,努力达到目的。成就动机弱的人常常倾向于选择非常容易或非常困难的任务,选择前者可免遭失败,选择后者即使失败也可找到适当的借口,避免失败者不适合进行创造活动。

费伦奇和托马斯通过让被试解决复杂的学习问题的研究发现,具有强烈成就动机的学生比成就动机低的学生学习劲头高、学习毅力好。温特的研究探讨了成就动机水平和数学学习的数量、质量的关系,结果发现,成就动机水平高的学生即使在没有时间限制的情况下也能够快而准地解决许多数学题。韦纳和库克的研究表明,成就动机高的被试在学习失败时,仍然比成就动机低的被试有较大的学习热情、信心和努力行为。由上可见,成就动机与学习毅力、学习效率、学习成绩有着正相关。如前所述,学习是儿童创造力发展的基础。成就动机对学习的重要影响必然间接地影响着儿童的创造力发展。

麦克勒伦对不同强度的成就动机与创造性解决问题进行了直接的研究和分析。结果发现,成就动机高的人喜欢对问题承担个人责任,能从完成任务中获得成就满足感,勇于毛遂自荐,热衷于担任富于开创性的工作,并在工作中敢于创新。在解决问题时,成就动机高的人毅力强,常倾向于将自己的失败归因于努力不够而不是归因于任务太难或运气不佳,在受到挫折或失败之后,会加倍努力,直至成功。

还有研究发现成就动机的形成与创造性的发展都与独立性的培养有着一定的相关。有人发现,父母允许孩子独立活动,允许他们有自己的主张、选择和决定权,并适时给予奖励,将有利于他们成就动机的发展。相反,如果强迫孩子去进行活动,并且不给予奖励,则会阻碍他们成就动机的发展。也就是说,发展独立性是培养成就动机的一个重要条件。而独立性同时也是创造力发展必不可少的条件和因素之一。

(四)家庭与儿童创造性的发展

影响儿童创造性形成的外在因素就是环境因素,主要包括家庭、学校和社会。

现代社会普遍认识到培养儿童创造性的重要意义和价值,并力图从多角度去认识儿童,认识儿童心理潜能的开发,努力为儿童的创造潜能的发展提供条件和机会,采用多种途径、多种方法来鼓励、培养儿童的创造性。社会对儿童创造性发展的影响作用最直接的是通过一些具体的社会教育渠道,如少年宫、青少年之家、少儿活动站、奥林匹克学校、业余培训学校等,其中活动方式丰富多彩,如各类竞赛、游艺、讲座、夏令营等,它们是学校教育的补充,对儿童创造力发展所起的积极的促进作用是非常明显的。除此之外,社会作为大环境为儿童的发展提供了基本背景和条件,以文化背景、舆论氛围等形式渗透在家庭和学校教育中,通过家庭和学校的折射对儿童创造性形成发挥作用。

对儿童发展影响最早、最直接的无疑是家庭,儿童初中以前,家庭始终是最主要的影响因素。随着儿童进入小学,学校教育的影响逐渐突出,尤其在初中后,学校教育中的各个因素对儿童创造性发展起到更关键的作用。

综合有关研究结果,创造型儿童的父母及家庭教育方式一般有如下特征:

第一,父母具有民主的、宽容的而不是专断的行为风格和态度,尊重自己的孩子,相信孩子有能力做好事情;让孩子独立地、积极地生活。对规定和限制做出解释,适时地把对孩子的希望表达出来,并恰当运用奖罚手段。

第二,父母都具有很强的独立性,而且与孩子没有强烈的感情联系,孩子很少有过分依赖和害怕被抛弃的心理特点。

第三,父母常常是孩子有效的行为模范,而且父母的特征与其同性别孩子的创造性有着更为密切的关系。家里提供丰富的刺激材料,家长能与孩子一起从事学业方面的活动。

第四,重视社会所要求的内部特征而不是外部特征。

(五)学校与儿童创造性的发展

在儿童创造力的发展过程中,学校较之家庭来说,具有更为重要的意义。学校教育是一种有目的、有组织、有系统的教育,在影响儿童创造力发展、潜能开发的诸因素中居主导地位。

1. 教师的类型、特征与儿童创造性的发展

在教学过程中,教师的教在很大程度上决定了儿童的学。一方面,儿童创造力的发展具有极大的潜在可能性。教师的教学工作可以促使儿童的这种潜在可能性向现实性转化。另一方面,教

师本身所具有的能力结构和性格对儿童的发展也产生着潜移默化的影响。根据教师能力和性格的多样性,可以将教师划分为不同的类型,各种类型的教师在儿童创造力发展过程中所起的作用是不同的。

布拉弗德和李波特等人曾系统探讨了四种类型的教师和可能导致的学生反应,研究结果参见表一。[1]

教师的类型、特征与学生的反应

教师类型	教师的特征	学生对这类教师的典型反应
强硬专断型	1. 对学生时时严加监视。 2. 以严厉的纪律要求学生。 3. 很少给予表扬(因为这样会宠坏儿童)。 4. 没有教师监督,学生不可能自觉学习。	1. 屈服,但一开始就厌恶和不喜欢这一类型的教师。 2. 推卸责任是常见的事情。 3. 学生易怒、不愿合作,且背后伤人。 4. 教师一离开课堂,学习就明显松垮。
仁慈专断型	1. 不认为自己是独断专行的人。 2. 表扬学生并关心学生。 3. 其专断症结在于其自信,"我喜欢这样做"或"你能给我这样做吗"是他的口头禅。 4. 以我为班级一切工作的标准。	1. 大部分学生喜欢,但看穿其行为的学生会恨他。 2. 在各方面都依赖教师——在学生身上没有多大创造性。 3. 屈从,缺乏个人发展。 4. 班级工作布置可能是多的,而质也可能是好的。

---

[1] 邵瑞珍主编:《教育心理学》,上海教育出版社,1988。

续表

教师类型	教师的特征	学生对这类教师的典型反应
放任自流型	1. 没信心,认为学生爱怎样就怎样。 2. 很难做出决定。 3. 没有明确目标。 4. 既不鼓励也不反对学生,既不参加学生活动,也不提供帮助或方法。	1. 不仅道德品行差,学习也差。 2. 学生中有许多"推卸责任"、"寻找替罪羊"、"容易激怒"的行为。 3. 没有合作。 4. 谁也不知道应该做些什么。
民主型	1. 和集体共同制定计划和作出决定。 2. 在不损害集体的情况下,乐意给个别学生以帮助、指导和援助。 3. 尽可能鼓励集体的活动。 4. 给予客观的表扬与批评。	1. 学生喜欢工作,喜欢同别人尤其喜欢同教师一道工作。 2. 学生工作的质与量都很高,创造力发展迅速。 3. 学生互相鼓励,且独自承担某些责任。 4. 不论教师在不在课堂,学生都有着巨大的创新动机和热情。

上述研究结果表明,民主型教师的学生在创造性发挥的程度、完成的工作量、道德发展水平和与教师的友好关系等方面,都较其他各组发展得好。

2.课堂教学模式与儿童创造性的发展

研究课堂教学模式与儿童创造性的关系,主要集中在开放课堂和传统课堂之间的差异上面。

开放课堂是一种教学模式,包括空间上的灵活性、学生对活动的选择性、学习材料的丰富性、课堂内容的综合性、更多的个别或小组教学。开放课堂形成了一种气氛,它有助于儿童进行批判性的探究,发展好奇心和冒险精神。传统课堂教学中的典型特征是考试、评分、大班教学,课程呆板,频繁进行集体阅读和练习。其中课程呆板、评价单一表现在教师总是按照自己的意图执教,当学生提出出乎教师意料之外的想法和思路时,教师往往不予理睬,甚至予以贬斥;教师往往较多地关心成绩较好的学生,学习较差的学生因此而受到来自教师和成绩较好的学生的心理上的压力;教师提的问题又往往过细、过死,思维的容量很小,压抑了学生的创造性思维;教师进行以记忆为目标的训练过多,致使学生形成了以记忆代替思维的习惯。

哈登(Haddon)等人对开放课堂与儿童创造性发展的关系进行了研究。研究者选取了200名社会经济地位相似的儿童,他们一半来自实行传统教学的小学,一半来自实行开放教学的小学。各种创造性测验结果表明,非正规学校的儿童的成绩始终较好。在以后的追踪调查中,结果显示开放课堂出来的学生,在他们离开小学4年后,其发散性测验的成绩仍然超群。

高耶尔的研究发现,开放课堂中儿童在思维的流畅性、灵活性和独创性方面,比中间型课堂里的儿童得分要高,而后者又比传统课堂里的儿童得分要高。开放课堂里的儿童,在无限制测验中得分也较高。进入开放课堂学习仅8个月的儿童在解谜测验中,其流畅性和独创性得分都明显超过后两类儿童。

苏里汶的有关研究也发现,在两个吉尔福特创造性思维测验中,开放课堂的儿童比传统课堂的儿童得分要高。而且,在一个讲故事的活动中,开放课堂的儿童使用的语言较生动,在句子结构上变化较大。在自我评价的问卷中,不同课堂的儿童报告的工作方式有显著差异。开放课堂儿童认为他们更喜欢独立完成家庭作业,独立制作东西,在今后的努力方向上需要帮助,希望学习不要有什么固定计划等等。

分析以上研究我们可以看到,在开放课堂里,由于较少外部限制,这就鼓励儿童不去关心如何取悦于教师、如何比其他学生学得好以及分数的高低,而是把自己的注意力集中在玩、运用材料和观念进行富有创造性精神的探索上。所以,较不正规、开放的课堂环境要比较正规、传统的课堂环境更有利于儿童创造力的发展。

3. 同伴关系与儿童创造力的发展

儿童的同伴关系是在共同的兴趣和态度基础上自发形成的。

儿童的创造方法与技巧,除了从成人那里模仿学习之外,可以说还有相当一部分是在与同伴交往过程中从同伴那里学习来的。儿童在与成人的交往中,成人一般是具有权威性的,在一定程度上影响了二者之间的平等交流,而在同伴团体中,儿童处于一种平等、非权威的气氛中,儿童之间具有极大的吸引力,他们互相模仿,学习对方的创造方法和技巧。早期研究表明,按能力水平编班,优秀儿童能够参加更多的创造性活动,学校生活使他们感到振奋。

然而,在有的情景中同伴的压力也会阻碍儿童创造力的发展。托兰斯发现,在3年级以后,小学生的创造性测验成绩持续下降。经过系统调查,他指出这种暂时下降的原因是,儿童在四年级前后表现出一种与同伴保持一致的趋向并逐步增加,这种不断增长的与同伴保持一致的压力将大大降低儿童在探求新的灵感思路方面的积极性。

三 创造性心理特征培养的基本原则

儿童创造性的培养和开发涉及很多方面,学校是培养儿童创造性的基本教育途径。在学校教育中,教育者要达到有效地培养儿童创造性的目的,必须从基本的出发点和根本观念上澄清一些问题,这些关键问题有些还未被意识,有些则被一些错误的认识所掩盖,不排除这些盲点或误区,建立对儿童创造性及其培养的新观念,儿童的创造性就很难在学校得到真正的培养和发展。下面以三条基本原则来概括这些基本观点。

(一)面向全体儿童

创造性的培养面向全体儿童,相信每个儿童都有创造的潜质。

传统的学校教育中,总把创造性的培养作为高层次和高规格的教育,只有重点中学或学习成绩优异的学生才可能有余力接受创造教育,也只有出类拔萃的重点中学才理直气壮地喊出创造教育的口号,其他学校或学生则无力问津。这种认识是我们必须首先摈弃的。我们所倡导的创造性的培养绝不是某些人或某些学校的专利,它适用于每一所学校、每一个孩子。最大限度地促进所有儿童的创造性,是创造性培养和发展教育的宗旨。

当代心理学对创造性的研究成果,正改变着人们关于创造性的基本认识。其中最重要的一条就是,创造性并非只有科学家、发明家才具有,每个人都有一定程度的创造性,都在进行某种创造性的活动,每个儿童都具有创造的潜能。支持这一新观念的最主要的论据是,创造性具有多元性。

首先,创造性能力不是单一的,它具有多元性。这一结论基于对智力多元性的研究。当前,人们已渐渐突破了狭隘的智力观,认识到智力不再局限于传统智力测验所主要涉及的言语能力和逻辑推理能力,智力具有多种类型和多元结构。

其次,创造性性格和活动倾向在儿童身上的表现也不是千人一面的,它同样具有多元性。正如前面提及的,不同领域中具有创造性的儿童的创造性性格和活动倾向方面有一些重要区别,如艺术类创造型儿童有非常灵敏可以颇富技巧地将观念恰当地表达出来,与人交往直率而坦白,有时表现出焦虑以及情绪不稳等特点;自然科学类创造型儿童有情绪稳定、独立与自治需要强烈、具有高度的自我控制力、喜欢作抽象思考、求知欲望强烈、爱提意见、较少从众行为及不大喜欢与人交往等特点;社会科学类创造型儿童有能敏锐地、准确地观察现实,与现实的关系比较协调,能接纳自己、他人和自然,情感流露自然及以问题为中心而不以自我为中心等特点;领导与社交类创造型儿童有经常介入某种社会事业中、主动积极地工作、很容易与儿童和成人产生相互影响、很容易适应新环境、有能力控制别人及能很好地承担责任等特点。

创造性性格和活动倾向的多种类型与创造性能力的多种类型结合起来，就构成了创造性心理特征的多元性。加德纳等学者都认为，绝大多数儿童至少在某一领域具有特别的才华和倾向，并能够有卓越的、创造性的成就表现。还需特别注意，创造性各种类型具有同样的价值，不能厚此薄彼，因为不少儿童的创造性并不表现在那些学校普遍予以重视的学术性和表演性方面的活动上，而是表现在其他许多可能并不为人们看重的非学术、非表演性方面。例如，有的学生可能学业成绩并不十分突出，学科学习的动机不强，但热衷于组织班级活动，能很好地胜任班级管理的工作，对同学有很强的号召力，表现出组织和管理方面的兴趣和非凡才能。因此，教师应树立多元创造观，全面评估儿童的能力和个性，发现其创造的潜能所在，发现儿童创造性表现的各个方面，识别他们多种多样的创造潜能，然后帮助每个儿童最大限度地发挥和运用自身的能力，以培养出更多的富有多方面创造能力的人才。

（二）全方位体现于教育活动中

创造性的培养应全方位地体现在教育活动的各个侧面，是以学生发展为中心的教育。

培养儿童的创造性不是在已有的学校活动中额外再添加一块内容，那样不仅不能达到培养创造性的目的，反而可能增加学生的负担，与发展创造性的初衷相悖。同时培养创造性也不是在原有教学上修修补补，增添一些小的技巧，起着锦上添花的修饰作用，或是只体现在某些课程和课外活动中。这些做法都无法真正培养提高儿童的创造性。我们认为以创造性培养为目的的教育，基于对学生发展、学习实质和教育目标的重新审视，建构以学生发展为中心的新的教育观，使创造性培养贯穿于学校教育的各个环节。

以学生发展为中心、培养创造性的教育观主要体现在以下几个方面：

1. 强调发挥儿童的主体能动性,鼓励创造性的学习

儿童的主体能动性是指每个儿童都具有对未知事物进行主动探索和发现的愿望和能力。发挥儿童的主体能动性是激发其创造性学习、培养其创造能力的基础。

传统的教学以教师为中心,往往忽视儿童的主动性,阻碍了其创造性的学习。教师要求儿童认真听讲并通过重复练习以加强对教材的记忆,却很少关心儿童对学习的主动参与程度。这种"学生观"实际上视儿童为安静被动的接受者,而非积极投入学习的参与者。因此,在传统的教学环境中,学习对儿童来说更多地意味着记忆和反复的练习以求熟练掌握某种既得的知识,而不是一个思考、想像、尝试和发现的过程。结果,儿童的主动性受到压抑和阻碍,无法进行创造性的学习。

现代教育重视儿童创造力的培养,就必然强调发挥儿童的主动性。对具体的教学而言,就是要使儿童尽可能多地参与到学习活动中来,在教师的引导下,大胆想像,积极思维,主动地去了解、认识新奇未知的事物,探求不同事物的关系,体验探索的艰辛和成功的喜悦,在学习中发掘自己内在的潜力,培养、发展各种能力,不断提高创造力。托兰斯等人的研究发现,有创造力的儿童富有责任心,爱自己学习。海尔森的研究也表明,有创造力的女生较一般女生有更强的主动性和内导引力,内心充满着创造的渴望。

发挥儿童的主动性,激发起创造性学习的方法很多,教育者应根据儿童的发展水平、学科特点和教学的具体情况选择适当的方法。为激发儿童的创造性学习,托兰斯提出了有助于教师进行针对性教学的诸种方式:①设计不完全结果的问题式情景,使学生有积极思考、大胆设想、推陈出新、继续探索的可能;②让学生自编故事,自设问题,并自行想像、解决,给其锻炼思维的机会;③使儿童大胆提问,不仅向教师提问,而且要鼓励儿童的相互问答,激发儿童对问题的主动探索并且给其表现和交流的机会,以达到彼此激

发的目的。

2. 尊重儿童个性

创造型儿童往往具有独特的人格特征。其个性的独特在某种程度上也是其创造性的一种反映。爱护儿童的创造热情，积极开发儿童的创造能力，就意味着要尊重儿童的创造个性。

在一般的教学过程中，教师为了便于管理，往往喜欢用统一的标准来要求所有的儿童。这种一致性的要求一方面表现在对儿童思维的一致性诱导上，如在解题思路上对教师的模仿，作文格式上对统一标准的遵从等；另一方面也表现在对儿童日常行为方式的统一要求上，如对班级规则的严格遵守，对课堂纪律的绝对服从等，其结果是使儿童形成循规蹈矩的思维模式。为使自己的一言一行都符合某种标准，儿童很难去尝试着发表一些独特的见解，做一些与众不同的事情，这最终必将导致儿童的从众性。从众性的形成，会严重阻碍儿童创造力的发展，与培养儿童创造性的教育目标是背道而驰的。

教育的艺术在于因材施教，以使每个受教育者能在自身原来基础上最大限度地发挥潜能，从而获得最充分的发展。因材施教不仅表现在教师对知识的传授上，而且更应表现在对儿童个性差异性的认识上。儿童的个性千差万别，这就影响着儿童的发展方式和发展倾向。教师应帮助儿童确认某种发展方式以使其个性及智力上的优势得到充分的发挥。

创造型儿童所具有的某些个性特征可能会与教师的要求相违背，但教师对此应有正确的理解。对于个性强烈的儿童，教师可以施加影响或进行引导，但不可强求一致的服从。因为，对儿童个性的压抑将是对其创造才能发挥的压抑，活跃、独立、自由的个性是创造才能萌发与生长的根基。

3. 建立新型师生关系，鼓励儿童大胆质疑与创新

在传统的教育中，教师在教学中的地位是第一重要的。教师

不仅是知识的传授者,同时也是引导儿童社会性发展的行为楷模。师生间的关系是以教导与服从为特征的,儿童更多的被要求接受、理解和模仿。形成这种传统的师生关系的原因方要有两点,一是源于教师和儿童在个体能力上的比较。教师是成熟的社会个体,知识和经验都较为丰富;儿童则是幼稚而尚未成熟的人,他们不仅身体弱小,而且更重要的是,其知识的储备和经验的积累都远远尚未达到社会的要求,因而无论在身体上还是心理上都处于劣势。这种事实很容易使教师认为自己是教学的中心,是儿童的教导者,因而会有意无意地维护自己在儿童面前的权威。这种做法往往压抑了儿童的发展,特别是以独创性和大胆质疑为特征的创造行为的发展。二是源于社会现实的压力。目前,对升学率的追求与对儿童真实能力的培养已成为实际教学中的一大矛盾。对升学率的过度强调和追求,使教师将教学重点仅仅局限于课本,而对于课本知识又仅仅局限于对其固有内容的熟练掌握和记忆。由于对课本的遵从和维护,使得教师难以接受儿童自由而富有创新意义的提问和思考,于是,教师便成了教材和课本的维护者而非儿童学习的帮助者,这样,在教学中与儿童进行交流,鼓励儿童独立思考,也就无从谈起。

教育的目的在于发展个体潜在的能力以达到完善个体、造福社会。儿童作为独立的社会个体,他们身上具有无限发展的潜能。教师的作用正在于帮助儿童最充分地发挥其内在的潜能,为未来的社会培植希望之才。所以,在新型的师生关系中,教师对学生的态度更多的是积极、鼓励、平等和宽容。尤其在儿童创造力的培养方面,教师不再是自我权威的维护者和教材的代言人,而应是儿童创造能力的激发者、培养者和欣赏者。

(三)促进创造性整体发展原则

创造性的培养应以促进儿童创造性人格特征的整体发展为出发点和目标。

不仅传统教育中偏重儿童智能的培养,而且在近些年教育改革中开展的创造教育也多以创造力为惟一培养目标,开设若干门创造思维课,对学生进行创造性思维技巧的训练。事实表明这样的创造教育的效果并不理想,儿童了解几条发散性思维加工的方法,创造力并没有得到有效提高。问题既在于对创造力形成规律的认识偏差,更在于对创造性的实质缺乏全面的认识。如前所述,创造性即创造性心理特征或人格特征,它是创造性活动倾向、创造性性格和创造性能力等多种特征的整合,创造力只是其中的成分之一,在现实中它与其他创造性要素密切联系、不可分割。孤立地强调创造力的培养,看似突出了创造力的地位,实则把创造力活生生地剥离出来,使其孤立无援、苍白无力,创造力的培养就成为一句空话。因此,我们特别强调把创造性作为有机、生动的整体来对待,以促进儿童创造性人格特征的整体发展为出发点和目标。

从儿童创造性人格特征的整体出发,就是着眼于儿童创造性动机、创造性性格特征和创造性能力的协调一致、有效地发展。在儿童的创造活动中,积极主动的探求兴趣、对创造活动的热衷、不畏困难的坚韧意志、对问题刨根究底的精神不是创造性能力的陪衬,它们对于创造行为的成效有着至关重要的作用。在创造性能力的形成和发展中,创造性活动倾向、性格特征和创造性能力密切联系、互为条件。具备较强求知欲望、好奇心和喜欢独立思考、判断等性格特征的儿童,往往较多地发现问题,并从事较多的创造性的探究活动,他们的创造性能力从中得到了锻炼和加强;同时,由于具备一定的创造性的解决问题能力,儿童在活动中能克服障碍获得成功,这些创造的成功经历更激发了儿童参与创造性活动的愿望,也锻炼了他们面对困难的应变能力。如果只注重创造性的某一方面,而忽视其他方面,不仅无法实现创造性的整体发展,而且片面强调的方面也终究因缺乏必要的内在支持而落空。因此创造性人格特征的协调一致的发展是保证创造性中各个要素稳定、持续和高水平发展的前提条件。

实现对儿童创造性的整体培养,仅仅靠一两门创造性思维训练或一些课外活动是远远不够的,它要求建构促进儿童创造性发展的新的教育观念,并将新的观念全面体现于学校管理、学生管理、课堂教学和课外活动等教育教学的各个环节。这正是第二条原则所强调的。

四 培养小学生创造性的主要策略

培养儿童的创造性对所有学校和所有儿童具有普遍的价值和意义,会带来整个教育教学活动实质性的变化。

如何实现对儿童创造性的培养?如何在教育教学活动中采取有效方法和策略,以体现创造性培养的基本原则,使发展创造性的教育观进一步具体化?国内外许多学者对创造性的教学技巧、管理策略、课堂活动方式等进行了许多研究和实践,提出了不少有效的重要策略和方法。归结起来,它们可以粗略地分为两大方面的策略:一是建立自由、安全、富有创造性的气氛的策略;二是创设问题情景,激发创造性思维的策略。

(一)建立创造气氛的策略

旨在培养儿童创造性的教育活动的中心原则,应是努力创设并维护一种易于使创造性得以表现的师生关系、同学关系及班集体风尚,以使儿童的创造潜能得到充分的发挥。

综合国内外学者的有关论述,我们认为,建立自由、安全的有利于创造性发展的教学气氛的管理和教学策略主要可以归纳为以下几方面:

1. 建立宽松氛围

教师与学生保持宽松心态,是开发创造性的前提。

(1)教师放弃权威态度,以平等的态度与学生交流,不要求学生必须与教师保持一致。

(2) 在学生间倡导相互合作、相互支持,鼓励学生相互讨论,禁止相互攻击、嘲讽和贬损,保持相对自由的良好气氛。

(3) 允许学生和教师、学生与学生之间持有不同意见,使学生能接受、容忍不同意见共存的局面。

(4) 不急于对学生的行为进行评判,使学生勇于发表自己的想法,避免学生因心有余悸而不能轻松思维和表达。

(5) 允许学生发生错误,并引导他们从错误中学习。

(6) 在儿童表现低潮或退步时,教师应能够体谅及尊重他们,并协助他们能悦纳自己以渡过难关。

2. 鼓励独立思考、主动探求

(1) 提供充裕的时间条件。学生进行独立思考和探求活动需要充分的时间来保证,课堂上教师提问后或在教师设计的活动中,如果只是象征性地给学生很少的时间思考或活动,就要求他们回答问题或做出结果,学生不可能进行独立和深入的思考,只能做出盲目的猜测或人云亦云的回答,久而久之,便形成了机械反应的不良习惯。因此,教师在设计教学时,为学生留有充分的思考时间,并根据学生讨论或活动的情况灵活调整教学进程是非常重要的。

(2) 允许学生从事独立学习的工作,鼓励课外对有兴趣的事物进行探索。在活动中鼓励他们自己去发现问题,提出假设并去亲自实践。

(3) 重视提问。创造型教师对儿童的提问往往表现出很有兴趣,并认真地加以对待。同样,他们自己提出的问题也不是简单地重复教材和课本的内容,而是一些能刺激儿童积极思维,寻找多种答案的具有启发性的问题。

(4) 鼓励儿童提出自己的主张,对他们的新奇的意见给予重视。

(5) 对敢于提出意见的学生表示赞许和接纳。

(6) 鼓励儿童独立进行评价。即用自己的标准对他人的想法、观点及所取得的结果进行评价。独立评价能力的发展有利于创造性的发挥。

(7)教师与学生分享他们的创造成果。

3.促进儿童的灵活性

(1)教师经常应用开放性或发散性的问题来引导儿童进行思考,帮助他们学会从不同的角度看待、分析和理解问题,而不固守成规。

(2)尽可能地创造各种条件,让儿童接触各种不同的概念、观点以及材料、工具等,以帮助儿童更敏感地感受和理解周围的世界。

4.尊重个别差异,强调机会均等

(1)了解儿童的才能与表现的差异性,依其个别能力,允许在学习和活动中的自由选择,对于儿童的表现避免负向价值的判断。

(2)不以某个统一标准要求所有学生,更不能以成绩、分数作为评价学生的惟一标准。

(3)注意由于个性差异带来的儿童参与活动和表现自己的机会不同,帮助不同个性的儿童学习与他人平等合作和交流,使所有儿童都能从中获益。

5.平衡自由与纪律

教室的环境及气氛保持平衡的状态,也就是既不完全自由也不太过分严肃。

(1)在学校和课堂上减少不必要的规定。

(2)信任儿童,让他们自己有决定以及对所作所为负责任的机会。

(3)欣赏学生的幽默和诙谐。

(4)在上课时发生一些捣蛋或打断教学(如学生提出一些奇怪的问题)的事件,教师处理的态度应耐心和有弹性。

总之,建立自由、安全、民主、合作和相互尊重的教学气氛,需要尊重儿童的创造性和个性,重视学生提出的意见,不立刻下判断,并能鼓励学生在各种情景中大胆尝试、探索,同时老师能分享学生创造的喜悦,热衷于学生的表现与想法,从而不断地激发他们创造的渴望和热情,提高他们的创造能力。

(二)创设问题情境的策略

儿童的创造性是在创造性的问题解决过程中逐步发展形成的,创设丰富和富有挑战性的问题情境是创造性教学的关键环节。

1.创设激发创造性思维的问题情境的一般策略

如何创设问题情境,以提高创造性的思维能力?许多学者和从事创造教育的教师在理论研究和实践验证的基础上,提出了许多有效的策略和技巧。综合归纳已有的研究,下面我们主要介绍提出问题常见的一般策略:

(1)提问策略。研究者总结、研究了一些具有启发性的提问方法或问题形式,这些提问本身就可以很好地激发儿童的兴趣,并使儿童从不同于以往的思路重新思考这些问题,进而可能得出独特性的认识。下面主要介绍几种提问策略:

●矛盾性问题。提出一些似是而非或似非而是的事实,包括不合理的事情、自相对立的现象,让学生发现一般我们认为对的观念并不一定完全正确。例如,我们说"人不可貌相",可是我们平常生活上却有时免不了"以貌取人",你们认为"勿以貌取人"是绝对正确吗?想想提出你们的看法和理由,可举个例子来说明。又如,引导学生去思考世界上有哪些发明既有利于人类却又有害于世界的发展。如:火药、原子能。

●假想性问题。提出的问题情境在儿童的现实生活中并不存在,要求儿童对假想情境提出可能的解释或应付办法。例如,一年有春夏秋冬四季,假如你重新排列,喜欢那一种排列,为什么?可能会有小朋友说冬夏春秋,因为……也可能有的会说春冬秋夏,因为……又如,做学生的除了用纸、笔做功课外,你还可以想出哪些常用的材料、方法来写功课？这是响应不带书包回家的号召。可以替代的有下列：电脑、打字、找资料、看电视、电影、录像带、幻灯片、参观访问，同学之间交换心得、意见，实验。再如，非洲埃塞俄比亚正在闹饥荒，假如你是该国的总理，你要如何处理？以上是教师根据新闻报导所提出之问题，学生必先了解该国地理环境、经济政治、人民的生活习俗及闹饥荒的原因，再作发展经济的建议。

●探索性问题。探索从前的一些处理事情的方法（历史的研究），探讨某些事物的现况（描述的研究），建立实验的情境，并探讨其结果（实验的研究）。例如，学生由报刊杂志上，阅读有关考古人类学家利用挖掘到的古物来研究古代人类的生活情况的方法，从而指导学生从古代遗留下来的各种文物如雕刻、图画、衣饰、用具等资料去研究了解当时的文化。或辅导儿童参观山地同胞的文物，进而了解山地同胞的生活习惯，此系历史研究的方法。又如，当教师教自然课"植物"这个单元时，要学生搜集各种树叶，用显微镜观察，比较每一片叶子均有其不同之纹路后，教师再提出另一个问题："你能想出多少种方法来记忆或辨认一个人？"由学生自由发表如模型、描写特征、指纹、录音（录其谈话声音），也由此引起学生急着要知道自己的指纹与其他同学是否相同，教师趁此机会指导学生利用印台、纸张、放大镜等，印出自己的指纹，并加以观察，并归纳结果：任何人的指纹均不相同，因此可利用做更多的用途。

●表演性问题。应用各种感官感受事物，想像有关的情感感受，并通过体态、语言、表情表达出来，启发儿童对事物的体验和敏感性。例如，选择一些有插图的儿童读物给学生阅读，要求学生想像自己是故事中的一个角色，让自己借着想像自己身历故事的情境，要求学生不单用视觉来感觉自己是故事的一部分，而且还要运用其他的感觉，如嗅觉、触觉、听觉、动觉等，以增加他丰富的想像力，并将自己的感觉表达出来。又如，老师出示投影图片三张，然后说:"现在想请小朋友利用这三个人物,设计一出短剧,在构想情节之前,请先给这三个人物赋予不同的个性。例如:妈妈是慈祥和蔼或是溺爱子女,或是不守信用,或是机智聪明等等,然后再根据他们的个性,去设计合理的情节,符合身份的对话动作、表情等。"再如,每人发一小张纸,请学生写出一种行业名称,如邮递员、教师、医生、环卫工人、汽车修理工等。将纸条收好后,由一位学生到台前抽取其中一张小纸条,观看后表演,表演完后说:"假如我是真的,我是哪一行?"同学举手猜出,答对者,继续到台前抽题表演。在这个活动中,不但可以丰富其想像,并可以把自己投入到各种行业中,以扩展其生活空间,解除心中的自我思维。

●协调性问题。提出现实中的冲突性问题,请学生寻找解决冲突、协调矛盾的各种可能的方法。例如,下雨天学生在室内上游戏课,让学生思考过去在室内游戏时,遇到哪些困难,然后考虑在室内游戏,需要考虑哪些安全因素,最后辅导学生设计一些新颖有趣又安全的游戏。又如,小明在家里,经常为了选择电视台而和妹妹争吵,不仅伤和气,而且常争得面红耳赤,大打出手。这是一般家庭常发生的事情。我们可以请他把不愉快的情境,利用扮演的方式表达出来。然后全班分组,提供各种解决的办法。

●评价性问题。根据事物的各种结果及涵义来判断其可能性,以及检查或验证原来的猜测是否正确,以便指导学生能够分析情境,权衡利弊得失,然后才做决定。例如,在台风之后,指导学生尽量列举人类受暴风雨的影响,并将这些损害加以分类,学生可利用各种新闻报导、实地访问等方式收集资料,对于损害的原因,也可作一探讨。又如,为了增加学生对地理的兴趣与好奇心,老师准备一幅本区或本市地图、一幅全省地图、一幅全国地图和一幅世界地图。每隔两三天,借着讨论时事,老师要求学生在地图上找出每一件事情发生的地点。然后引导学生们讨论此件事情的实况并叙述发生的原因。最后,要学生们判断每一件事情可能引起的影响力并叙述理由。

（2）拓展思路策略。问题提出并启动了儿童的思维后,需要进一步引导学生在解决问题的各个阶段寻找尽可能多的解决途径和方法,并取得独特性的进展,以使富有激发性的问题情境持续保持。下面列举几个可供拓展解决问题思路的策略。

● 属性列举法。请列举所研究问题或物品的各种属性,然后找出各种改进属性的办法,使该物品产生新的用途。具体可采用下列的方法,提醒他们列出更多的、更不平凡的属性。A. 特性列举法——依物品的构造及其性能,如按名词（物质、材料、制法……）、形容词（形状、颜色……）、动词（技能、相关动作……）特性列出,然后检讨每一特性可改良处。例如：茶杯的特性,在名词方面有玻璃、塑胶、铝、不锈钢……在形容词方面有：不碎的、美观的、光滑的……在动词方面有：可折叠、可伸大缩小……B. 缺点列举法——把产品的缺点毫不客气地指出来,尽量挑毛病,再针对这些缺点设计改良。例如："茶杯有什么缺点？"有人会提出易破、烫手等缺点,然后问："如何改良这些缺点？""还有没有其他的方法来改进呢？""用哪种材料可代替？"……C. 希望列举法——就某项物品积极地幻想,希望它还能有什么优点,先不要考虑它当前是否可行,都将之列出,因为今日的幻想,明日就可能成为现实。

● 六 W 检讨法。是对一种现行的办法或现有的产品,从六个角度来检讨问题的合理性。消极方面,由此可以发现缺点之所在;积极方面,则可以对有关的事物做出改进。这六个问题是：Ⅰ. 为什么（why）？ Ⅱ. 做什么（what）？ Ⅲ. 何人（who）？ Ⅳ. 何时（when）？ Ⅴ. 何地（where）？ Ⅵ. 如何（how）？ 例如,在小学四年级语文《大榕树和小男孩》一课中,可使用六 W 检讨法的例子如下："如果市政当局准备要在我们的社区栽很多榕树,请依下列问题加以研究,把你的想法写下来。a. 为什么要栽榕树？b. 要栽怎样的榕树？c. 栽在什么地方？d. 什么时候栽比较好？e. 请谁来栽？

f. 要怎么栽比较理想？

●检查表法(check—list technique)。就是从一个与问题有关的项目列表上寻找线索，以获得解决问题的新观念的方法。具体方法是，可以先将问题列成一张分析表或大纲，然后写出大纲中每一项所需要处理或解决的要点，最后逐一考虑每一要点可供改变的方向。下面是一个包括七个项目的检查表，可供参考。七个项目分别是：取代(substituted,S)、结合(combined,C)、适应(adapt,A)、修改(modify,M)、作为其他用途(put to other uses,P)、除去(eliminate,E)、重新安排(rearrange,R)。

七个项目可以提供的线索举例如下：

取代(S)——什么被"取代"？谁可代替？有没有其他的材料、程序、地点来代替？

结合(C)——何者可与其"结合"？结合的目的、构想、方法？

适应(A)——是否能"适应"？有什么事物与此调整？有没有不协调的地方？

修改(M)——"修改"成什么？利用其他方面？其他场合使用？

其他用途(P)——作为"其他"方面的用途？使用新方法？

除去(E)——可否"除去"？取消何者？减少什么？有没有可以排除、省略或消除之处？有没有可以详述细节、增加细节，使其因而变得更完美、更生动、更精致的地方呢？

重新安排(R)——"重新"安排？交换组件？其他顺序？转换途径和效果？有没有可以旋转的余地？

●创意十二诀。是许立言、张福奎对检查表法加以简化、修正而提出的十二个"聪明的办法"，以指导青少年儿童的创造发明。

Ⅰ.加一加。在这件东西上添加些什么，会有什么结果？

Ⅱ.减一减。在这件东西上减去些什么，会怎么样呢？

Ⅲ.扩一扩。使这件东西放大、扩展，结果会如何呢？

Ⅳ. 缩一缩。使这件东西压缩、缩小,会怎么样呢?

Ⅴ. 变一变。改变一下形状、颜色、音响、味道、气味,会怎么样?改变一下次序会怎么样?

Ⅵ. 改一改。这件东西还存在什么缺点?有改进这些缺点的办法吗?

Ⅶ. 联一联。把某些东西或事情联系起来,能帮助我们达到什么目的吗?

Ⅷ. 学一学。有什么事物可以让自己模仿、学习一下吗?

Ⅸ. 代一代。有什么东西能代替另一样东西吗?

Ⅹ. 搬一搬。把这件东西搬到别的地方,还能有别的用处吗?

Ⅺ. 反一反。如果把一件东西、一个事物的正反、上下、左右、前后、横竖、里外颠倒一下,会有什么结果?

Ⅻ. 定一定。为了解决某一个问题或改进某一件东西,为提高学习、工作效率和防止可能发生的事故或疏漏,需要规定些什么吗?

(3) 群体激发策略。在技术革新、管理革新和处理社会问题等许多领域,人们已广泛而成功地尝试通过一定的组织方式,使得群体中个体之间相互启发、激发,进而促使每个人打破思维常规,克服定势障碍,获得更多的新观念。这种发挥群体作用激发创造性思维的策略中,头脑风暴法最具代表性。

● "头脑风暴法"。头脑风暴法(brainstorming)是美国奥斯本首创的,它是利用集体思维的方式,使思想相互激荡,发生连锁反应,以引导出创造性思维的方法。头脑风暴法会议,通常以18人以下为宜。在班级教学中,可以小组方式或分组实施,也可以全班参加,有时也邀请对这一问题有研究的人士参加;或邀请一些新人来,以转变班级的气氛,使讨论的方式不会呆板。

头脑风暴法分以下六步来完成:

第一步,选择说明问题。选择的问题范围要狭小,且能具有分歧性的答案。例如"怎样使班上保持整洁"或"替辅导室的信箱取一个名字"等问题,以讨论者所熟悉且可展开谈论的问题最恰当。问题选妥后,老师应对这个问题加以说明。例如"信箱的名字",希望愈新奇活泼愈好,让大家都喜欢。

第二步,说明必须遵守的规则。a.不要批评别人的意见;b.观点、意见越多越好;c.自由思考,应用想像力,容许异想天开的意见;d.能够将别人的许多观点加以组合成改进的意见。

第三步,推选小组会议主持人(由学生担任),教师进而激发他们讨论的气氛,也就是造成一个自由、愉快而又愿意表达的情境。

第四步,主持讨论会议。各小组分开讨论,教师可提供下列问题供小组讨论时采用:a.其他用途。如,它有哪些其他用途?将它改良后有何其他用途? b.改变。如,它像什么?它提供哪些启示? c.修改。如,如何将它扭曲成新的形状?如何改变它的颜色、大小、形状、声音、气味? d.扩大。如,能增加些什么而使它改变? e.缩小。如,能不能使它变小、变短、变轻、变低?能不能使它分割或删去某一部分? f.代替。如,能不能将它改作其他用途?能不能用其他材料代替? g.重组。如,能不能将各部分交换?能不能改变程序或重组因果关系? h.反转。如,能不能将它反转?能不能扮演相反的角色? i.联合。如,能不能将各部分联合?能不能将目标合并? j.变形。如,能不能改变其形式?能不能将它烧灼、钻洞、涂漆?

第五步,记录大家所提出的意见或观点。每一小组应推选一位或二位记录,将小组成员的意见记录下来。

第六步,共同定标准并评估,以选取最好的意见。头脑风暴的使用,特别强调暂缓判断及批评,以克服对于创造力的阻碍。此种技巧重在鼓励学生产生许多构想,包括荒诞和愚蠢的想法。希望这些构想能够引导学生想出具有创造力的构想,但最后仍须依据问题的目标定下评估的标准,以选取好意见采用。评估的标准可由师生根据问题的性质共同讨论决定。例如:小学生在讨论"买什么东西给妈妈当母亲节礼物"的问题时,评估的第一个标准是"是否对妈妈有意义";第二个标准是"是否花很多钱",而决定在 100 元以内,则超过这个标准的就被删除;第三个标准是"手续是否简便"。

头脑风暴法,由于比较容易实施,效果也比较理想,因此在创造性教学中是最常用的方法之一。

● 默写式激荡法。本法是德国引进脑力激荡法加以改进而发明的一种方法。因此此法吸收了脑力激荡法的优点,发明了各参加者不妨碍他人的发言,自己也毋需出声的构想方法。其方法与程序如下:

第一步,每个小组 6 人,在每个人的面前放置构想卡(A_4 纸)。每人都必须在面前的卡片上写出 3 个构想,并在 5 分钟内完成。开始进行该法以前,由出题者提示问题,如有疑问点必须预先澄清。

第二步,5 分钟一到,每个人都要把面前的卡片传给右邻的参加者。在第一个 5 分钟内,各人分别在传送到自己面前的卡片上填写三个构想,每隔 5 分钟一次,一共 6 次,30 分钟为一个循环,根据计算,每一个循环得到 108 个构想。

第三步,完成后将每个构想卡剪下来,分类并设计贴在海报纸上,展示并报告。

2. 在学校教学中创设问题情境、激发创造性思维的策略

在学校各门课程的教学中创设问题培养儿童的创造性更具有普遍意义,是学校教师更加关心的。台湾陈龙安将创造性课程中的一般策略应用于学科教学中,提出了以布置创造性思维作业作为创设问题情境的方法之一,并进行实验研究,验证了创造性思维作业确有助于学生提高其学业成绩及创造性思维能力。他们的宝

贵成果对我们具有启发和借鉴价值。

所谓"创造性思维作业"是指教师针对课程需要,配合学生程度,指定学生在课内外所从事具有创造性思维的学习活动或工作。换句话说,创造性思维作业是教师提供一些问题,让学生运用发散思维去从事习作或练习而产生不同答案的作业,也就是教师运用激发创造性思维的原理与策略所编制的一些书面的问题,让学生以书写的方式来呈现,其目的在借作业练习来增进学生的创造性思维能力。

陈龙安指出,创造性思维作业如欲突破传统作业的窠臼,免除学生机械式抄写的痛苦,设计创造性思维作业时应考虑以下策略:

(1)多样性。创造性思维作业的多样性是指种类内容多而充实,作业的方式多变化,不是千篇一律的抄写。答案多样性,不限于一种结果,尤其重要的是创造性思维作业的目标也是多方面的,不限于认知、记忆,而更强调发散性思维及理解、分析、综合、评鉴以及解决问题等能力的培养。

(2)启发性。创造性思维作业能够引起学生的兴趣与注意,主动地去探讨及搜集更多的资料,能够激发学生大胆而新奇的想像力、综合思维及解决问题的能力,可充分发挥学生创造性思维的潜能。

(3)挑战性。创造性思维作业所提供的线索,能由已知导致未知,由单样演变为多样,对学生具有激励性和挑战性的作用,可使学生乐于习作,使学习的活动变得生动而有趣。

(4)完整性。创造性思维作业是课程的一部分,应与原来的课程在内容和进程上密切配合,补学科教学之不足。学生从创造性思维作业中,可学习到知识、能力、态度、理想和欣赏等完整的学习。

(5)适应性。创造性思维作业的答案具有分歧性,有许多正确的答案,有许多不同的做法,完全因个人的程度而有不同的表现,没有截然对与错的划分,所以能适应个别差异,学生能依自己的程度作适当的反应而没有挫折感。或者,创造性思维作业的实施有团体的、个别的方式,既有发展性又可适应差异。

创造性思维作业的设计过程如下:

①分析教材。从课程标准及教师手册中了解教材的目标与重点,从课本及习作簿中了解教材的内容及难易度。

②搜集资料。搜集有关的书籍、图画、思考题等,以便选取所需要的材料。

③拟订项目。根据对教材的分析,拟订创造性思维作业的项目。例如语文可分字词练习、课文深究、创造性写作三项。

④应用策略。应用启发创造性思维的策略,编拟作业的题目。

⑤试用修订。编拟完成的作业,可先由部分班级试用,根据试用情形加以修订。

⑥评估效果。创造性思维作业实施以后,应仔细加以评估,以了解是否能达到预定目标。

下面以语文创造性思维作业为例介绍有关的具体设计策略。陈龙安设计了三类创造性思维作业:字词练习、课文分析及作文练习,分别叙述如下(其他各科亦可根据本书所列举各项策略发展):

"字词练习"创造性思维作业的设计策略:

在生字、新词的作业练习中,可以采用40多种启发创造性思维能力的字词练习策略。列举如下:

同韵字——让儿童找出许多和刺激字"猫"有同样韵脚"ao"的字来。例如:高、刀、敲、交、虓等。

同音字——请儿童写出和刺激字"厉"读音完全相同的字来。例如:力、立、利、栗、痢、笠等。

叠字词——由两个相同的字所组成的词,具有节奏感,而且容易引起儿童的兴趣。可以比赛看哪一组想得多?叠字词有很多种,例如只叠下面一个字:绿油油、冷清清、热腾腾、笑嘻嘻、火辣辣等。名物词重叠:妈妈、哥哥。上下都重叠的字:劈劈啪啪、乒乒乓乓、明明白白、清清楚楚。

动物字词——让学生找出用动物名称组成的成语。例如:牛刀小试、抱头鼠窜、狼心狗肺、牛头马面、鸡犬不宁、河东狮吼……十二生肖成语也可让学生尝试。

词语新义——让学生用自己的话说明所提供字词的意义,越简单清楚、越有趣越好。例如:"爱"是把妈妈炒的菜吃光。"快乐"是努力之后的成就感。

字形音义——提供给学生一个新字,请其就看到此一生字时,联想到有关字形、义或音的字写出来。

成语接龙——让各组儿童比赛成语的接力活动,接得愈多愈好。例如:天下为公→公正廉明→明察秋毫→毫不在意→意气飞扬→扬眉吐气→气壮山河……

"课文分析"创造性思维作业的设计策略:

在语文课中,课文分析是教学重点之一,作业时可采应用想像力回答问题的方式设计一些作业。陈龙安根据创设问题情境的一般提问策略,导出了在十种发问技巧——假如、列举、比较、替代、除了、可能、想像、组合、"六 W"及类推,又简称"假列比替除、可想组六类"发问技巧,利用它们可编制各种开放性、创造性课文深究的问题,提供学生练习,以激发其创造性思维能力。

假如——要求学生对一个假设的情境加以思考。例如,如果你驾着一条魔毯游地球,请把最想去的地方写出来,并叙述原因。答:中国大陆——"桂林山水甲天下"、风景秀丽、如诗如画、美不胜收;埃及——金字塔、木乃伊、古埃及文化、多彩多姿、神秘莫测。

列举——举出符合某一条件或特性的事物或资料,越多越好。例如,小朋友,美丽的色彩使得世界更为多彩多姿,请你动动脑,为语言抹上美丽的色彩,写出彩色成语来,愈多愈好!答:黑白分明、姹紫嫣红、青红皂白、蓝天白云、青山绿水、青出于蓝、唇红齿白……

比较——就两项或多项资料特征或关系比较其异同。例如，种子和蛋有什么地方一样？答：①都有生命，能延续生命，具有传宗接代的功能。②他们的成长，都需要适宜的环境。

替代——用其他的字词、事物、涵义或观念取代原来的资料。例如，下面有两个句子，请用其他的字词代表引号内的字词。答：①国王把种子挖出来，"扔"到御河里去。"丢""投""抛""掷""甩"②种子"仿佛"长了翅膀，飞得很远，落到一片碧绿的田里。

除了——针对原来的资料或答案，鼓励学生能突破成规，寻找不同的观念。例如，如果你的居住环境不太理想，除了搬家还有哪些办法可以改变或改善目前的处境？

答：以身作则，影响别人。

请警察来处理。

以金钱来打发别人走。

以其人之道，还治其人之身。

可能——要求学生利用联想推测事物的可能发展，或作回顾与前瞻的了解。例如，小朋友请想想看，一颗种子从落在土里，直到长大成树，可能会遇到哪些外来的灾难？答：人或动物的践踏、虫害、刮风下雨、枯干、缺乏养分、环境的污染。

想像——鼓励学生充分运用想像力于未来的事物。例如，假如全世界的人每天都写一封信的话，将会怎样？

答：邮筒大爆满。

卖信纸信封的商人大赚钱。

邮局人员工作24小时。

信箱会被信件塞满。

邮递员都会辞职。

没人失业，都当邮递员去了。

组合——提供学生一些资料（字词、事物、图形等），要求学生加以排列组合成另外有意义的资料。例如,小朋友,请用下面的字词编写一个故事,写完后并为这个故事定个题目。"象、狮子、无敌铁金刚、种子、小草"。答:略。

"六 W"——利用英文中之 Who(谁)、What(什么)、Why(为什么)、When(什么时候)、Where(哪里)、How(如何)作为发问的题目。例如,春天到了,要享受大自然,你喜欢做哪些户外活动? 为什么? 如果你有一块空地,你想种东西,想一想:

种什么东西?

为什么要种?

种在什么地方?

什么时候种较好?

和谁一起种?

要怎样种植比较理想?

类推——将两项事物、观念或人物作直接比拟,以产生新观念。例如,请想想看,孟子、欧阳修、岳飞三人的生活环境有哪些相同之处? 答:家境清寒,都有贤母重视教育,从小就努力学习,用功读书,持之以恒,故皆为学问渊博之人。

"作文练习"创造性思维作业的设计策略:

"作文练习"是语文教学重点之一,在实施创造性思维教学或作业练习时有 11 种策略可供应用。下面介绍几种作文练习的策略:

基础作文:

基础作文的策略是为正式作文练习打基 S 础,做词句方面的准备,其中的策略很多,列举几种如下:

字词的联想——利用学生敏锐的感受力,把字的内涵加以推广延伸,可以提高文章描绘的能力。例如由"火"而联想到光明、热情、温暖;由"新绿"而联想到活泼、希望、生命的喜悦等意念。

叠句练习——重复用一个词或同一句型,一方面可加强主体

的作用,给人深刻的印象;另一方面有总起的作用,表示在同一主体下,有各种不同的情境。例如:

花开了,草绿了,天气暖和了。

天是蓝的,海是蓝的,我的心也是蓝的。

风是树的梳子,梳着树的头发;船是海的梳子,梳着海的头发。

风儿,在树上荡秋千,在草原上赛跑,在院子里拿树叶儿玩飞镖游戏。

拟人化——把所描写的东西加以人格化,认为它跟人一样的生活着,而且是具有感情的。例如:

蓝天像淘气的阿丹喜欢洗澡,满身满地都是肥皂泡。

太阳公公睡觉以后,灯婆婆就赶紧起床了。

春风叫花儿张开嘴来唱歌。

露珠看见太阳出来,就高兴地笑了。

音乐作文:

先播放一段或一首能引发学生想像力的音乐,指导其静静欣赏,然后把感受及联想写出来,发展成为一篇文章。如:森林里的打铁匠狂想曲。

看图作文:

教师搜集或拍摄主题鲜明、具有特色而能发人深思的照片或图片,以幻灯、投影或现场张贴等方式,呈现于学生眼前(低年级以多幅有关联或连续性者为宜,高年级则以单幅为宜),指导学生欣赏,然后将自己所得的感触,加以渲染扩充,以文字表现出来。如:老祖母的祈祷,你要打电话给谁?

剪贴作文:

指导儿童多阅读课外书报杂志,依个人所好,选取特别生动有趣或优美的文章(图片),剪贴于自己的剪贴簿上,鼓励学生设计花边、插图,并写出心得感想,或仿作一篇文章。

合作作文:

以儿童共同的经验或幻想来出题(例如:《快乐的远足》、《火星探险记》等),让全班共同讨论,集思广益,其中若有表达词句不同而意思相似者,则由大家比较后采用最有创意的。这种方法,学生没有压力感,而且全班参与,人人都可以参加创作的意见。在讨论比较的过程中,对学生的创造性思维及作文要领颇有帮助。

接力作文:

由教师提供(或共同创造)文章的第一段和第二段,接着就让儿童自由联想,继续完成。每个人的开端都相同,却各自发展,创造出不同的转折和结尾。

成语作文:

由学生自己把认识的成语一一列出,或共同讨论列出,自定题目作文,尽量把成语巧妙地应用在文章里,组合成有趣的故事。

趣味作文:

指导儿童利用所知的歌曲、电影名称或地址、国名,自由组合,成为一篇有情节的作文。

编写短剧:

把学生分成若干组,各组分组讨论,将故事改编为剧本,并实验演出。

评论故事:

由老师讲述一个故事或寓言,再让学生依据这个故事,自拟题目,发表自己的观点和感想,作一篇批判性的论说文。

感官作文:

让学生实地观察,写出他看到、听到、摸到、闻到、尝到的……利用五官感觉,写出完整的文章。

表演作文:

让学生进行角色扮演或创作剧,观赏后再写。

说故事作文:

把预定的题材转换成故事,由老师在课堂上讲述,然后学生就着自己接受到的,以适合自己的词汇写成文章(故事体)。

听写作文:

教师自念或利用录音机播出文章,让学生笔录,并进而鼓励学生创作,此种作文较适合低年级。

创造性思维作业的辅导要领:

教师在辅导儿童从事创造性思维作业时,必须考虑下列各项要领:

①多鼓励并赞美儿童不平凡的答案。
②给予儿童足够的思考时间。
③应有容忍接纳儿童不同意见及答案的雅量。
④鼓励搜集各种有关材料,培养儿童独立学习的能力。
⑤重视亲子及师生间之良好关系及和谐气氛。
⑥应与儿童一起学习,提供适应线索,但不可越俎代庖。
⑦不必要求儿童每一题均要立即写出完整的答案。
⑧教师利用本作业的内容,作为教学内容之用。
⑨教师亦可根据本作业的精神及方式,应用于其他科目。
⑩本作业不一定均用笔答,也可让儿童口述答案。

创造性思维作业实例:

创造性思维作业可应用于各科,现举小学四年级语文《木兰从军》为例:

(1)应用想像力回答下列问题:

①花木兰除了女扮男装,代父从军外,还有哪些方法可以替父亲解决困难?
②如果花木兰在没有立下汗马功劳之前,就被发现是女的时,会有何后果?
③"国家有难,人人都应该出力",请列举小学生为国家出力的方法。

(2)字词练习:

①写出和下列各字同部首的字,越多越好。

　　a.侵:b.廷:

②写出和下列各字同音的字,越多越好。

　　a.杰:b.帝:

③字词接龙:

　　例:上:上下→下午→午饭→饭桌—……

　　a.征:___→___→___→___→___→___→___→___→___→
　　　　→___→___→___→

　　b.职:___→___→___→___→___→___→___→___→
　　　　→___→___→___→

④你看到"英俊"这个词,联想到哪些词?赶快写下来,越多越好。

(3)伤脑筋呀——"一句千金":

丁丁生日,爸爸想送给他一份别出心裁的生日礼物。只要丁丁猜中爸爸心中所想的事情,就可获得奖金一千块。结果丁丁绞尽脑汁,想出一句话,爸爸一听,立刻将一千块给了丁丁。到底丁丁说了一句什么呢?

父与子两个人推车上坡,前者说:"在后面推车的是我儿子。"可是后者却说:"前面拉车的不是我爸爸。"究竟两人是什么关系呢?

(4)练习替换语句:

原文:皇帝被她的孝心感动,"就点头答应了。"

　.皇帝被她的孝心感动

　.皇帝被她的孝心感动

　.皇帝被她的孝心感动

　.皇帝被她的孝心感动

(5)作文练习:

用《我最希望做的事……》为题,写一篇短文(可写在笔记本上)。

第五章 创造性教育

《面向21世纪教育振兴行动计划》及"跨世纪素质教育工程"的一个重要任务就是"整体推进素质教育,全面提高国民素质和民族创新能力"。

创新是人类社会发展与进步的永恒主题。创新具有不同的方面和层次,它不仅是科技界和高等学校的任务,也是基础教育面临的重要任务。只有从作为学校教育源头的中小学就开始抓创新教育,才会"使一批又一批优秀年轻人脱颖而出"成为可能。

我们这里所说的创新教育,是指在基础教育阶段以培养人的创新精神和创新能力为基本价值取向的教育实践。其核心是在认真做好"普九"工作的前提下,在全面实施素质教育的进程中,为了应对知识经济时代的挑战,着重研究和解决如何培养中小学生的创新意识、创新精神和创新能力的问题。因此,创新教育是素质教育的一个重要的组成部分。它以发掘人的创新潜能、弘扬人的主体精神、促进人的个性和谐发展为宗旨,通过对传统教育的扬弃,探索和构建一种新的教育理论与模式,并使之逐渐丰富和完善。由于创新作为教育的核心目标,会牵涉到教育的许多方面,所以创新教育的探索与实践将会有力地推动教育改革的深化,更好地促进素质教育的实施。

应当指出,我们要求中小学学生达到的创新与诸如科学家、艺术家所从事的那种意义上的创新是有区别的。前者是指通过对中小学生施以系统的教育和影响,使他们作为独立个体,能够着手发现、认识有意义的新知识、新事物、新思想和新方法,掌握其中蕴涵的基本规律并具备相应的能力,为将来成为创新型人才奠定全面的素质基础。20世纪90年代以来知识经济在西方发达国家兴起并迅速发展的事实表明,能否不断创新是人类在以高新技术为核心的知识经济社会中必须面对的关键问题。作为创新主体的人,其创新意识、创新精神和创新能力如何,是起重要甚至决定作用的。因此,在实施素质教育过程中,必须努力做好创新的启蒙教育,不失时机地培养儿童、少年、青年的创新意识、创新精神和创新能力,这是在当今世界知识经济已见端倪的情况下,我国基础教育必须认真面对并应积极研究解决的问题。

尽管创新原本是人的基本特性,但主动积极的创新意识、创新精神和创新能力仍需要或者说更主要地靠后天培养,要靠创造性教育。

第一节 教师在创造性教育中的作用

在教育改革过程中,人们越发地认识到:要解决当前教育工作中存在的教育思想、教学方法和教学质量问题,归根结底要大力加强师资队伍建设,提高教师素质。只有具有高素质的师资,才能有力地推动素质教育;只有具有创新精神和创新意识的教师,才能对学生进行启发式教育,培养学生的创造能力;只有教师了解当今高新技术发展的最新成果,才能站在高科技革命的高度,鼓励学生勇敢探索;只有教师自身具备不断学习提高的能力,才能教会学生如何学习。而教师的人格力量,更是学生成长的重要精神源泉。

培养创造性学生,给教师提出了更高的要求。教师不再是传统的那种角色,不能再是一部百科全书或一个供学生利用的资料库。教师在教育活动中必须面向未来、创造未来。未来不仅要渗入他的骨髓里,而且还铭刻在他高瞻远瞩、富有想像力的头脑和见多识广的胸怀里。他必须帮助学生适应未来的变化,在建立创造未来的意念的同时,一步一个脚印地开发自己的创造潜力。一个学生的创造性与教师的创造性有着必然的联系,只有教师的工作有创造性,才能培养出具有创造性的学生,才能承担起创造未来的责任。换言之,创造性要靠创造型教师来培养。

要实施创造教育,教师仍然占据着主导的地位,起着示范、引导、支配的作用。这是因为:

首先,创造教育的各种方法和措施,需要教师去实施。教师本人有什么样的教学理念、用什么样的标准评价学生、采用何种形式的教学方法、营造怎样的课堂气氛、布置什么性质的家庭作业、拟订什么形式的测验考试、组织什么样的课外活动、建立何种类型的师生关系等,对学生创造力的形成都有着举足轻重的作用。

有创造力的教师会不断采用"新花样",采用比现行的教学方法更加灵活、更富有新意、更具实验性的教学方法。在这一点上,现在的幼儿教师比其他类型的教师具有更大的自觉性,他们更注重于如何引起孩子们的兴趣,在游戏和生活中进行教育活动。一个创造性教师不仅要了解儿童的需要、感受、能力、兴趣及行为,还需时常调整自己的角色和教学方法,去开拓学生的视野,培养学生创造性思维的习惯。如果对于个别的创造性学生来说,他可以在特殊环境下成长起来,那么,大多数学生的创造力在教师教育过程中是受到开发还是遭到压抑,则取决于教师创造怎样的教育环境,采取何种教育方式。我们常抱怨学生平时不够活跃、死板,岂不知责任恰恰在我们自己的身上。父母是孩子的第一任老师,教师是孩子走上社会的引路人。如果我们处处限制孩子的独立行动,对孩子的饶有兴趣的活动指手画脚,甚至粗暴地干预,我们就不可能期望他们拥有活跃的思维,准确而灵活的动手能力,也无法指望他们能用自己的聪明才智为世界添光彩。1997年8月,《星星火炬报》的20名记者和5名成人编辑对丹麦进行了采访,他们在丹麦学校里的经历也许对我们的教学能有启发意义。有一位小记者参加了他们的一堂英语课,老师和学生竟然调换了位置,学生们在讲台上用英语喊口令:"原地踏步、转身、举手、抱头、转圈……"老师则站在学生的位置上,和其他同学一起听着指挥做动作,课堂里不时爆发出阵阵笑声。想必通过这样的课,学生对英语的兴趣会大大提高,而那些口令会深深印入学生的脑海里并活学活用了。另一位小记者,没来得及跟老师打招呼,就随着小伙伴一起去学校的小树林里采集植物标本,足足15分钟后,他们带着一些有窟窿的树叶溜回教室,在显微镜下观察叶子和虫卵,而老师发现后,只是微笑着讲解一番,对他们的擅自外出似乎毫不介意。在纪律和兴趣之间,保护学生的兴趣是第一位的,在此基础上再作些纪律的提醒也许更符合创造教育的原则。

其次,教师本人的创造性品质对学生创造性的培养具有榜样、示范的作用。教师在学生尤其是低年级学生中的楷模作用是巨大的,又是全方位的。教师的言行举止、提问题的方法、处理事情的顺序、接人待物的态度,乃至衣饰、姿态、表情,都会在不知不觉中影响学生,这是一种潜移默化的影响力。有一位青年教师,一次让学生到黑板上做题,四个学生走上讲台,一人拿起一支新粉笔,不约而同地折掉一截,顺手往身后一扔,仿佛在比赛谁扔得更远、扔得更潇洒。这位老师很奇怪:怎么大家都会有这个行为呢? 等四个学生做完题,他把自己的疑问提了出来。结果,教室里的学生争先恐后地告诉他:老师,您每次在黑板上写字前都要折一下粉笔,我们都练了好长时间了,可惜还是练不出您扔粉笔时的那种潇洒。可见,儿童受教师的影响,只是偶尔的一些举动就会导向一个模式,且这种榜样的作用可以发生在任何时间、任何地点。从这个意义上说,教师真是个要求极高、极严的职业。当了教师,就意味着时时刻刻都要注意为人师表,稍一懈怠,就有可能产生了不良的影响。

如果教师很有创新意识,不断地在教学活动和日常交流中表现出这种创造性倾向,就会在无形中激发和促进学生的创造力。美国心理学家的研究表明,当学生认为自己的老师是由衷地尽力工作时,也就会把自己看做是较有能力的,并认为自己的创造力也是受到内部推动的,从而形成较强的内部创造动机。

再次,有创造性的教师往往会在情感上认同并鼓励学生的创造性,激发学生的创造力,从而帮助学生创造自己的辉煌。心理学研究发现,教师好像对与自己同属一个心理类型的学生易产生好感,并给以特别的优待。根据皮格马利翁效应,认同和赞美能增强人的自信,并更好地发挥自己的能力。

有创造性的老师,对于那些比较淘气、个性和独立性较强、比较古怪和特殊的孩子,往往能看到他们的长处、优点,给予宽容,加以引导,甚至肯定。相反,有的教师虽然也懂得创造教育的意义,并且试图在课堂上鼓励学生的创造热情,但由于他本身缺乏创造性,所以在评判学生的回答和考试结果时,又依着思维惯性进行了,这样的创造教育是很难取得好效果的。

从实践中看,创造性较强的教师比创造性较差的教师能在更大程度上培养学生的创造力。托兰斯发现,有些教师在创造性动机及智力、好奇心的测验中成绩在中等以上,他们的学生的创造性写作能力在三个多月中有显著提高,而那些成绩在中等以下的教师,其学生便没有进步。

一个教师没有创造力或创造力较低,是很难培养出有创造性的学生的。但是,教师创造力的高低与所培养的学生创造力的高低并非完全对等。一个教师具有较高的创造力,并不意味着他就能把自己的创造力转化为学生的创造力。爱因斯坦是个极富创造力的科学家,他为现代科学的发展建立了不可磨灭的功勋。但是他的学生中却并没有杰出的继承者。大多数的伟人虽然不同程度地受到老师或父母的影响,但是他的老师或父母并没有很高的建树。一个创造力强的人不一定就是创造性的教师。教师的创造力是培养创造性学生的前提,他还要创造性地运用教学原则和规律去发掘出学生的创造力,这才是一个创造性的教师应该履行的职责。

长江后浪推前浪。要使今天的教育为明天的创造服务,必须有一大批具备创造意识、掌握科学的教学规律、把创造教育贯穿于方方面面的创造性教师。这是时代的要求。

第二节 创造性教育对教师的新要求

美国创造教育专家史密斯认为,创造型教师应该是"吸取教育科学提供的新知识,在课堂教学中积极加以运用,并能发现新的实际方法的人"。

另一位美国创造教育专家托兰斯,还专门就创造型教师的具体标准问题做了详尽的描述。现归纳如下:

对学生发挥出来的创造力感到由衷的喜悦并加以高度赞扬;

建立有助于维护个人的自尊心的人际关系;

率直的共同感受;

了解学生的能力界限和优点;

不是为了支配学生;

创造性地宽容学生;

不压制集体的意志和个人的意见;

探求各种事物的真情;

宽容和亲切的环境。

作为创造性的教师应该具有创造性的人格,并在教育活动中表现出创造和革新的品质,在教学活动中发现、培养、发展学生创造力。这就给教师自身提出了比以往传道、授业、解惑更高的要求。

一 观念系统

教师的教育观念是从事教育工作的心理背景,它直接影响着教师的教学行为。

与传统的传授型教师相比,创造型教师的最基本特征是开放性。传授型教师有既定的教学大纲、教学进度、教学程序,讲课以规定的进度为标准,可以照本宣科,兴趣盎然的讲课只是为了更好地解释教学内容。相比较而言,这类教师最重要的是有一定的知识积累和口才。但是,教育活动有可预料的一面,也有不可预料的一面。教师在教育活动之先,可以确定教学目的、教学程序、使用的教学手段、仪器,甚至课堂设问,制订教学计划,以期在规定的课时内合理地安排时间,提高教学效率。然而,这种计划在实施过程中必然会发生教师始料未及的事情。

例如,有一次,有一位教师在课堂上解释内因和外因的关系,他拿出一个鸡蛋问学生:"为什么鸡蛋会孵出小鸡?"按他的设想,学生会回答鸡蛋中蕴藏着小鸡的因子。然而,有一个学生脱口而出:"因为鸡蛋是生的。"这个回答大出教师意外,他顺口就生气地说:"废话!熟的就可以吃了。"教育活动是教师和学生互相配合进行的创造活动。在教育过程中,教师应该在充分了解学生的资质、爱好、性情、知识背景的前提下,随机应变地改变计划,创造性地授课。显然,这位老师被自己的计划束缚了,没有灵活地调整自己的心态,根据学生的反应处理课堂提问。

与传统教育观念相比,创造性教育则强调教师教育效能感的能动作用。我们探讨了教师教育效能感的构成,研究表明,教师的教育效能感包括两个方面,即一般教育效能感和个人教育效能感。所谓个人教育效能感是指教师对自己是否有能力完成教学任务、教好学生的信念。例如"我一定能教好学生",这显然是教师的个人教育信念。尽管那种"没有教不好的学生"的观点尚不全面,因为学生成长除了教师的工作之外,还有许多客观的因素,但这句话也反映了一些教师的教育信念。一般教育效能感反映了教师对教与学的关系、对教育在学生发展中的作用等问题的一般看法和判断。

作为对其教学活动的独特的主观判断,教师的教育效能感并不是先天形成的,而是在其教学活动中逐渐形成和发展起来的。我们采用数量化的方法研究了教师教育效能感的发展趋势,结果如下表所示。从表中可以看出,教师的一般教育效能感随着其教龄的增长而呈下降趋势;而个人教育效能感则随着教师教龄的增长表现出上升趋势;在其教育效能感的总体水平上,虽然也表现出随教龄增长的上升趋势,但这种变化很小,不存在统计学上的显著性。

不同教龄组教师教育效能感各方面得分的平均值

教龄	0	1~5	6~15	16~25	26~30
一般教育效能感	4.27	3.98	3.97	3.81	4.04
个人教育效能感	4.37	4.58	4.85	4.90	4.82
总体教育效能感	4.29	4.28	4.41	4.36	4.43

就一般教育效能感随教龄增加而下降这一点而言,我们认为其主要原因在于,由于师范教育的倾向性,师范院校的学生及刚走上教育岗位的教师一般多持有"教育决定论"的观点,他们很自然地认为,教育一定能促进学生的身心发展,它在学生的发展过程中起着决定性的作用。但随着从教时间的增加,教育现实中的许多现象和问题对"教育决定论"的观点提出了挑战,使教师对教育的

决定作用产生了怀疑,他们的教育观念发生了动摇,不再坚决地肯定教育可以决定学生的发展了,而是认为学生的发展是一个复杂的过程,受多种因素的影响,教育不是万能的,教与学是辩证统一的关系,其中学生的学习、发展既受生理条件与心理发展水平的制约,又受社会条件的制约,且存在着年龄特征与个体差异,青少年学生的发展是内外因交互作用的产物,并表现为一个从量变到质变的过程。鉴于上述认识,因此,教师的一般教育效能感出现了随教龄增加而下降的趋势。

而教师个人教育效能感的上升趋势,则是其教学经验积累的结果,也可视为教师个体文化的发展产物。这是学校教育活动中与教师职业有机联系在一起的文化现象。一般说来,在校大学生和刚参加工作的教师,他们的教学经验很少,在教学中遇到问题时,常常会手足无措,缺乏教学方法和课堂管理的策略。随着教学年限的增长,教师的教学经验逐步丰富起来了,他们的个体文化概念也进一步得到了发展,他们的思想观念、价值取向、审美意识和社会行为逐步稳定,角色特征、人格特征、形象特征和教学风格日益完善。于是,他们慢慢学会恰当地处理教学中出现的各种问题,教学的自信心不断地增强,其个人教育效能感也就表现出上升的趋势。

与传统教育观念相比,创造教育则更加注重创造能力和习惯的培养,树立创造力是未来通行证的观念,把创造教育渗入自己的教学理念中。创造在人类的过去和现在都是社会发展的原动力,在未来,更是生存和发展的基础。一个失去创造力的民族在全球一体化的时代里将失去依存的屏障。创造力已不是人们身上华贵的装饰品,而是个体、民族和国家安身立命之本。培养创造力也不再是教师额外的工作,而是份内必不可少的组成部分,甚至是教育活动的中心目的。一个教师只有把创造力的培养当成最起码的职责和工作热情所在,才可能逐步实施创造教育。

树立创造力是可以培养的观念,激发学生的创造需要。教育的任务之一就是了解创造力是先天的还是后天的、教育在其中起着多大的作用、教育如何培养创造力。现在比较一致的观念是,创造是人内在的需求,但是在人社会化的过程中,由于制度、规范、习俗、教育机制、人的惰性等因素的影响,它会逐渐失去活力。创造教育的任务是通过教师多方位的引导,尽量排除社会、学校、家庭消极因素的影响,激发学生的创造力。教师不仅要确定创造力可培养的观念,而且要确立创造力的培养是全面的、全方位的观念,把它融入自己的言传身教,给予学生一个宽容、健康、向上的环境。

观念是实践的向导。中国明代哲学家王阳明说:"知之真切笃实处便是行,行之明觉精察处便是知。"观念如果深入骨髓,便会成为一种力量,促使人去实践。

教师除了自己是个现实的人外,还是学生终身的楷模,他的习惯不仅使他自己的生活获得一定的稳定性,而且也往往成为学生模仿的方式。实施创造教育,首先就要求教师不断打破自己的思维定势,并养成爱创造、以创造为生命的生活习惯。

创造性的生活习惯,既会成为创造教育的自然推动力,又可以全面地感染学生,使学生消除课上、课下的障碍,在潜移默化中养成创造的习惯,这才是创造教育的真正实施。

二 智能系统

一个创造性的教师在广度和深度上都应占有知识,但并非是占有所有信息,因为这是不可能的,更重要的是在完成合理的知识结构的构造后,学会寻找、检索信息的方法。

创造性的教师的知识结构包括对本学科知识的系统化的了解、相关学科的触类旁通,还包括教育学、社会学、心理学甚至生理学的知识。即教师的本体性知识、文化知识、实践性知识和条件性知识。

1. 本体性知识

教师的本体性知识是指教师所具有的特定的学科知识,如语文知识、数学知识等,这是人们所普遍熟知的一种教师知识。掌握知识要有事业与职业的目的。一个人最佳的知识结构,主要是以自己所从事的职业与专业为基础。一位教师的职业知识首先是精通自己所教的学科,教师购买资料,也首先是自己所教学科的书籍。学生的年级越高,教师的威信越是取决于其本体性知识的水平。教师扎实的本体性知识是其取得良好教学效果的基本保证,正因如此,人们认为,这些知识和学生成绩之间存在显著的正相关关系。于是,向被培训者传授本体性知识成为我国师资培训的中心任务。然而,实践证明这种培训方式存在很大的弊端。具有丰富的学科知识只是"基本保证",而不是惟一保证,即光有本体性知识并不是个体成为一个好教师的决定条件。

2. 实践知识

教师的实践知识指教师在面临实现有目的的行为中所具有的课堂情景知识以及与之相关的知识,或者更具体地说,这种知识是教师教学经验的积累。教师的教学不同于研究人员的科研活动,它具有明显的情景性。研究表明,专家型教师面对内在不确定性的教学条件能做出复杂的解释与决定,能在具体思考后再采取适合特定情景的行为,在情景中教师所采用的知识来自个人的教育教学实践,具有明显的经验性。而且,实践知识受一个人经历的影响,这些经历包括个人的打算与目的以及人生经验的累积效应。所以这种知识的表达包含着丰富的细节,并以个体化的语言而存在。显然,关于教学的传统研究常把教学看成是一种程式化的过程,忽视了实践知识与教师的个人打算,这种传统研究限制了研究成果的运用。

3. 条件性知识

教师的条件性知识是指教师所具有的教育学与心理学知识。这种知识是广大教师所普遍缺乏的,也是我们在教改实践中所特别强调的。条件性知识是一个教师成功教学的重要保障。

4. 文化知识

作为教师，除了要有本体性知识以外，还要有广博的文化知识，这样才能把学生引向未来的人生之路。在学校里，知识渊博的教师往往赢得学生的信赖和爱戴，因为教师的丰富的文化知识，不仅能扩展学生的精神世界，而且能激发他们的求知欲。学校中各门学科的知识总是紧密联系的，俗话说，"文史不分家"，"数理化是一体"，说的就是这个道理。社会发展到今天，我们更应强调"文理交融"，提倡文科的教师懂理，理科的教师懂文，这样才能适应知识爆炸时代思想活跃、见多识广的学生的需要。我认为，学生的全面发展，在一定程度上取决于教师文化知识的广泛性和深刻性。

我们的研究旨在从不同的角度来理解教师知识，以明了"一桶水"和"一杯水"之间的关系与性质。因此更注重研究教师知识的性质、范式、组织和内容。我们希望发现教师是如何把自己掌握到的某一学科的知识传授给学生的。已有的研究表明，教师把他们已具有的学科知识与课堂的具体情景结合起来，形成一种与行为有关的知识。

创造性的教师应具有敏锐和细致的观察力、独立的思维和创造性设想能力、较强的记忆力、丰富的想像力、独立深刻的思考判断力、合理又大胆的推理能力。教育工作是综合的智力运用。

创造性的教师使学生成为教学过程的主体，让学生自己去大胆地实践。有一位中国学者写了一篇文章，介绍他的孩子在美国上小学的一段经历。他的孩子才9岁，有一次老师布置了一篇作业，题为"中国的过去、现在和未来"，这是一个巨大的话题，许多成人都不一定说得明白。但是这位九龄童并不胆怯，他几次上图书馆，搬回了几可等身的资料，经过策划、写作、电脑编辑、打印，居然写出了头头是道的一篇论文，令父亲大吃一惊。这可以说是学生主体意识的良好培训。

创造性的教师还会制造优良的创造情境。在这个情境中,既有自由、宽容的气氛,又能具备适当的创造压力,造成急中生智的效果。据说西点军校有一规定,士兵对军官的问题只能答"是"或"不",不能解释任何理由。有一次,一个士兵被要求在中午一点钟前完成六件工作,这几乎是不可能的,士兵不能解释,但他完成不了就得接受惩罚。这位士兵没有退路,只好马不停蹄地干起来,奇迹出现了,他居然把不可能变成了可能。我们并不要求在高压下学习,但一定的压力确实能调动人们的智慧。创造性教师会灵活地利用"劳"与"逸"。

创造性教师会利用集体的力量,用"凡才"的集结造就"天才"的成果。他善于安排集体的协调配合关系,善于制造集体的竞争和协作,并通过集体汇集学生的创造灵感,从而达到事半功倍的效果。

从系统论观点出发,创造性教师的能力系统由众多要素组成,其中学科能力是其主要基础组成部分。

一般说来,学科能力通常有三个含义:一是掌握某学科的特殊能力;二是学习某学科的智力活动及其有关的智力与能力的成分;三是学习某学科的学习能力、学习策略与学习方法。无论哪种学科能力,不仅体现在学生有某学科的一定的特殊能力,而且有着学科能力的结构;并且这种结构不仅有着常见的某学科能力的表层表现,而且有着与非智力因素相联系的深层因素。

例如,语文和外语是关于语言学科的能力,听、说、读、写四种能力是其特殊的表现,这应看做语文能力与外语能力的一种特殊能力,只不过母语与外语在内容与形式上有着差异罢了。任何一种语言,听、说、读、写互为前提。听、说是读、写的前提,读、写也是听、说的前提;听、读是说、写的前提,说、写也是听、读的前提。在听、说与读、写的关系中,听说是口头语言的理解与表达;读写是对书面语言的理解和表达。口头语言和书面语言各具特点。口头语言生动、形象、活泼,口头语言表达要求思路敏捷、灵活;书面语言简练、严谨、规范,书面语言表达要求思路严密、有条理。但它们又是相关的,口头语言是书面语言的基础,书面语言又可净化口头语言。在听、读与说、写的关系中,听读是说写的前提,说写也是听读的前提。因为听读是"输入",是"吸收",是"内化";而说写则是"输出"、"应用"和"外化"。这一进一出,吸收和应用,内化和外化本是辩证的统一。听、说、读、写四种能力,共同构成语文能力或外语能力的特殊能力系统。

语文能力的听、说、读、写四种能力,在一定程度上是语文上的概括能力。例如,别人在"指桑骂槐",有人就听不出来,只能说其"听"的概括能力不强;有人在说话时口若悬河,滔滔不绝,甚至到口吐白沫时也说不到"点"子上,只能说其"说"的能力太差;有人在阅读中不会分段,找不出段落大意,归纳不出中心思想,只能说其"读"的概括能力不行;有人有着丰富的生活内容,就是写不出主题鲜明的文章来,主要还是说明其"写"的概括能力尚待提高。所以学好语文,离不开概括能力的培养。

又如,数学学科的能力,应首先是运算(数)的能力和空间(形)的想像力,同时,数学是人类思维的体操,数学的逻辑思维能力也明显地表现为数学学科的能力。运算不仅是指数或数学运算,还包括各种数学式子及方程的变形以及极限、微积分、逻辑代数的运算等;空间想像包括对空间观念的理解和对二维、三维空间几何图形的运动、变换和位置关系的认识以及形象结合、代数问题的几何解释等。而这两种能力的核心和基础是数学的逻辑思维能力,它包括数或数学的概念、判断、推理等基本思维形式以及比较、分类、概括、类比、归纳与演绎、分析与综合等思维方法。运算、空间想像和数学中逻辑抽象思维,共同构成数学能力的特殊能力系统。

数学概念的概括是从具体向抽象发展,从低级向高级发展。

例如,从"自然数"到"正整数"、"有理数"、"实数"、"复数",一直到"数",这就体现着一个概括的过程,反映了从儿童到青年的思维能力、智力发展的水平。所以我们在上一段强调数学能力必须以概括为基础,在一定意义上说,数学能力就是数学概括能力,应该重视学生的数学概括能力的培养。

一切学科能力都是以概括为基础的,物理、化学、生物如此,地理、历史、政治也是这样。例如,思想政治课中每一个概念都是学生透过日常现象看本质,归纳类似"合并同类项"的结果。思想政治课重视对知识"举一反三",没有概括,就谈不上"举一反三",学生就不能运用思想政治课知识,也学不到思想政治课知识。如果说概括是思维研究的重要指标,概括水平成为衡量学生思维能力发展等级的指标;如果说概括能力是智力培养的重要方面,智力水平通过概括能力的提高而获得显现,那么学生的学科能力正是其在获得学科知识的基础上通过概括化而形成的。抓住了概括能力,也就抓住了学科能力的基础与核心问题。因此,发展学生的概括能力,这是发展其学科能力,乃至培养其智力与能力的一个重要环节。

研究表明,各学科能力存在着明显的思维或认知的特殊性。按大学科分类,学科可归纳为理科与文科,这相应地与抽象逻辑思维和形象逻辑思维、认知和社会认知紧密地联系着。

文科能力,特别是文学、艺术等学科的学科能力,主要地与形象逻辑思维联系着。因为文学、艺术形象的创造,主要是自觉表象运动的直接结果,文学、艺术学科能力的发展,更多地体现出想像力的发展。

理科能力,特别是数学能力,主要地与抽象逻辑思维联系着。例如,上面曾谈到对数概念扩充及定义的展开,从"自然数"到"正整数"、"有理数"、"实数"、"复数",一直到"数",这就体现着一个概念逻辑的抽象概括过程,反映了各年龄阶段的学生思维能力,乃至整个智能发展的水平。

形象逻辑思维,即形象思维以形象或表象为思维的重要材料,借助于鲜明、生动的语言作物质外壳,在认知中带有强烈的情绪色彩的一种特殊的思维活动。一方面是鲜明的形象;另一方面又有着高度的概括性,能够使人通过个别认识一般,通过事物外在特征的生动具体、富有感性的表现认识事物的内在本质和规律。形象思维具备思维的各种特点,如上面所述,除了语言之外,它的主要心理成分有联想、表象、想像和情感。特别是想像,想像的过程,在一定程度上就是形象思维的过程;想像的发展,当然是形象思维发展的过程;想像的结果,往往也就是形象思维的结果。想像和形象思维很难从本质上去分清界限。形象逻辑思维的活动,有着抽象思维参与。这样,使形象逻辑思维能作为一种具有必然性和普遍性的完全独立的思维活动。

抽象逻辑思维尽管也依靠实际动作和表象,但它主要是以概念、判断和推理的材料表现出来,是一种通过假设的、形式的、反省的思维。换句话说,抽象逻辑思维是撇开具体事物运用概念进行的思维;是通过假设进行的思维,使思维者按照提出问题、明确问题、提出假设、检验假设的途径,经过一系列的抽象概括过程,以实现课题的目的。抽象逻辑思维,就其形式来说,是形式逻辑思维和辩证逻辑思维。前者是初等逻辑,后者是高等逻辑。二者既有区别,又有联系,它们是相辅相成的。

综上可知,某些理科能力和文科能力,分别地更多地与抽象逻辑思维和形象逻辑思维想联系,这"更多",仅仅指为主,体现某些学科能力的特殊需求,但绝不能将这些能力分别与抽象逻辑思维或形象逻辑思维等同起来,因为每一种学科能力,除了更多地与某种思维相联系之外,还要包含另一种思维的成分。例如,数学能力是典型的理科能力,可是它却包含空间想像能力;语文能力是一种典型的文科能力,但是它既离不开形象逻辑思维,也离不开抽象逻辑思维。

作为学科能力的材料的知识经验，如上所述，在内容上主要是语言、数和形；在形式上大致可分为两类：一类是感性的材料，一类是理性的材料。这是不同性质的材料。感性材料，包括感觉、知觉、表象等，学生的学科能力活动是凭借这些感性材料，特别是表象来进行的。例如，小学中低年级学生掌握了数学符号性表象，但在运算中也要以感性材料为支柱，需要运用直观教具激发他们的具体经验。理性材料，主要指各学科的基本概念。概念是思维的细胞。概念的形成和发展，与判断和推理是不可分的。例如，中学生在数学学习时，依靠数字、字母、字词逐步掌握各种数的概念、定义、公式、法则，学会判断，进行推理来加以运算，依靠这些理性材料来提高数学学科的能力。有时将感性材料和理性材料联合起来培养学生的学科能力。例如，我们强调中小学生写作能力的培养抓好两个过渡，一是从"说"到"写"，主要抓"看图说话——看图写话——忆'图'（景）写话"；二是从"读"到"写"，主要抓"仿写"。这两个过渡要应用上述的两种材料，应贯穿到中小学写作的全过程。看图写话，应从小学一年级入学第二个月开始，高中三年级仍要坚持"看图写话"，只不过"图"的抽象性是不同的。难怪高考作文题多次出现"看图写话"。仿写，应从小学二年级下学期开始，一直可延续到高中。这是提高学生写作能力的一项重要措施。"仿写"的关键有两个：一个是选好范文，另一个是引导学生练习。从小学生"以猫画虎"开始，到中学阶段，学什么体裁就写什么作文，散文、议论文、诗歌、小说、剧本等等都可通过"仿写"而提高写作能力。仿写决不是原先材料的重复，更不是"抄袭"，仿写中有创新，是仿照某一范文格式对写作的感性材料与理性材料的再创造。由此可见，学生学科能力发展之所以表现为多样性，原因之一是在作为材料的学科适应经验上，不仅有数量的增减，而且有质的变化。学科能力发展过程中质的变化的重要途径，是通过作为材料的学科能力之中介——"新质要素"的逐渐积累和"旧质要素"的逐渐衰亡和改造而实现的。

学生的学科能力要在各个学科的教学实践中获得具体化,表现出较强的操作技能和善于运用知识的特点。换句话说,在各科教学实践中,已经形成的学科能力有助于学生主体对各学科的学习,并为顺利地进行学科学习提供符合知识运用和操作技能要求的程序、步骤、环节、策略和方法等。

学科能力的可操作性,可以用具体的学科语言来表示,例如,我们在下面附表中用数学语言规定了数学能力的操作要求,用语文语言规定了语文能力的操作要求。探索和选择适合一定学科的语言来界定学科能力及其操作要求,使各科教学中为培养有关学科能力有据可循,并发挥学科能力的更大的操作性。

在实际创造性教学工作中,为使大家对小学生的各种学科能力更加清晰,同时又便于具体操作。我们现以表格形式列出,仅供参考。

小学生语文能力结构的例举及剖析

交叉点 思维品质	听	说	读	写
敏捷性	1. 能够适应不同速度的语音符号的传出。 2. 能迅速接受语音符号,准确地识别音调,并在瞬间把其还原为语义内容。	1. 能以各种速度送出语音符号。 2. 能够适应迫切的情况,积极思维,反应快速,对答如流。 3. 能迅速将听到的语音还原为语义内	1. 视读广度宽,具有一定的阅读速度和阅读效率。 2. 能在较短时间内迅速抓住材料的要点,捕捉住中心。 3. 能够边读边	1. 文思敏捷,能按要求迅速构思,在限定时间内成文。 2. 能按照表达意思的需要,对平日积累的词语迅速做出选择、判断。

续表

能力 思维品质＼交叉点	听	说	读	写
敏捷性	3. 能紧跟讲话人的思路进行思考,善于抓住对方说话的内容要点,周密分析、判断,迅速作出反应。	容,储存并复述出来。 4. 在极短时间内,能针对变化作出分析判断,及时调整说话内容。	从文字中择取有价值的信息。	
灵活性	1. 在变化的不同环境中,均能听清听准对方发出的语音符号。 2. 善于接收对方在不同情绪下发出的语音符号,能进行综合分析。 3. 善于多角度地分析不同场合中的语言信息,概括,迁移。 4. 善于从听话中得出多种合理而灵活的结论。	1. 能在变换的环境中正确地发出语音符号。 2. 善于在对方不同的情绪下发出语音符号,说话得体。 3. 善于从不同角度、方面、方向,进行分析、概括;顺应变化,机敏地加以调整,巧妙应对。	1. 善于从不同角度思考所读的内容。 2. 善于灵活地采用不同的阅读方法,集中精力吸收有用的材料,处理没有信息价值的材料。 3. 善于变换阅读速度,"没有用的地方"快速读,内容丰富而有实用价值的地方慢速读。	1. 作文思路开阔,善于从不同角度、不同方面选材。 2. 善于灵活运用表达方式和修辞方法,能够在不改变原意的前提下,改变原材料顺序,进行创造性设想。

第五章 创造性教育

续表

思维品质\能力交叉点	听	说	读	写
创造性	1. 善于从所听内容出发进行比较分析，发现规律性的特点。 2. 善于对所听内容进行想像和联想，产生独到的体会和新异的感受。 3. 善于运用求异思维，提出与所听内容不同的观点或思想。	1. 不为别人的意见所左右，不人云亦云，能说出新颖、独特的见解。 2. 善于想像和联想，即兴发表意见，能够出口成章，谈出独到的体会和新异的感受。	1. 阅读时善于比较、联想、发散和鉴别。 2. 阅读过程能够再现语言中所描述的现象，进行创造性复述。	1. 立意新颖。 2. 构思、表达不落俗套。 3. 能够运用与原文不同的方式，重新表达原文内容。
深刻性	1. 能抓住说话人的思路，明了说话的主旨和要点。 2. 能洞察对方说话的用意，听得出"弦外之音"，言外之意。 3. 能预见对方说话的结论。	1. 说话时思路清楚，语脉明晰，中心突出。 2. 说话有深沉丰富的内涵，言虽尽而意无穷。 3. 说话所表达的观点中肯、深刻，能揭示事物的本质和规律，一语破的，言近旨远。	1. 能准确理解所读内容的要点，在了解"是什么"和"怎么样"的基础上，能弄清"为什么"。 2. 善于深思，能理解体味文章的内在含义和字底意思。	1. 立意有一定的深度。 2. 能很快地抓住要表达的事物的中心，用准确、简练、生动的书面语言表达，叙事说理周密而精确。

小学生数学能力结构的例举及剖析

思维品质	运算能力	逻辑思维能力	空间想像能力
敏捷性	1. 表现在概括过程中：只需借用少量运算实例，就能迅速概括出一般运算法则、定律、性质及其他规律或技巧。 2. 表现在理解过程中：只需通过少量实例说明，就能明白运算道理与基本步骤和过程，就能模仿规范进行运算。 3. 表现在运用过程中：只需通过少量范例，就能正确、迅速地进行运算；善于抓住问题本质，运算过程跳跃大、跳得恰当，步骤简捷，心算、口算好。 4. 表现在时耗上：反应敏捷停顿少，完成运算(特别是难度较大的)耗时少。	1. 表现在概括过程中：只要通过少量实例，就能概括出数、式及数量关系中的数学特征、规律与相应的解题技巧。 2. 表现在理解过程中：只需通过少量实例，就能弄懂数、式及数量关系中的特征与规律，能很快地抓住问题的实质，能熟练地作等价变换。 3. 表现在运用过程中：只要通过少量实例，就能准确运用数、式、数量关系等知识，说明实际问题中的数学道理，解答比较复杂的数学问题，而且思路清晰弯路少，推理跨度大。 4. 表现在时耗上：解答和说明问题落手快，完成推理过程耗时少。	1. 表现在概括过程中：只要通过少量实例，就能概括出几何形体中常见的数学特征及相应的计算公式（周长、面积、体积、内角和公式等）。 2. 表现在理解过程中：只要通过少量实例，就能懂得几何形体的有关定义、性质、公理，能很快地抓住几何形体间的本质联系。 3. 表现在运用过程中：只要通过少量实例，就能概括具体问题中的几何本质联系，选择正确的方法，准确地解决几何度量、作图和计算等问题；在说明几何现象和解答几何问题过程中，几何表象清晰，重现迅速，能快捷地进行分解、组合、等积变换。 4. 表现在时耗上：心到手到，连贯迅速，耗时少。

续表

思维品质	运算能力	逻辑思维能力	空间想像能力
灵活性	1. 表现在概括过程中：善于运用运算结果比较分析，并联系生活经验归纳、概括运算的意义、法则、定律、性质；能灵活选用数学技巧，紧扣目标展开思索。 2. 表现在理解过程中：善于利用已有的数、式、运算等知识、技巧和生活经验，从多侧面去弄懂数学运算问题。 3. 表现在运用过程中：善于自觉地调用运算意义、法则、定律、性质和技巧，善于根据计算目的灵活调节运算过程、选用运算方法进行合理、巧妙的运算；既能用一般的方法、规则进行运算，也能用特殊技巧进行运算，还能用多种方法解同一个运算问题。 4. 表现在运算效果上：流畅、停顿等；富于联想，解法多；方法灵活，恰当。	1. 表现在概括过程中：善于调用已学数学知识与学习经验，从不同角度进行比较、归纳、假设，概括出数与运算、数量关系中的规律。 2. 表现在理解过程中：善于调用已有的数学知识、技巧、经验，灵活采用分析、演绎"模仿"想像、尝试等思维方法，去弄懂数学问题(包括概念和需求解的问题)。 3. 表现在运用过程中：善于灵活调用数、式、几何常识，从不同角度、方向和环境出发考虑和解决问题；善于用一般的方法和特殊技巧解决同一个问题；求同思维与求异思维兼容，正向与逆向、扩张与压缩变换，机智灵活，善于运用变化的、运动的观点考虑问题的习惯表现。 4. 表现在推理效果上：目标跟踪意识浓，方向、过程、技巧及时转换，水平高，解法多。	1. 表现在概括过程中：善于画图和动手实验，灵活调用已学知识、技巧，较容易地概括出几何形体的基本特征与性质(包括公式)。 2. 表现在理解过程中：善于调用已有的几何知识与经验，从不同角度、用多种方法(推理、实验等)去理解几何形体的位置与度量关系和某些性质(如稳定性、圆锥体中高与底面积的反比例性质等)。 3. 表现在运用过程中：善于灵活地从不同角度、运用不同的几何知识，去分析几何问题，解决几何问题；善于在某个条件不变的情况下，变换几何位置与形状，去解决某些几何问题；善于由已知几何条件联想到多种几何位置、形状与度量关系，并灵活地解答各种变形问题。 4. 表现在几何想像效果上： 空间想像能力强、变

续表

思维品质	运算能力	逻辑思维能力	空间想像能力
灵活性			换多,不仅能从一种几何状态想像到另一种状态,而且还能从某些算式想像出具有相应的度量性质的几何形体;解题思路多,方法选择得当,善于解答组合形体问题。
创造性	1. 表现在概括过程中:善于用独特的思考方式去探索、发现、概括运算方法(技巧)。 2. 表现在理解过程中:善于用独特的方式去理解和解释运算方法与规律。 3. 表现在运用过程中:善于用独特的、新颖的方法进行运算(包括解方程、化简比、繁分数等)。 4. 表现在运算效果上:解法新颖,有独到之处。	1. 表现在概括过程中:善于发现矛盾、提出猜想、给予验证(论证);善于按自己喜爱的方式进行归纳,具有较强的类比推理能力与意识。 2. 表现在理解过程中:善于模拟和联想;善于提出补充意见和不同的看法,并阐述理由或依据。 3. 表现在运用过程中:分析思路、技巧独特新颖;善于编制机械模仿性习题。 4. 表现在推理效果上:新颖、反思与重新建构能力强。	1. 表现在概括过程中:善于用独特的思考方法去探索和发现几何形体上的数学特征与度量性质。 2. 表现在理解过程中:善于提出等价的几何公式和修正意见;善于用一般化的和运动的思想方法去认识形体中的数学特征。 3. 表现在运用过程中:善于创设几何环境;善于制作几何模型;善于用独特、新颖的方法分析、解答几何问题。 4. 表现在想像效果上:想像丰富、新颖、独特。
深刻性	1. 表现在概括过程中:善于广泛地调用所	1. 表现在概括过程中:善于在具体数学材料	1. 表现在概括过程中:善于从不同状态、不

续表

思维品质	运算能力	逻辑思维能力	空间想像能力
深刻性	学的数学知识,去细致负责地分析有关运算的问题,善于紧扣本质与内在联系,去概括和形成新的有关运算的意义、法则、定律、性质等概念。 2.表现在理解过程中:善于从四则运算之间的辩证统一关系去深入理解各运算的意义;善于从整、小、分(百分)数间的内在联系去深入理解运算定律和性质;善于从计算经验和生活实践出发去弄清有关运算公式、法则和性质成立的理由。 3.表现在运用过程中:善于进行数和算式的等值变形、公式的等价变形;善于辩证统一地处理运算和解变形的或不常见的运算问题;善于用一般的方法解文字题和方程;善于进行难度较大的运算;具有良好的检验习惯,	中抓住本质,概括出有关数、式和数量关系的基本概念与公式;善于在较复杂的应用题中概括出基本数量关系;善于在解题过程中概括出知识结构、习惯类型并进行解答技巧分类。 2.表现在理解过程中:善于正确理解数学名词与符号的意义,在头脑中建立各种数学概念;善于发现知识间的内在联系,能将头脑中的知识重新进行建构。 3.表现在运用过程中:善于进行数量关系的等价变换,掌握多种描述同一数学性质的语言技巧;善于辩证统一地运用四则运算意义说明实际问题中的数量关系,用具体数量关系解释四则运算与规律;善于区别相近数学概念、发现不同数学现象间的本质联系;善于将知识和技	同角度去正确地形成有关几何概念、度量性质和比例尺、统计图表的现象。 2.表现在理解过程中:善于用变化的、辩证的思想去认识,并发现几何形体中某些量间的比例关系和不同形体间的联系;善于用初步经验与解法去认识新的几何形体;善于用几何现象解释某些计算公式和变化规律。 3.表现在运用过程中:善于对常见几何形体按几何特征或度量性质进行分类;能根据文字题想像出相应的几何形体,并正确地分析几何特征与隐含的数量关系;能将一些抽象的算式解释成具体的几何环境中的数量关系;善于对组合图形(体)作丰富的想像变换,并转换成一些常见的简单图形来进行数量关系分

续表

思维品质	运算能力	逻辑思维能力	空间想像能力
深刻性	能自觉做到每步运算依据充足,漏弊防范能力强。 4.表现在运算效果上:过程正确、严谨,技巧化水平高,解答难度较大的运算问题能力强。	巧进行组合、分类,使之系统化、结构化;善于全面、严谨地思考问题,能用充分的理由说明数学现象和解答问题的过程;善于自觉地用分析、综合、归纳、演绎、模拟、类比、假设、想像等方法,解答难度较大的问题。 4.表现在推理效果上:全面、严谨、深刻、力度大,技巧系统化水平高。	析,善于恰当地设计并绘制正确的统计图表,分析难度较大的几何问题做到理由充足。 4.表现在几何想像效果上: 解答由文字抽象描述的几何问题能力强,几何形体的分解与组合变换形式多样、理由充分;头脑中有鲜明、准确的方位、方向、形状、度量观念和广阔的几何交换空间。

大量实验已经表明,教学活动是一种认知活动。研究发现,教师的自我概念对其教学行为和教学效果有明显的因果性影响,这也给我们提供了非常重要的研究证据。基于上述考虑,我们提出教师教学监控能力这个概念。所谓教师教学监控能力,是指教师为了保证教学的成功、达到预期的教学目标而在教学的全过程中将教学活动本身作为意识的对象,不断地对其进行积极、主动地计划、检查、评价、反馈、控制和调节的能力。这种能力主要可分为三大方面:一是教师对自己教学活动的事先计划和安排;二是对自己实际教学活动进行有意识的监察、评价和反馈;三是对自己的教学活动进行调节、校正和有意识的自我控制。

根据教师在教学过程不同阶段的表现形式的不同,教师教学监控能力可以包括以下方面:(1)课前的计划与准备性。即在课堂教学之前,明确所教课程的内容、学生的兴趣和需要、学生的发展水平、教学目标、教学任务以及教学方法与手段,并预测教学中可能出现的问题与可能的教学效果,这是教师进行教学监控的前提。(2)课堂的反馈与评价性。指教师对于课堂的状况、学生的反应的敏感性与批判性,或者说是教师对课堂教学过程中"问题性"的敏感程度以及对所发现问题的解释与分析。可以说,评价和反馈性是教师教学监控能力的基础,教师的教学监控过程都是从他对教学活动的反思、评价与反馈开始的。(3)课堂的控制与调节性。如果说评价与反馈性是教师教学监控能力的基础的话,那么调节与校正性则是教学监控能力的目的。教学监控能力的根本作用就在于它使教师能够有意识地、自觉地对自己的教学活动进行调节和修正,使之达到最佳效果,能最大限度地促进学生的发展。这也是我们培养教师的根本所在。(4)课后的反省性。在一堂课或一个阶段的课上完后,教学监控能力高的教师会对自己已经上过的课的情况进行回顾和评价,教学监控能力差的教师一般就不认真地考虑这些问题。我们看到,教师教学监控能力结构的这四个成分实际上是从教学监控的全过程来区分的,是一种过程性的、动态性的结构。

  教学理论和实践表明,课堂教学是培养学生创造能力的主要途径。为有效地实施创造性教育,必须注重课堂教学基本功的训练。

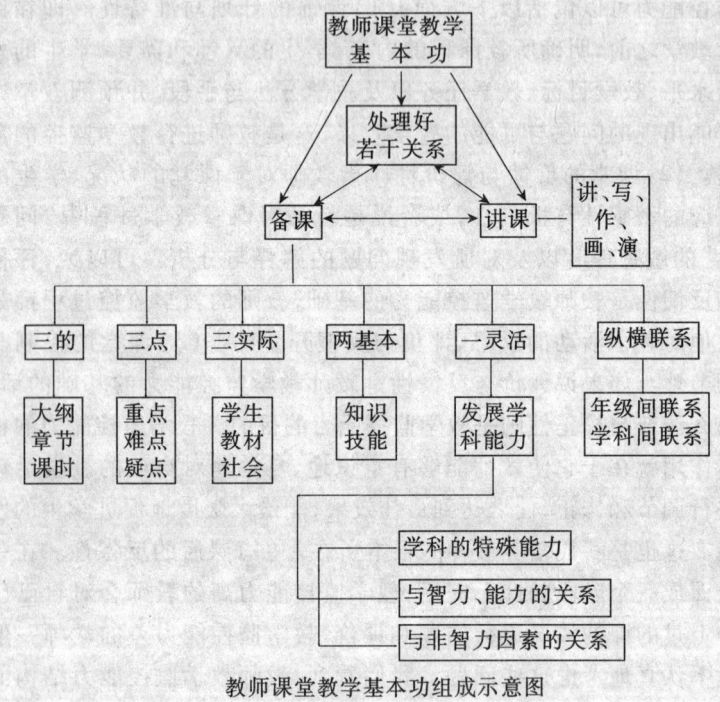

教师课堂教学基本功组成示意图

第三节 构建师生双主体的创造性教育机制

为了培养学生的创造能力,其中一个有效的措施就是改造原有的教育机制,构建一个具有师生双主体互动性的创造教育机制。为了达到这个目标,首先应做好奠基工程。

一 奠定双主体创造性教育基础

概括来讲,做好师生双主体创造教育基础工作的必要条件是:要求教师了解学生心理发展特征,变革传统教育模式。

(一)了解学生心理发展特征

从整个小学时期来看,小学生生理变化比较平稳,似乎一步一台阶,不管是身高、体重、胸围、头围、肩宽、骨盆宽等身体外形,还是体内机能的发育,也包括神经系统的发育,都比较均匀有序。到高年级后,女生从 10～11 岁起,男生从 12～13 岁起进入青春发育期以后,生长速度便出现了明显的上升趋势。

小学生心理发展的条件有两个:一是上述的生理变化;二是学习活动,也就是说,小学生进入学校以后,学习便成为他们的主导活动,这促使了他们的心理过程和个性(社会性)全面地发展。

小学生的心理发展特点,是由其心理发展的条件所决定的。生理,特别是脑和神经系统的均匀和平稳的发育,构成了小学生心理的协调发展;学习成为主导活动,小学生投入集体生活,不仅使小学生的智力从具体形象思维过渡到抽象逻辑思维,而且也使他们的社会性和个性获得迅速的发展。在小学阶段,这些心理发展具有较大的可塑性和开放性。

(1)小学生心理发展是迅速的,尤其是智力和思维能力。小学生在入学以后,由于学习以及日益复杂的各种各样的实践活动向他们提出了多种多样的新问题,促使他们渐渐地运用抽象概念进行思维,促使他们的智力水平开始从以具体形象思维为主要形式逐步向以抽象逻辑思维为主要形式过渡。事实上,一年级还是以具体形象思维为主要形式,与幼儿晚期差不多,五六年级学生的思维尽管还带有具体形象性,但基本上是抽象逻辑思维了。整个小学生的思维,总的趋势是具体形象思维向抽象逻辑思维迅速的过渡。这种过渡,是智力和思维发展过程中的质变。所以说,小学时期是一个发展智力的好时机。

(2)小学生心理发展是协调的。尽管小学生心理发展很迅速,但又非常协调。以品德发展为例,这是人一生中道德品质发展最为协调的阶段。此时出现比较协调的外部的和内部的动作,道德知识系统化,并形成相应的行为习惯。例如,言与行、动机与行为比较一致。随着年龄的递增和道德动机的发展,言行一致和不一致的分化逐步增大。比起初中阶段少年期的"动荡性",即所谓的"急风骤雨"式的情感来,小学生心理发展中的协调性成为主要特征。所以,自觉纪律的形成和发展在小学阶段心理发展中占有相当显著的地位。可以说,小学时期是发展和谐个性、品德和社会性的好时机。

(3)小学生心理发展是开放的。小学生经历有限,内心世界不太复杂,因此,他们的心理活动显得纯真、直率,能将内心活动表露出来。这个阶段"闭锁性"不明显,具有较强的"开放性"。例如,他们的情绪和情感富于表情化,喜、怒、哀、乐明显地表现在面部,而且容易变化,不善于修饰和控制。所以说在小学阶段,成人与儿童容易沟通,师生之间、亲子之间的关系容易融洽。可以说,小学时期是了解儿童真实心理活动,从而进行有的放矢的教育的好时机。

(4)小学生心理发展是可塑的。比起逐渐成熟起来的青少年,小学生的心理发展和变化具有较大的可塑性。无论是思维能力,还是个性、社会性和品德,都易于培养,诸如人生观、世界观等一类稳定的个性意识倾向性,在小学阶段尚未萌芽;又如性格这一个心理特征的核心成分,即稳定的内外行动只是形成时期,良好的或不良好的习惯能通过教育措施加以改变。所以,小学阶段是培养良好的心理品质与行为习惯的一个好时机。

(二)彻底变革传统教育模式

创造性教育是传统教育的改革和发展,它是为满足信息社会的需要而建立的,两者之间有着巨大的差异。通过比较,其特点更为突出鲜明。

在教育观念上,传统教育往往重视既有的知识;创造性教育则以面向现实、面向未来为价值取向。

在培养目标上,传统教育重视固守知识型、守业型的学生;创造性教育则重视开拓型、创造型、有个性的学生。

在教学内容上,传统教育重视纵向的知识体系,忽视知识的横向联系和综合运用,要求学生"惟书"、"惟师",教材脱离实际,多年一贯制;创造性教育重视知识的活学活用,强调学生到社会中去,紧密联系社会实际,社会上纷繁的信息都是学习的内容。

在教学方法上,传统教育主要依靠死记硬背、注入式、满堂灌,不重视学生的"学",只关注教师教学计划的完成;创造性教育以学生为主体,引导学生主动自觉地学,教学重视启发法、发现法、问题教学法等,重视多种教学手段的运用。

在教学形式上,传统教学形式单一化、模式化、平均化,忽视因地因时制宜,因材施教,不注重学生的个性特点;创造性教育强调教学过程的随机性,根据教学效果和过程随时调整教学角度,教师努力进入学生的思考中,教学重视学生是个性的人,引导学生合乎本性地发展。

传统教育以培养高智能型的人才为自己的目标,创造性教育则为培养创造型的人才。日本的恩田璋教授通过研究,对创造型和智能型的培养目标和教学方法作了以下比较。

类 型		传授学习型（传统教育）	启发研究型（创造性教育）
培养目标		获得教师和教科书上的知识并积累知识	对教师和教科书中的知识批判吸收，从中发现问题，发展知识，开发创造力
教 师	方 法	传授知识	启发研究
	目 的	教会知识	诱发才能
学 生	方 法	学习知识	研究知识
	目 的	了解知识	深入挖掘知识
类 型		传授学习型（传统教育）	启发研究型（创造性教育）
特 征	(1)	在现有知识范围内	超越现有知识范围
	(2)	培养模仿力	培养独创力
	(3)	解决同类问题	发明、发现

传统教育模式在工业社会完成了它的历史使命，今天，社会的变迁提出了新的要求。未来学家们研究认为，未来的社会是学习化的社会，学习是每个人充分发展的必要条件，也是每个人的"生存权利"。

创造性教育的任务也不再仅仅是培养创造发明的人才，而是扩展成培养创造性地学习、创造性地工作、创造性地生活、创造性地参与社会的能力的教育。

作为教师，应该随时了解学生在创造性活动中的心理发展状况,变革传统教育模式,以便随时协调教与学的关系,推动整个教学进程。顺便指出,关于教与学的互动关系,提倡师生双主体地位是十分必要的。

二 构建双主体的创造性教育机制

开展创造性教学,提倡师生双主体地位,从而建立和谐的教学关系。

	主体	客体	媒体
教	教师	学生	知识
学	学生	知识	教师

实施创造性教育,教师是主体,因为教师是教育目的的实现者,教学活动的组织者,教学法的探索者;教师起的是主导、领导和调动学生积极性的作用,他是学生能否获得知识经验的关键,他能加速或延缓学生心理发展的进程,合理而良好的教育是适合于学生内因变化的条件。在学的过程中,学生是主体,因为学生是教育目的的体现者,是学习活动的主人,是学习过程积极的探索者;学生起的是主动性,即发挥主观能动性和内因的作用。

主体性是人作为社会活动主体的本质属性,对于学生来说,就是在教师指导下的积极主观能动性。

(一)主导和主体

学生在学习中的主体性,体现在学生能自觉主动地学习,体现在学生能根据自身的水平和需要有选择地学习,体现在学生能独立自主地参加学习的全过程,会调节控制自己的学习过程,更体现在不墨守成规、创造性的学习上。学生在学习中主体性的发挥,要靠教师的主导作用,教师要热爱教学,善于教学,教师要从学生需要出发,最大限度地适应学生学习的需要,针对学生的不同情况,实施"差异教学",使每一个学生在原有的基础上,潜能都得到开发,得到充分的发展。学生正是在教师主导设计的各种教学活动中,使主体性得以充分发挥。可以说教师的主导是学生在学习中主体性发挥的关键。

(二)调动学生的动力系统,使学生爱学习

发挥学生在学习中的主体性,关键要改善学生的主体结构。主体结构中的动力系统具有激活、驱动、强化和调节的作用。学生主动学习的本质是学习活动出于自我的需要。这一方面和学生的学习目的、学习动机有关,另一方面也和教师设计的教学目标、教学活动是否符合学生的实际情况有关。笔者在听课中经常碰到教师对全班学生采用一刀切的教学目标,一些学生感到学得太浅,而另有些学生则感到困难,这又怎能调动每个学生学习的积极性?教师为学生制订的教学目标应分别处于他们各自的最近发展区内,并为学生提供必要的认知前提,安排好新旧知识的连结,让学生跳一跳摘果子,这样才能最大限度地调动学生学习的积极性。

教师要想法设法使教学目标内化为学生学习的目标,调动学生自身的动力系统。有一位中学教师教学"对数表"一课时,她不是急于介绍对数表的知识,而是首先提出一个问题,"一张纸的厚度是 0.0863mm,折叠 30 次后,有多高",将新授知识转化为学生感兴趣的问题,从而使每一个学生都对这节课产生了极大的兴趣,积极主动地学习。教学要联系实际,应特别注意联系学生生活的实际,从而使学习变成学生内在的需求。要注意挖掘教学内容中的情意因素,做到知、情、意结合,课堂上师生民主平等,互相尊重,教师给学生以成功机会,使学生情感的需要、自我实现的需要等得到满足,从而使学习变成学生内在的需求。在教学中要用多种方法和形式,使静态教学内容动态化、抽象的内容形象化,也会使学生,特别是低年级学生对学习产生兴趣,对学习产生内在的需求。

教师要指导学生不断反思自己的学习过程、调控自己的学习过程,并在调控基础上不断确立新的学习目标,明确新的追求,形成自我激励机制。

(三)帮助学生建立操作系统,使学生会学习

学生不仅要爱学习,而且要会学习,才能在学习中体现其主体地位。这就要求教师改变过去那种将知识通过讲解直接传授给学生的做法(必要的讲解是需要的),而是为他们设计丰富多彩的教学活动,让他们在活动中自己主动而独立地获取知识和发展能力。这种活动既指外部活动,更包括内部的思维活动,内外活动双向转化。按照认知心理学派的理论,学生参加学习活动的过程,就是主动建构的过程,不断用旧的、已有的认知结构同化新知识,建立新的更高质量的认知结构的过程,这个建构过程的本身就是再创造。这不仅要求教师提供的教学活动具有建构性,并且要具有多样性和选择性,以符合不同学生的需要,而且要求在这一过程中,教师恰当指导学习的方法和策略,这对于学习困难的学生尤其重要。学习困难的学生往往表现出不会学习,认知技能比较缺乏,不善于对知识深加工,不善于建立知识间的本质联系,因此他们在学习中更需要得到指导和帮助。

(四)在合作中学习,在合作中提高

学生在学习中的主体地位不仅体现在他们各自的个体上,而且也体现在他们的群体上。我们应当鼓励同学间合作互助,集思广益,依靠集体力量来主动积极获取知识。我国现阶段的教学,学生间的合作交流不仅太少,而且形式过于单一,主要是运用小组讨论,其实合作学习的方式还很多,如"任务分工式"、"切块拼接式"、"作业互助式"、"学生小组成绩分工"等等。就是小组讨论,也有多种做法和形式,如"问题讨论式"、"循序讨论式"、"实例讨论"、"滚雪球讨论"等等。教师应当根据不同的教学目标和内容以及学生的实际情况,选择恰当的合作方式。约翰逊等人认为小组合作学习有五个要素,即积极信赖、个体责任、面对面的积极互动、社交技能、小组加工。而在教学实际中"合作学习"往往体现

不出这几个要素,因而合作学习效果也受到一定的影响。为了提高合作学习的效果,要对学生进行社交技能的培训,提高他们的合作能力,要对学生进行合作意识和合作态度的培养,使他们能在学习中积极合作,在合作中去共同探索新知识,解决新问题。

三 创设双主体的创造性教学氛围

培养学生的创新精神,首先要给学生创设一个民主和谐的环境。托兰斯认为,创造教学的核心目的就在于创造一种"易起反应的环境"。爱默比尔又认为"内在动机原则是创造力的社会心理学基础,当人们被工作本身的满意和挑战所激发,而不是被外在压力所激发时,才表现得最有创造力"。我们要改变过去那种权威式的教学关系,不是让学生在教师、家长的压力下学习,而是自主地、主动地去学习,教师要爱学生,承认学生间的差别,允许他们在学习上有选择的机会,在教学中留有思维的空白,尊重学生发表的意见,延缓对学生意见的评判,允许他们有不同的想法,给他们创设一种"易起反应的环境"。

教学中,特别要鼓励学生敢于质疑,善于提问,敢于挑战权威。创新往往是从问题开始,只有提出有价值的问题,进一步才有创新可言。如爱因斯坦从牛顿力学和麦克斯韦电磁理论相矛盾现象出发,提出疑问,并解答疑问,导致狭义相对论诞生。我们的学生往往善于学习,善于模仿,却不善于提问。海斯认为,创造力存在于一般的问题解决过程之中,创造性个体与非创造性个体的差异主要在于选择问题的表征上。在我们的教学中往往是教学生如何回答问题,往往以学生没有问题了作为一节课的圆满结束,很少教学生如何提问题,如何发现和提出有价值的问题。所以我们的学生往往也迷信书本,迷信权威,对问题不敏感,缺少科学的怀疑的态度和精神,这种状况是需要改变的。

四 开展双主体的创造性教育活动

活动对人的发展具有决定性意义,但并不是任何活动都对学生具有价值和发展性意义,那么活动是怎样对学生的发展产生作用的呢?究竟什么样的活动方式对学生发展最有价值呢?活动教学要实现以活动促发展的宗旨,就必须首先考察分析活动影响人的发展的各种内外因素,了解活动教学的发生机制,才能建立有效的教学策略。

活动对人的发展影响程度取决于以下变量:活动主体因素和活动客体因素。具体说来,主体因素包括主体的身心发展水平、主体对活动的自主参与程度、主体的自我效能感等;活动客体因素包括活动目标的适切度、活动有无成效、活动方式的选择、活动对象和范围的确定、活动条件的提供等。这些因素相互作用共同对学生的发展进程产生影响。

(一)主体因素

1. 身心发展水平

学生的学习活动是有机体在后天生活中获得个体经验的过程。学生要获得人类已有的经验,必须在身心发展到一定程度以后。如果身心发育还不成熟,又没有一定的实践经验作为依托,这种学习活动便不能实现,更不要说取得成功,最终也就不可能使个体得到发展。每个人对客观世界的认识方式和作用方式,都受到他已经形成的思维模式和行为习惯的影响,表现出个体的特征。

2. 主体在活动中的自主性和参与度

这是影响活动效果的最为重要的因素。主体对活动的自主参与程度表现为主体在活动中的地位及由此产生的对活动的态度。可分为三种情形:被动应答——迫于外界作用下的一种被动性行为,主体不能处于激活、兴奋状态,注意力仅限于维持动作的完成,对主体发展意义不大;自觉适应——主体接受并理解了活动的任务、要求与意义,从而以自觉的、积极的态度投入到活动中去;主动创造——活动过程是主体自主的,主体态度不仅自觉,而且是积极主动的,主动寻求解决问题的方法,设计自己的行动步骤,经历着情感的体验,始终处于积极追求中,关注行为和目标的实现,这是最富有发展意义的活动。

3. 主体的自我效能感

同样的活动对活动主体的影响是不一致的,这取决于主体的自我感受。自我效能感是人对自己能够实施某一行为的自信度和能力感,它影响人对行为的选择,对困难的态度,对行为的努力程度和持续时间,也可以影响学习行为中的情绪和效率。自我效能感强的人,能正确估计自我能力,选择活动的方式内容,对问题不断做出准确判断,及时修正自己的错误,能主动积极参与,学习充满活力。反之,效能感比较弱的人,参与感也随之下降。

(二)客体因素

1. 活动目标

活动对发展主体提出的要求是否恰当,要看它与主体现有发展水平之间的相差度如何,因为过高过低的活动目标都无助于个体的发展。只有那些高于个体现有发展水平而又是他有能力进行的活动,才能有效地促进个体的发展。为此,教育者应认真研究学生的发展状况,包括学生的现有发展水平,把握最近发展区,以安排教育的顺序与目标。

2. 活动条件

活动的展开必须具备一定的条件,如活动材料和活动工具的提供,活动氛围的渲染和创设,活动场地的大小,活动规模的大小(如班级规模),活动空间的灵活布置,活动手段的现代化和多样化程度等,都将直接影响活动的成效。

3. 活动方式

不同的方式产生不同的经验,不同的活动类型和方式促进人的不同的发展,如有主体变革客体为主的创造活动、反应客体的认识活动、占有客体的欣赏审美活动、检测客体的评价活动以及主体与主体之间的交往活动等。他们虽共同对人的发展发挥作用,但每一类活动对人的某一方面的发展有所侧重,如艺术、科学活动——创造性;科学与历史活动——批判性思维;文学、戏剧活动——自主性发展,扩大眼界,丰富人的想像等。

（三）活动过程

活动教学的重要目的之一在于构建活动教学的新过程。这是一个以学习者为中心,以学生的主体实践活动为基础,以学生创新精神和素质整体发展为目标的教学过程。这一过程的核心是学生的主体实践活动。

1.探索型

儿童的发展与人类种族的发展有许多类同之处。现代学生的学习过程从某种意义上是对人类社会文明发展过程的一种认知意义上的重演。在教学过程中,让学生踏着前人的足迹部分地重新发现他们学习的内容,对于学生的发展具有多方面的意义。这一过程将使他们在获得知识的同时,掌握人类的认识方法和活动方式,培养他们的探索精神和创造精神。探究型活动方式就是这样一种在教师的引导下由学生独立完成发现知识过程的活动。这一活动本质上是人类原始发现过程的高度浓缩,是教育意义上的重演。在运用这种活动方式时,需要从以下几个方面入手。

（1）有目的地选择重演和再现的内容。探究型活动方式并不要求学生重新发现教材中的所有知识,这在教学实践中既没有可能也没有必要。适宜进行重演和再现的应是各个学科中在人类认识史上产生过重大影响,对于学生的创造性心理品质培养具有典型意义的知识和技能。例如某些科学概念、运算法则、重要学科思想、思维方式和解决问题的技巧等等。

（2）创造探究和发现的情境。向学生提供探究和发现的真实情境,是激发学生的探究欲望,促使他们像科学家一样进行工作的必要条件,同时还可以使他们理解创造与社会需要和文化背景的关系,了解知识的产生过程。这对于学生从更深的层面理解知识,产生未来创造的动机,掌握创造的方法都是十分必要的。

(3)提供有结构的材料。材料(实物的与文字的)是引起和形成学生探究发现经历的工具,是学生实践活动的对象。学生需要在改造材料的过程中完成发现并改变自己的原有认只。因此,提供给学生的材料应是同所要发现的知识具有相同结构的(因而能够通过相互作用揭示有关现象),对学生具有吸引力的,并且是适宜学生完成发现,并能够激发不同水平上的多种思考的。

(4)鼓励运用多种方式完成发现。

2. 创造型

创造是人的主体性发展的最高境界。教学的基本任务应着力于学生创造性心理功能的不断开拓和丰富。创造性活动方式重在激发学生的创造动机,培养创造态度和形成创造性人格。在进行这种活动时,教师应采取下列措施。

(1)让学生在课堂中直接进行创造性活动。如重新发现概念和推理,归纳有关规律,自己制作模型和学具,自己规划和组织专题研究,自行开展班队活动以及进行即兴创作和表演等。

(2)促进学生直觉、想像力和观察力的发展。直觉是创造的心理基础,想像是创造的前奏,观察则能为创造积累榜样。为了促进上述能力的发展,教师可在教学中开展丰富多彩的活动,如引导学生运用直觉解数学题和分析判断事物,组织学生进行各种参观、考察和游历以及开展各种形式的竞赛,等等。

(3)关注学生思考问题的独特性和新颖性。要使学生深刻认识到,自身潜能的实现便是一种创造。创造性人皆有之,创造没有等级之分,创造是随处可见随时可以进行的。重要的是要形成良好的创造心理品质。教学中,教师要敏锐地发现学生具有的独特性和新颖性的思想,并给予及时的鼓励。

(4)让学生接受更多的科学技术信息。增加有关社会进步和科技发展的信息对于学生创新意识的形成和创新人格的培养将是十分有益的。教师要有意识地引导学生关注新闻媒体的有关报道,注意收集有关资料,并采取集体活动的方式在学生中进行交流,以扩大学生的视野并增进他们对于社会创造性活动的了解。

除上述方式外,活动教学中的活动方式还有多种形式,例如问题解决方式、调查研究方式、戏剧活动方式、游戏活动方式等等。在课堂教学中采取何种活动方式要根据教学的不同目标和内容来确定,也要极大地依靠教师的创造性。

第四节 创造性教育科学研究的新思路

从我国教育实际出发,小学教师投入教科研,首先要学习教育理论,掌握教育规律。例如,在宏观上了解教育的实质、功能和目的,了解教育结构、体制和发展目标等等;在微观上,了解教学过程、课程设置、考试规律,了解德育的特点、学生的特点和评价方法等等。教育理论体现了一定的教育规律,参与教科研的中小学教师,可以对照自己的教育实践,做到理论联系实际。

中小学教师在教育的过程中参与教育科学研究,特别是教育改革的科学研究,使这个过程中的重大决策有一定的理论依据。中小学教师通过实地调查、实验研究、筛选经验、科学论证,实现着教育工作的科学化。这样,这些教师的教育、教学工作的模式就由"经验型"转向"科研型",教师本身角色的模式也由"教书型"转向"专家型"与"学者型"。

中小学教师蕴藏着搞教改实验研究或教育改革科学研究的极

大积极性和可能性。一旦这种积极性得到发挥,他们就能变这种可能性为现实性,成为教育改革科学研究,乃至整个教育科学研究的一支生力军,并在教育科学的研究中,特别是在教改的教科研实验中提高其素质。

一 研究方法

(一)经验总结

先进的教育工作经验的科学总结法的实际操作过程分为两个阶段:第一个阶段是广大教师在教育和教学工作实践活动中的经验积累与提供。这个阶段的工作由广大教师在日常工作中来完成,关键是做好经验的记录。对有价值的新经验要做出详细的记录。记录要客观符实,不能随意夸大或改变。经验的记录应该包括对问题或现象的具体阐述、对问题的分析判断、解决问题的新方法、解决问题的实际效果和对不可控相关因素的估计。对第一阶段工作,中小学教师都比较熟悉。第二阶段的工作是对教育工作经验的科学总结。这个阶段的工作主要由教育管理部门的行政领导(如校长和地方教委的负责同志等)和中小学教师共同来完成。

本阶段的工作主要包括以下四个方面:一是经验的筛选,即选择那些有研究和推广价值的经验为先进教育工作经验,并作科学总结的对象。二是经验的核实与验证。对经验的核实大致有三个方面的内容:(1)核实经验所提供的新的教育经验及其具体内容和形式;(2)核实某经验的新方法的具体实施过程;(3)核实新方法等的实际效果。经验的验证的依据是所提供的方法等经验,要不要设置实验班和对照班,由学校根据具体情况自行决定,目的在于对比先进的教育方法与一般的教育方法的教育效果。验证对比,要考虑到和先进经验使用相似的时间、地点、人员、环境和背景,最后根据实验班和对照班学习评定结果或与某一地区总成绩

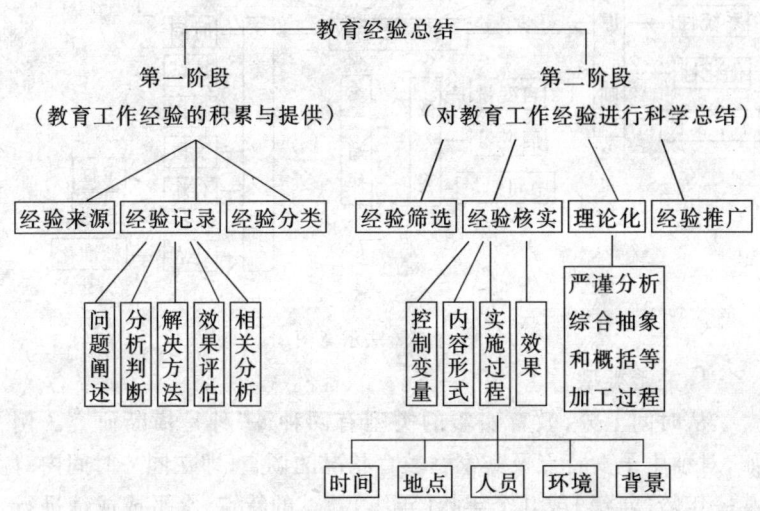

韩进之、张奇老师的教育经验总结法

的差异检验来判定新方法是否有效。新教育方法的教育效果明显地优于一般的教育方法的效果时,这种新的教育方法才能上升为理论或教育模式。三是对验证的经验及其方法进行理论化,即把经过实验验证为有效的教育方法进行理论分析、提炼和概括,上升为一般的教育理论或教育模式。这项工作要由理论工作者和实际工作者一起来做,以便使理论工作者概括出的理论更符合教育实际。四是先进教育方法或理论的推广。在这个过程中,原来的理论或方法还要根据实际运用的情况进行修改或补充,使之更进一步地完善,推广工作要有"点"、有"面"、有步骤地进行。一般是先"点"后"面",待其成熟后,才可大范围推广。推广的方式有好多种,如教学观摩、经验报告和办短期培训班等。

(二)教育实验

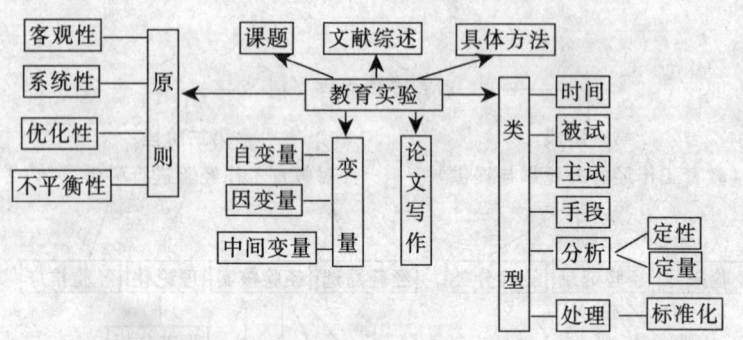

教育实验法示意图

1. 关于类型

从时间上分,教育实验的类型有两种,一种是横断研究。例如,对独生子女特点及其家庭教育状况的调查,即在同一时间内对某一年龄(年级)或几个年龄(年级)被试的特点、水平或成绩进行测查并加以比较。另一种是纵向研究。例如对班主任多年经验的总结或对学生的某学科能力发展的长期研究,即在比较长的时间,对被试某特点、水平或成绩进行有系统的定期的研究,也叫追踪研究。

从被试分,可以对一个或少数几个被试(研究对象)进行个案研究,也可以把一组或许多被试当做一个组群进行研究。

从主试分,即研究人员,可以是个人,例如某教师独立研究,也可以是几个人或多数人,例如校长领导下的一个研究组进行的协作或集体研究。

从手段上分,可以采取一般技术,例如观察、谈话、测验或自然(教育性)实验;也可以采用现代科学技术,例如录音、录像、电子计算机或与专业人员合作利用现代化实验室的技术装备、科学技术手段。

从分析上分,可以是定性分析,也可以是定量分析。

从材料特别是对试题的处理分,主要采用标准化的分析方法,求出试题的难度、区分度、信度(可靠性)和效度(真实准确性)等。

2. 关于变量

在中小学教师参与的实验中,往往将某种指标(如学生考试成绩)归于某一动因。例如对教材的评价,可能是新教材编得好,也可能是教师教得好,换一位教师,这套教材就学不好。这里就引出三个变量控制的问题,即自变量、因变量及中间变量。所谓自变量,即刺激变量,指在实验研究中有意加以改变的事物,例如课题,环境条件,被试者(年龄、年级、性别、民族、文化背景等影响因素)等等。这类变量有量的变化,也有质的变化。例如试题的数量可以做量的分析;不同教学方法,不同的设备、仪器、工具、条件,不同的教材等可以做"比较"实验,要做质的分析。所谓因变量,即反应变量,这是实验中拟测的指标,例如,反应时间、反应速度、反应延缓期、反应量、反应准确性(率)、测验成绩、反应灵活程度等等。此外,还有被试的态度、习惯、动机,对被试的诱因,被试的准备状态、目标定势以及主试的倾向性、指示语和实验研究无关的动作、表情、口气等都足以影响实验研究结果,所以应加以控制和密切注意,这就是中间变量。以上三种变量的关系是十分复杂的。因此,在教育实验研究设计中,要全面考虑到各种变量的关系,也就是考虑到如何有意改变自变量,如何观察和记录因变量,如何控制中间变量,如何使指导语更好地符合研究目的的要求。否则,研究结果不仅失去科学性,也会使广大中小学教师,即同行们不能口服心服,反而引起他们的反感等副作用。

3. 具体方法

中小学教师采用的具体方法,主要是观察、谈话、问卷和自然(教育性)实验。

观察法就是有目的、有计划地观察被试在一定条件下言行的变化,做出详尽的记录,然后进行统计处理,从而判定他的行为的一种方法。观察分两种,一种是日常的观察,另一种是科学的观察。前者往往带有偶然性,缺乏组织性和计划性,也很少考虑影响行为产生和进行的所有重要条件;后者则不同,它要求必须从描述所观察的行为活动的事实转变到解释它的内在实质。观察是一门专门的技术。一个完善的观察要求必须注意如下几点:(1)明确目的,了解意义;(2)情境自然,客观进行;(3)善于记录,便于整理;(4)正确理解所观察到的现象,由表及里做出确切的、科学的、本质的解释。为了更好地观察,如有条件,可以采用一些现代化手段,如利用照相机、录音、录像等。

谈话法又叫访谈法,它是通过谈话了解被试行为的一种方法。谈话中所获得的材料的丰富性和客观性,在很大程度上依赖于研究者的机智和谈话的技巧。合理、灵活、恰当的谈话特点是:(1)要灵活,研究某一问题时,虽然对每个被试所提出的基本问题是相同的,但研究者可根据对方回答的具体特点做出灵活的反应;(2)用一个或一组问题开始向被试提问,研究者不仅记下被试对问题的答案,并要对方主动谈话,由被试的回答决定提问的过程;(3)整个谈话可以因人而异,可以采用不同的提问方式,不拘泥一定标准化程序;(4)在交谈时,研究者尽量运用被试能够领会的语言,不打乱其思路,不暗示,更不强加研究者自身的观点。在整个谈话(访谈)过程中必须注意目的明确;谈话的内容生动、风趣,使被试乐于回答;有谈话的机智,灵活地捕捉被试的思路;做好记录。

问卷法,就是把所研究的主题分为详细的纲要,拟成简明易言的问题,印刷成册,分寄各地有关人员让其据实回答,或与学校的考试、测验、竞赛结合起来,让被试尽力完成,然后根据收回的答案,经过统计处理或文字总结以解决问题。问卷分两种:一是封闭式的,所要回答的话尽量简短,可能时应只用"是"、"非"或画"+""-""×""√"等方式;二是开放式的,让被试尽量答完整,或可以漫无边际地写出自己的想法。采用问卷法必须要谨慎,并注意下面几个方面:(1)问卷试题,其量适当多一点,但必须紧紧围绕所研究的主题,目的是为了对同一类问题从不同侧面来提问,防止说谎或漫不经心的回答。试题虽多,但中心明确,不蔓不枝,言简意赅。(2)内容要生动活泼、有情有趣,使被试既愿意积极配合,认真回答,又不明白研究者的意图,无法猜测、敷衍。(3)以封闭试题为主,开放试题为辅,便于统计,便于被试按照研究者创设的条件来答题,便于主试评分评级一致化。(4)正式问卷,必须在预试的基础上进行,预试中出现典型答案,是充实正式问卷试题的来源之一,预试中出现五花八门难以区分等级或水平的试题,应及时删去。

自然(教育性)实验,兼有观察和实验室实验(中小学教师一般不用)的优点。它的一大特点就是把实验研究和日常教育教学活动密切加以结合。自然(教育性)实验分两类:一是研究被试某种行为特点以及影响因素。例如,我们曾研究了在学习活动中,中小学生思维品质的速度、灵活程度、批判程度、独创程度和深刻程度的发展趋势、等级以及影响因素。二是研究教育教学条件与被试某种行为发展变化的关系,这一般又叫培养研究。在采用自然(教育性)实验研究被试某种行为(如成绩变化)时,一般都要将被试划分为若干组,至少是"教育经验总结法"提到的两个等组:一个实验组,一个控制组。控制组要完全保持正常的情况,毫不受实验因素的影响,其功用只是为了实验之后同实验组进行对照和比较。例如我们在小学生思维品质培养的实验研究中,首先确定实验班与控制班。这种班的被试,均系就近入学,都是学生一入学就开始追踪研究,研究前通过智力检查及语文与算术两种考试,成绩都无显著的差异(经过 X^2 考验,$P>0.1$),组成一一对应等组;使用教材相同(都是全国通用教材);在校上课、自习及所留作业量相同,学生家长职业、成分大致相似,没有发现任何特殊的家庭辅导,或增加练习量的现象。所不同的是选择实验班的教师,应能与实验者积极配合,突出教学方法的改革,以利于实验班学生在运算中思维品质的培养;而控制班按照一般的教学方法进行,即不使用实验班的教学方法。通过一段时期的实验,实验班与控制班不论在思维品质方面还是在教学质量方面,都显示出显著的差异。从中看出,教育是作用于思维发展的决定因素,合理的适当的教育措施,把握客观诸因素的辩证关系,能挖掘小学生运算中思维品质的巨大潜力,并能促进教学质量的提高。因此,对于学生思维发展的年龄特征的研究,必须要使研究处于"动态"之中,即充分考虑到教育的主导作用,考虑到由于教育因素所产生的可变性,从变化中分析稳定性,才能使思维发展的研究获得可靠的、科学的结果。

二 案例

(一) 学科类

1. 如何探究小学数学知识

针对农村小学数学教学"重教轻学、重知轻能、抑制学生思维"的状况。我在教学"长方形的面积"时,设计了"质疑导入、操作感知、归纳概括、自学练习、总结验证"的一节课。这节课是引导学生通过实际操作而感知,由感性认识上升到理性认识的一节课。

一是教师先出示两个图(一个长4厘米,宽2厘米的长方形;一个边长3厘米的正方形),问学生:请同学们比较一下,哪一个图形的面积大?哪个图形的面积小?学生争论不休,教师趁机引导:"面积的大小不能光凭眼观,应设法求出它的面积才能比较。"教师再打出两个图形的虚线小方格,"一看便知道正方形面积比长方形的面积大1平方厘米。但用数方格的方法方便不方便呢?再说像操场、桌面等能不能用数方格的方法来计算其面积呢?显然是不可能的。因此,我们还没有找出一个更科学更简便的计算面积的方法,这就是我们今天要研究的问题(长方形的面积计算）"，从而带领学生进入了最佳思维状态。

二是让学生操作，在操作的过程中，获得丰富的感性材料，感知事物的本质特征。导入新课后，请学生拿出事先准备好的12个1平方厘米的正方形硬纸片，在书桌上摆成长方形，看有几种摆法？（3种）面积是多少？（12平方厘米）怎样得出的？（12×1.6×2.4×3）教师将学生摆法画在黑板上，同时将算法板书写在对应的摆法后，从而感知长方形的面积求法。紧接着，教师又叫学生再用1平方厘米的纸片摆出长5厘米、宽3厘米的长方形，问学生横排摆几个？（5个）竖排摆几个？（3个）摆的面积单位数跟长、宽的厘米数有什么关系？（与长宽的厘米数一样）为什么？请学生说明原因，并说一说算法，教师写板书。此举为归纳公式铺平道路，为理解公式的内含奠定了扎实的认知基础。

三是讨论概括。教师引导学生根据板书的四个式子，引导其思考：长方形的面积与什么有关系？面积的平方厘米数与长和宽的厘米数有什么关系？求长方形的面积需要知道哪些条件？知道长与宽的厘米数，怎样求长方形的面积？学生分组讨论，然后一一解决。以上四个问题，得出长方形的面积等于长乘以宽，使学生从感性认识上升到理性认识。

四是自学练习。为深刻领会长方形面积的求法，教师在引导学生推导出公式后，采用开放形式，叫学生自读课本内容，进一步领会要领，从而使其逐渐养成独立学习的好习惯。然后布置形式多样的不同层次的习题供学生练习，教师适时点拨辅导，学生训练及时。

五是师生共同将所学的内容加以归纳整理形成一个完整的认识，使新知识准确地显现出来，在学生的记忆中有一个准确、清晰、完美的印痕。接着，用几分钟时间，让学生根据本节内容出题互测，进一步验证新知识的掌握情况。

说明：农村小学数学教学，普遍存在重教轻学，重知轻能，教师

包讲的"满堂灌"现象,抑制学生思维,教学效果不佳。但老师通过案例中五步教学,使学生在操作中充分依靠对图形的感知,形成对有关图形的形状、大小和空间的表象,建立了较清晰的空间观念,在此基础上进一步使学生有目的地在探索,发现规律,解决问题,从而达到既掌握知识,又发展智力的目的。在几何形体教学中不失为一种好方法。

云南省威信县教委教研室　张佐才提供

2. 儿童绘画怎样开发潜能

儿童绘画教学要点:

(1)由简入繁,由专到博,由单一到群体,由基本形到变化形。

(2)课前与课后相结合,创作与临摹相结合,基本形与变化形相结合。

(3)教师讲课要留疑点,让学生自己悟,以启迪自身本性的觉醒。正所谓"大疑大悟,小疑小悟,不疑不悟"。

(4)"内因是根本,外因是条件",唤醒孩子们自我开发的主体意识。

(5)师者为人解惑,与人授业,要不断提高业务能力和全方位修养,以加强授课的凝聚力。

(6)境由心造,艺术不仅要反映眼中的世界,更要反映心中的世界。

(7)因材施教,指导不同性格的孩子有其对应的教学方法,强化其个性,使之有鲜明的艺术倾向。

(8)"外师造化,中得心源",养成深入生活、观察生活、体验生活、感悟生活的良好习惯。

儿童早期的绘画训练开发了智慧潜能,使他们学会一个自我独立观察的方法、感觉的方法、顿悟的方法、组合的方法、表达的方法。然后给孩子们自由,还孩子们本色,让他们的作品充满儿童所特有的天真浪漫、天机自然、幼稚可爱的童趣和童真。

儿童绘画介于游戏和心理表象之间,通过绘画训练,锻炼了手、眼、脑高度和谐统一的能力,还激发他们热爱生活、热爱自然、勇于探索的精神和独立创新、独具慧眼的能力,这不论他将来是否成为画家都是极有意义的一步。

儿童绘画创作是一块神奇的土地,这里寄托了孩子们全部的爱,一张白纸就是一个美丽的世界。他们面对这个世界去发现自我、展现自我、超越自我,这发自心灵的闪光,正是艺术生命的本真和人类智慧之门。

现将授课的几种训练方法和注意事项介绍如下,仅供参考。

(1)自我身心调整法:作画时身体姿态要求正襟危坐于椅上,双脚踏地与肩同宽,左手按纸,右手执笔,含胸拔背,凝神闭口,目视笔端,收腹提肛,眼睛离纸一尺远,腹部离桌子一拳远。要求拿起笔来心情平静,静如止水,聚精会神,一丝不苟,养自我内在平和之气,由平静而入宁静,静则生慧,是开发儿童潜在智慧的重要一步。注意作画中要缓慢地自然呼吸,在凝神运笔停顿时吐故纳新,逐步过渡到细、慢、匀、长的腹式呼吸,画到关键处闭住一口气去画,这时才能画准并有益于身心健康,是绘画养生开智的关键一环。

(2)师生场态调整法:在教学中老师与学生是一个整体信息场,讲课与听课是一个心灵信息交换的过程。教师要把自己的知识、智慧、经验传授给学生,要有一个良好的接收状态,即静态接收法,学生精力高度集中于老师的每一句话、每一个动作、每一个想法,把学生的心灵场与老师的心灵场贯通,这种师生间的语言、动作、思维的高度合一,同步共振,将对学生产生极深的印象和影响,这样老师会的学生自然也会了。这种以心传心、心心相印的方法,是直指人心的顿悟教学法,这种师生心灵场态的调整是心灵智慧开发的金钥匙。

(3)绘画造型法:绘画造型的方法分感性造形、理性造形、悟性造形。理性造形以形写实,适合于8岁以上的孩子;感性造形以形写意,适于6~8岁孩子;悟性造形以形写神,适于4~5岁的孩子。

理性造形:看一眼画一笔,努力学准画像,用科学的方法和理智去观察、分析、比较,把生活中的形象转换为艺术形象,要求形神兼备。

感性造形:要求跟着感觉画,随意性造形用心灵去感悟,自然而然,不雕琢,不做作,信笔挥毫,这种造形妙在"似与不似之间"。

悟性造形:此法属"不像之像"或"离像求神"之法,以幼儿特有的纯真幼稚,顺其自然地画,不合常理而通画理,常常在这种忘我的超越状态中流露了艺术本体的灵光。

(4)构思构图法:儿童创作每一幅画都是一个美丽的故事。教师出一个题目,孩子们闭目静心想一下,独立构思自己心中的画,然后,同学们可以发言讲述自己的想法,老师再提示一下自己的看法,使画面情节更具体、更有趣味、更大胆、更新颖。最后根据每个孩子自己独到的想法去查找资料,确定构图的动态走向及取舍的关系,从画面主体画起,构图要注重画面的主次、韵律、疏密、层次、对比、和谐等绘画因素。构思构图贵在出新,要学会用自己的头脑去思考,学会用自己的心灵去感悟。一旦掌握了一种风格的画法后,还要跳出这种画法,超越自我、更新自我。构图之法,法无定法,经常用全新的角度构思、构图,使自己从一个阶梯走向更高的阶梯。

(5)用笔用色法:作画形神骨气皆归于用笔。用笔法包括执笔法和运笔法,用笔要大胆果断,一丝不苟,跟着感觉和一点慧心的关照,凝神聚气,宁拙毋巧,刚正有力,不疾不徐,不直不弯,切忌油滑浮躁之气。落笔以心运笔,以手执笔,以气御力,凝神专一,功在不舍。

儿童学画用色大胆自由,无拘无束,在他们自由发挥的同时,也要逐步引导讲述一些色彩规律和运用的方法,如色像、色度、色调。色彩的对比方法和色彩谐调的方法,高明度强反差训练,低明度弱反差训练,根据画面内容取舍画面的冷色调或暖色调及色彩的调整方法、组合方法,自我意识的强调方法。

(6)作业讲评法:讲评作业是必要的一环,教师对学生每一幅作业的优缺点,要明确指出,并提出修改的方法和注意事项。讲评方法有三:其一,教师直述法;其二,同学互评法;其三,作者自评法。讲评每张作业都是一个直指人心的契机,一旦打开心灵之窗,就会别有一番天地。这种明心见性式的方法是启发人内心的本体意识,一旦自我心灵觉醒了,一通百通。即明理悟道,道悟开了,自然心明眼亮,智慧圆融。

(7)直觉顿悟法:直觉思维是非理性思维,是作者对画面的第一眼印象,是无为状态下人类对物象一种直观的心灵感应,这种观察方法是对理性思维的一种超越和升华。

人类为万物之灵,就在于他的灵性在静态中迸发出的智慧之光,能给人神奇的启示,这种突来的启示和想法,即为艺术之灵感。善于捕捉瞬间的灵感,是艺术家所特有的能力。作画中自如地运用直觉思维、灵感思维、顿悟思维,是培养想像能力、创造能力的有效方法。把顿悟、灵机化为一种艺术表现形式,就把握了灵感的机缘和儿童画创作的灵魂。

说明:绘画在儿童发展中具有重要作用,它不仅是儿童的一种心理需要,也是教育儿童的一种手段。在儿童绘画教学中,如何发挥绘画的发展作用,教育观是非常重要的。教师若把绘画看做是技能的训练就让儿童把大量的时间花费在画圆画方上;而教师若把绘画看成是发展儿童形象思维的一种手段,就会遵循儿童自身的发展规律,在绘画中开发儿童潜能。这里介绍的"开智法"就体现了后者。在儿童绘画教学中,不仅通过绘画训练手、眼协调,而且通过教学培养儿童的创造性和探索精神。这样绘画课就发挥了它应有的价值。

（二）综合类

活动 1

（1）目标

通过对各种食物的营养、生产制作、消费等情况的调查了解，使学生能够科学地认识各种食物的营养与人体需要之间的关系，学会选择食物；同时通过实际操作，使学生学会科学地制作简单食物的方法。

（2）内容与专题

①青少年与成年人的营养与食物。

　　·各类食物的营养及特点，例如：米面——碳水化合物，含量比例；鱼肉蛋——蛋白质；蔬菜、水果——纤维、维生素；调味品——碘、食盐、油脂、糖类等。

　　·青少年生发长育阶段的特殊需求与成年人的差别。

②食物的性质及选择。

　　·季节食品

　　·地区食品

　　·加工食品的价格与质量保证——消费常识、费用

③日常食物的制作（一日三餐的制作）。

　　·制定食谱——营养配餐

　　·实际操作

④食物与生活的关系。

　　·民以食为天

　　·科学消费

　　·适当消费

　　·食文化与社会生活（不同国家、民族、地区的饮食习惯）

（3）活动与组织

①市场调查——种类、价格。

②资料查询——医务、营养科学咨询。
③整理——食谱、调查结果、食物介绍。
④制作食物、品尝食物。
⑤本单元以小组学习为主,以系列学习形式进行。
⑥学习内容和时间可根据不同年级进行调节。
活动 2
(1)目标
　　本单元的学习内容是当今世界人们共同关注的课题,也是与每个同学日常生活密切相关的问题。因此,通过学生自身的考察活动,引起他们对环境问题的关注;使学生会从经济的、卫生的、伦理的等多种角度认识、分析环境问题;认识垃圾与生活环境的关系;了解环保事业的意义;初步养成环境保护意识和行为习惯。
(2)学习专题和成果要求
①垃圾数量的变化。
　Ⅰ.内容参考:
　　·数量的变化与人口增长的关系;
　　·数量的变化与人的生活方式变化的关系;
　　·浪费与垃圾量的增加;
　　·某地区(如本市、全国)的垃圾量(如一天、一年的量)。
　Ⅱ.成果要求:
　　·以图、表的形式表示计算或推算结果及变化的状况,并附以文字说明(800字)。
②垃圾种类的变化。
　Ⅰ.内容参考:
　　·生活垃圾大致分类(如纸、塑料、铁、厨房垃圾);
　　·各类垃圾的大致比例(如生活、工业、建筑等);
　　·种类的变化与人的生活方式变化的关系(如饮料罐、塑料盒、袋的增加、炉灰的减少);

・种类的变化与年代的关系(如五年前、十年前与现在相比)。

Ⅱ.成果要求:

・以图、表的形式表示计算或推算结果及变化的状况,并附以文字说明(800字)。

③垃圾箱的种类与变化。

Ⅰ.内容参考:

・与居住环境的关系;

・与用途的关系;

・垃圾箱的种类;

・垃圾箱的分布。

Ⅱ.成果要求:

・以直观图、纸模型以及文字说明(800字)体现研究结果。

④垃圾的运送及处理方式。

Ⅰ.内容参考:

・(某环卫局)垃圾车的行车路线和目的地;

・(某环卫局)垃圾车的数量、种类;

・垃圾处理的几种基本方式;

・焚烧垃圾的主要流程。

Ⅱ.成果要求:

・以垃圾车行走路线简明示意图(或地图)、某种垃圾处理原理(或流程图)以及文字说明反映研究结果。

⑤作为公益事业的垃圾处理。

Ⅰ.内容参考:

・政府的资金、人力和物力投入状况;

・政府的有关法律、法规;

・垃圾处理事业中存在的问题;

・垃圾处理事业的发展前景。

Ⅱ.成果要求:
·以图、表或其他直观形式以及文字说明(800字)来反映调查结果。
⑥环卫工人的辛劳。
Ⅰ.内容参考:
·工种分类;
·每天要走的路程;
·每人每天需负担的工作量(平均);
·工作时间、待遇;
·心情(苦恼与快乐)。
Ⅱ.成果要求:
·表演剧、对话或其他能形象反映工人工作情况的方式展示学习成果。
此外,各组需提交调查过程报告,每个人需提交个人学习体会。
(3)活动方式和步骤
第一次活动:导入课。(约3课时)
Ⅰ.主要内容:
(a)提出学习课题。可以提出以下话题,如生活中各种各样的环境污染、垃圾带来的困扰,你对垃圾知多少等,以引起学生的兴趣。
(b)简明介绍本单元的学习内容、学习方式和成果要求、评价方法等。
(c)学生随机分组、分工;选题抽签,分组讨论。
·完成该课题,应从哪些方面着手?调查哪些问题?
·需查找哪些资料?到哪去查?
·可到哪些部门、地方咨询、访问、参观?
(d)布置课外观察活动:"我家每天倒出的垃圾"、"学校(单元或楼)每天倒出的垃圾"——数量、大致种类、倒送方式……可以自由选点观察,个人或2~3人自由结合。

(e)发放活动课评价记录表(见后)。

Ⅱ.组织指导:

(a)导入课可以以班级集中或年级集中的方式进行。

(b)教师可提醒学生和小组作活动记录、观察笔记。

②第二次活动:拓宽视野,获取信息——看录像,听报告。(约3课时)

Ⅰ.题目:"垃圾的处理与环境保护"

· 垃圾的污染与环境

· 垃圾处理中的科学

· 国外的垃圾收集与处理

Ⅱ.组织指导:

(a)班级集中。

(b)教师于课前与报告人联系,准备场地、视听设备。

(c)录像带可以借用电视纪录片或专题片。

③第三次活动:实际感受、体验——参观垃圾处理场(或转运站);公园环保。(约4课时)

组织指导:

(a)教师提前联系、选点。

(b)公园环保可与春游结合进行,以小组或个人为单位开展活动。

(c)要求每个学生写一日活动体会。

④第四次活动:社会调查。(约4课时)

组织指导:

(a)活动以小组为单位进行。

(b)教师活动前了解各组调查计划、活动范围,并提醒交通安全问题。

⑤第五次活动:讨论会。(约 1~2 课时)

(a)讨论题:

·有没有不该成垃圾的垃圾?

·垃圾数量不断增加,而收集处理垃圾所需的资金投入有限,应当怎样解决?

·如果一天没有垃圾的收集和处理,我们将会怎样?

(b)组织指导:

座位设置成"O"型,学生自由发言。

注意引导学生结合公园环保体验,思考道德观念、行为与环境的关系。

⑥第六次活动:小组查询资料,准备汇报会发言。(约 2 课时,其余可利用课外活动时间)

活动由小组自己组织,地点、方式自由选择。

⑦第七次活动:班级社会调查结果汇报展示会。(约 2 课时)

组织指导:

(a)汇报会由学生自己组织、安排议程。

(b)汇报以小组为主,也可有个人自由发言。

(c)教师应事前了解各组准备情况,并督促、指导。

(d)推选 2 个小组在年级交流会发言。

⑧第八次活动:年级学习成果交流会。(约 2 课时)

(a)汇报成果。

(b)向全校同学发布环保倡议书"爱护脚下每一寸净土,从我做起"。

(c)教师事前应联系会场,委托起草倡议书。

⑨第九次活动:社会活动——环保宣传。(课外活动时间)

以小组为单位开展活动,宣传内容可以小组学习调查成果为基础,宣传方式由学生自己考虑、选择。

(4)附:学习情况评价表

学习情况评价表

分类	项目	水平	A	B	C
参与情况	态度	社会调查			
	行动	听讲座·参观			
		小组讨论			
		制作			
	角色	出谋划策			
	作用	主导			
		执行			
成果情况	笔记	过程笔记			
		体会·小论文			
	作品	创意水平			
		表现水平			
小组评议					
老师评价					

注：自评部分采用划"✓"的方法。
"角色"栏，根据个人情况，只选其中一项即可。